William Wharton strac̄_____
i dwie wnuczki w wypadku, _____
niem, nigdy nie powinien był się wydarzyć.

Było to 3 sierpnia 1988 roku w Oregonie, w Stanach Zjednoczonych. Pewien farmer wypalał ściernisko na swoich polach.
Wiatr zniósł gęsty dym nad biegnącą w pobliżu międzystanową autostradę I-5. Kiedy
dym wdarł się pomiędzy pędzące samochody, kierowcy nie widzieli nawet maski własnego pojazdu. Furgonetka volkswagena jechała wciśnięta między dwie olbrzymie
osiemnastokołowe ciężarówki. W pewnej
chwili ciężarówka z tyłu staranowała furgonetkę. Eksplodował zbiornik paliwa i cała
rodzina uwięziona w aucie spłonęła żywcem.

„To najstraszniejszy wypadek, jaki kiedykolwiek widziałem. Ciała pasażerów furgonetki były tak zwęglone, że nie można
ich było rozpoznać" — na miejscu katastrofy powiedział dziennikarzom wstrząśnięty policjant.

Wharton podjął sądową batalię, chcąc
ustalić odpowiedzialnych za śmierć swoich
najbliższych, a także doprowadzić do zanie-
chania proceduru wypalania pól, by już nigdy
nie zdarzały się podobne wypadki.

Wszystko to opisał w *Niezawinionych
śmierciach*. „Pisanie tej książki to była droga przez mękę — wyznał pisarz. — Te
przeżycia zmieniły mnie tak bardzo, że
śmierć córki wydaje mi się teraz niemal
usprawiedliwiona, upewniły mnie, że istnieje jakiś ważniejszy wymiar egzystencji niż
ten, który znamy".

William Wharton

NIEZAWINIONE ŚMIERCI

Przełożył Janusz Ruszkowski

ZYSK I S-KA
WYDAWNICTWO

Tytuł oryginału
WRONGFUL DEATHS

Copyright © 1994 by William Wharton
Copyright © 1995 for the Polish translation
by Zysk i S-ka Wydawnictwo s.c., Poznań

Opracowanie graficzne serii i projekt okładki
Lucyna Talejko-Kwiatkowska

Fotografia na okładce
Piotr Chojnacki

Redaktor serii
Tadeusz Zysk

Redaktor
Zofia Domańska

Wydanie I

ISBN 83-86530-93-6

Zysk i S-ka
Wydawnictwo s.c.
ul. Wielka 10, 61-774 Poznań
tel./fax 526-326, tel. 532-751, 532-767

Łamanie tekstu
perfekt s.c., ul. Grodziska 11, Poznań, tel. 67-12-67

Dla Kate, Berta, Dayiel i Mii.
A także dla Margaret, która wpuściła promyk
światła w ciemności.

W.W.

Przedmowa

Pod wpływem przeżyć opisanych w tej książce doszedłem do przekonania, że wszystko, co powstaje w umyśle mężczyzny czy kobiety, jest fikcją. Tak zwana prawda to udogodnienie i luksus, których wszyscy poszukujemy. To poszukiwanie wydaje się naturalną i konieczną cechą rodzaju ludzkiego.

W nauce kryterium prawdy jest powtarzalność. Pojęcie lub obserwację uznajemy za prawdziwe, kiedy wnioskowanie lub cała seria doświadczeń zawsze daje podobny rezultat.

A jednak przez długi czas ludzie nauki byli przekonani, że to Słońce kręci się wokół Ziemi. W owym czasie takie objaśnienie ruchu gwiazd i planet spełniało wszystkie kryteria prawdziwości.

Historycy uważają wydarzenie za prawdziwe, jeśli zgromadzą odpowiednią liczbę tomów zawierających pierwszo-, drugo- i trzeciorzędne dowody, wystarczające do uzasadnienia słuszności takiego stwierdzenia. Jednak taka prawda to tylko „prawda ogólnie przyjęta", co oznacza tyle, iż większość ludzi myśli, że to prawda. I, jak to zwykle bywa, trwają w tym przekonaniu jedynie przez pewien ograniczony czas.

Religia czerpie prawdę z objawienia udzielanego jednostkom nazywanym czasem prorokami — istotom należącym do jakiegoś innego, wyższego gatunku, które dysponują potężną mocą i zazwyczaj pochodzą nie z tego świata. W tych objawieniach mają swoje źródła rozmaite systemy dogmatów, z których każdy rości sobie pretensje do prawdziwości. Wielu ludzi żyje podług tych „prawd", zabija dla nich lub jest z ich powodu zabijanych.

Zgromadziłem tyle pierwszo-, drugo- i trzeciorzędnych dowodów, ile potrafiłem. Żywię nadzieję, że wydarzenia tu opisane nigdy już się nie powtórzą. Nie oczekuję ani nie proszę, żebyście wy, czytelnicy, dali wiarę temu niezwykłemu objawieniu, które zostało mi udzielone. Opowieść o nim stanowi tylko fragment całości tego przerażającego, iście diabelskiego doświadczenia.

Tej biograficzno-autobiograficznej powieści poświęconej wydarzeniom, które zmieniły moje życie, nadałem formę paradokumentu. Dla dobra sztuki korzystałem jednak z pewnych, przynależnych jedynie powieściom, technik pisarskich.

Znajdują się w tej książce dialogi, których, rzecz jasna, nie mogłem słyszeć, jak te między moją córką i jej mężem. Są one jednak zgodne ze znanym mi rozwojem wypadków. Narratorką pierwszej części książki jest Kate. Z punktu widzenia powieści był to niezbędny zabieg. Mam nadzieję, że nie podważy to — w oczach czytelników — wiarygodności wydarzeń, o których chciałem opowiedzieć. Nie miałem takiej intencji.

Jestem powieściopisarzem. Pisanie, obok malowania, to mój sposób porozumiewania się z ludźmi. Mam nadzieję, że czytelnik zdoła podejść do opisanych wydarzeń i przeżyć, które stały się moim udziałem, przynajmniej z „gotowością" przyjęcia prawdy.

Pragnąc uchronić prywatność osób, o których opowiadam w tej książce, zmieniłem wszystkie nazwiska. Tylko najbliższym członkom rodziny pozostawiłem ich prawdziwe imiona. Im także użyczyłem swojego pisarskiego pseudonimu jako nazwiska.

Nie chciałem, aby moja książka stała się książką zażaleń, z wyjątkiem sytuacji, kiedy było to konieczne dla objaśnienia konkretnych wydarzeń i związanych z nimi przeżyć. Zdaję sobie sprawę, że każdy rodzaj międzyludzkiej komunikacji jest ułomny. Nawet jeżeli próbujemy powiedzieć prawdę.

CZĘŚĆ PIERWSZA

Kate

Rozdział I

W Paryżu mieszkaliśmy w dzielnicy, o której Francuzi mówili *quartier populaire*, co było uprzejmym określeniem slumsów. W tej okolicy zajmowano się głównie meblarstwem, a większość mieszkańców stanowili rzemieślnicy — stolarze, tapicerzy, cieśle, drukarze. Byli także artyści — za naszych czasów sprowadzało się tu ich coraz więcej. Wtedy byłam jeszcze za młoda, żeby to docenić. Marzyłam, żeby mieszkać w szesnastym *arrondissement* albo w jakiejś innej, eleganckiej części miasta.

Choćby w takiej, w jakiej mieszkał Danny, mój chłopak, którego poznałam w Szkole Amerykańskiej w Paryżu. Jego ojciec był kiedyś ambasadorem, a teraz pracował dla jakiejś bardzo tajnej międzynarodowej organizacji. Ale kto raz został ambasadorem, był nim całe życie, tak więc na jego wizytówce wciąż widniał dawny tytuł. Pamiętam, że robiło to na mnie potężne wrażenie.

Danny nie uczył się zbyt dobrze, ale był przystojny i mieszkał w szesnastym *arrondissement*. Był jedynym uczniem w naszej szkole, który miał własny samochód. Był od nas starszy i miał francuskie prawo jazdy. We Francji można prowadzić dopiero po ukończeniu osiemnastego roku życia.

Chodziliśmy ze sobą przez dwa ostatnie lata szkoły. Szczególnie utkwiły mi w pamięci święta Bożego Narodzenia, kiedy byliśmy już w maturalnej klasie. Spędziliśmy je we młynie, starym, kamiennym młynie wodnym w Morvan, w Burgundii, gdzie nasza rodzina spotykała się na święta. Było, jak zawsze, bardzo zimno i bardzo nudno.

Myślałam, że zaszłam w ciążę, i to pomimo że stosowałam krążek — mama i tato namawiali mnie do tego, odkąd skończyłam trzynaście lat. Na domiar wszystkiego Robert, mój młodszy braciszek, który miał wtedy trzy czy cztery lata, bez przerwy wyśpiewywał tę kolędę o Pannie, co porodziła Syna. Za każdym razem, kiedy to robił, Danny i ja ciężko wzdychaliśmy albo chichotaliśmy jak szaleni, zależnie od aktualnego nastroju.

Później Danny poprosił mnie, żebym wyszła za niego, chociaż już wiedzieliśmy, że nie jestem w ciąży. To było tuż przed maturą. Kiedy powiedziałam o tym rodzicom, tato najpierw długo mi się przyglądał, a potem powiedział:

— No cóż, Kate, myślę, że Danny świetnie się nadaje na twojego pierwszego męża.

Wtedy uważałam, że to okropnie cyniczne, ale potem przekonałam się, że miał rację. Danny rzeczywiście okazał się dobrym pierwszym mężem.

Zaraz po maturze pojechaliśmy z Dannym do Kalifornii i zapisaliśmy się do college'u. Mieszkaliśmy w jakiejś wynajętej klitce. W szkole średniej oboje za mało przykładaliśmy się do nauki, żeby teraz myśleć o dostaniu się na prawdziwy uniwersytet. Poza tym, ponieważ moi rodzice wtedy jeszcze mieszkali na stałe w Kalifornii, w college'u nie musiałam płacić czesnego. Po dwóch latach, kiedy Danny przeniósł się na Uniwersytet Kalifornijski w Los Angeles, pobraliśmy się.

Przyjęcie weselne w Kalifornii zorganizowała ciotka Emmaline, siostra mamy, ale to p r a w d z i w e wesele odbyło się we młynie. Nie jestem zbyt religijna, ale chciałam wziąć ślub w małym wiejskim kościółku stojącym na szczycie wzgórza, z którego widać nasz młyn. Danny nie był nawet ochrzczony. Tato wziął moje świadectwo chrztu na wzór i ręcznie, tymi swoimi artystycznymi zakrętasami, wypisał świadectwo dla Danny'ego. Kiedy zrobił fotokopię, wyglądało nawet prawdziwiej niż moje. Oba świadectwa wysłaliśmy do biskupa i możliwe, że w końcu wylądowały w Watykanie. Tego już się chyba nie dowiem.

Nasz ślub tato opisuje w książce, której dał tytuł *Wieści*. Podczas ceremonii jego kolega z wojska grał *Skrzypka na dachu*. Zebranym w kościele rozdaliśmy tłumaczenia piosenek, ponieważ w większości byli to Francuzi i inaczej nie zrozumieliby ani słowa. Wszyscy płakaliśmy, kiedy kolega taty zagrał *Gdzie jest teraz ta dziewczynka maleńka, którą nosiłem na rękach?* Na wyjście wybrał *Słońce wschodzi i zachodzi*. To wspaniała muzyka do grania na ślubie.

Młyn był pięknie wysprzątany, pełen jedzenia i muzyki. Ludzie z wioski strzelali z dubeltówek w powietrze, a w stodole, gdzie odbywały się tańce, kilku wieśniaków rozpaliło ognisko, żeby podgrzać atmosferę. My byliśmy dostatecznie podekscytowani i bez ich pomocy.

Tato miał długą brodę, a włosy związane w małą kitkę. Wtedy nie miał już ich zbyt dużo, więc wyglądało to nieco dziwacznie. Mama prześlicznie prezentowała się w swojej „motylej sukni". Uszyła ją dla niej pewna bogata Arabka, matka któregoś z jej przedszkolaków. Ta sama kobieta projektowała suknie dla Christiana Diora. Czasem wszystko się tak zwariowanie układa.

Bawiliśmy się doskonale. Wieśniacy zjawili się objuczeni koszami fasolki szparagowej. Właśnie kończył się sezon na fasolkę. Nikomu nie odmawialiśmy, chociaż część zapasów musieliśmy potem zakopać przy starym kole młyńskim.

Noc poślubną spędziliśmy w hotelu w Montigny, zaraz obok kościoła.

Wróciliśmy do Kalifornii, ale dla mnie nie był to przyjemny powrót. Zaczęłam pracować jako sprzątaczka, potem jako sekretarka w fabryce mrożonek. W końcu znalazłam pierwszą prawdziwą pracę w Koreańskich Liniach Lotniczych. Rozmawiałam o tym wszystkim z mamą i tatą. Oni chcieli, żebym się dalej uczyła. Oboje wierzyli, że bez szkoły człowiek w życiu nic nie zdziała. Ja jednak musiałam zarabiać, żeby Danny mógł skończyć studia. Jego rodzice, mimo że siedzieli na forsie, niewiele mu pomagali, jeżeli w ogóle można to było nazwać pomocą.

Moja mama znalazła dla nas wspaniałe mieszkanie stosunkowo blisko centrum Los Angeles. Stąd mieliśmy niedaleko i do mojej pracy, i na uniwersytet. W pobliżu znajdowało się Muzeum Miejskie, w którym spędzałam każdą wolną chwilę. Sztuka wciąż była moją wielką miłością. Podobało mi się wszystko, co staromodne, pokryte patyną czasu.

Wtedy zaszłam w ciążę. Nasze mieszkanie zupełnie wystarczyło dla samotnego małżeństwa, ale mając w perspektywie dziecko, potrzebowaliśmy więcej przestrzeni. Z pomocą taty znaleźliśmy niewielki domek w Venice, prawie przy samej plaży. Mama przyjechała, żeby być ze mną przy porodzie Willsa. Chciałam urodzić bez pomocy lekarzy i przez cały czas pilnie ćwiczyłam, ale skończyło się na cesarskim.

Tato pisał o mnie również w innej swojej książce, zatytułowanej *Tato*. Dał mi w niej imię Marty i opisał, jak znaleźliśmy ten mały domek w Venice, w którym mieszkaliśmy z Dannym przez całą moją ciążę. W sumie mieszkaliśmy tam prawie cztery lata.

Rodzice zaglądali do nas co jakiś czas, a wtedy braliśmy rowery i jeździliśmy na długie wycieczki po plaży. To była prawdziwa sielanka.

To właśnie wtedy uświadomiłam sobie, że przestaję kochać Danny'ego. Nie dlatego, że robił coś nie tak, raczej z powodu tego, czego nie robił. Nie mogłam dojść, o co mi właściwie chodzi. Przecież tyle moich przyjaciółek miało p r a w d z i w e kłopoty ze swoimi mężami, którzy je zdradzali, pili, narkotyzowali się i tak dalej. Danny dzień w dzień ciężko harował i, poza paleniem papierosów, chyba nie robił niczego złego. Miał dobrą pracę jako akwizytor w hucie stali i był naprawdę cudownym ojcem dla Willsa. Czasami byłam nawet zazdrosna, kiedy podpatrywałam, jak się razem bawią. Ale też sądzę, że, w pewnym sensie, Danny nigdy nie dorósł. Możliwe jednak, że to dotyczyło nas obojga.

Najgorsze było to, że Danny mnie nudził. Właściwie nie rozmawialiśmy ze sobą. Pochodziłam z rodziny, gdzie wszyscy bez przerwy o czymś rozmawiali, może nawet odrobinę za dużo, w każdym razie jak na mój gust. Czasami nie mogłam za nimi nadążyć, tak szybko przeskakiwali z tematu na temat.

Życie z Dannym to długie wieczory, podczas których czytał gazety, gapił się w telewizor albo szperał w rachunkach i zamówieniach swojej firmy. Potem szedł spać. Wyglądał na szczęśliwego, kiedy bawił się tym swoim małym kalkulatorkiem. Miało to chyba jakiś związek z faktem, że na studiach oblał egzamin z algebry.

Wpadłam w taką czarną rozpacz, że zdecydowałam się zadzwonić do taty. Zapytałam go, co to właściwie jest miłość? Chciałam się przekonać, czy kocham Danny'ego. Tato powiedział, że do mnie oddzwoni. Po jakiejś półgodzinie telefon zaterkotał.

— Kate, przemyślałem to sobie. Nie jestem ekspertem w tych sprawach i lepiej, żebyś zapytała swoją matkę. Ale jeśli chcesz znać moje zdanie, to miłość jest kombinacją podziwu, szacunku i namiętności. Jeśli żywe jest choć jedno z tych uczuć, to nie ma o co robić szumu. Jeśli dwa, to może nie jest to mistrzostwo świata, ale blisko. A jeśli wszystkie trzy, to śmierć jest już niepotrzebna: trafiłaś do nieba za życia.

W tym, co wówczas powiedział tato, nie znalazłam dla siebie żadnej odpowiedzi. Myślałam o tym jednak przez cały następny miesiąc i doszłam do wniosku, że na moim rachunku suma wynosi „zero". Nie wiem, co tak naprawdę myślał o tym Danny, ale sądzę, że nie miało to dla niego większego znaczenia. Nigdy by się jednak do tego nie przyznał.

Postanowiłam wyprowadzić się z Venice. Wills już nie był malutkim dzieckiem, a okolica, w której mieszkaliśmy, była jedną wielką hurtownią narkotyków. Szpital, przed którym już od rana ludzie ustawiali się w kolejce po swoją porcję metadryny, znajdował się tylko o przecznicę od naszego domu.

Tato podsunął nam pomysł, żebyśmy się przeprowadzili do Idylwild. Idylwild leży w górach w pobliżu Los Angeles, na wyskości 1500 metrów, wyżej jeszcze niż Palm Springs. Była to dobra lokalizacja, również ze względu na pracę Danny'ego.

Pojechaliśmy razem obejrzeć to miejsce i od razu mi się tam spodobało. Poszczęściło się nam, bo znaleźliśmy dokładnie taki dom, o jakim zawsze marzyłam. Tato właśnie zarobił masę pieniędzy na *Ptaśku* i część nam pożyczył, więc mogliśmy kupić ten dom.

Między Dannym i mną zaczęło się jakoś układać. Willsowi bardzo się podobało nasze nowe otoczenie. Mieliśmy tu skały, na które można się było wspinać, zapach sosnowego lasu, śnieg w zimie i cudowne, krystaliczne, rozgwieżdżone noce. Wszędzie było mnóstwo sójek, szopów, szyszek i żołędzi. Wills uwielbiał swoje przedszkole, a ja tam nawet czasami pracowałam. Danny nie wyjeżdżał na dłużej niż wówczas, kiedy mieszkaliśmy w Venice. Jego „rejon" był rozległy, jednak Idylwild leżało dokładnie pośrodku. Jedynym problemem mogła być jazda po górskich drogach, ale Danny był w tym prawdziwym mistrzem.

Później Danny dostał ofertę pracy z Honeywell Bull. Tato pomógł mu napisać podanie i życiorys, a wszyscy się cieszyliśmy, ponieważ oznaczało to lepsze zarobki i większe możliwości awansu niż przy sprzedawaniu stali. Kłopot polegał na tym, że musieliśmy przenieść się do Phoenix w Arizonie, gdzie Danny został wysłany na szkolenie.

Trzeba więc było sprzedać mój wyśniony dom. W pewnym sensie właśnie wtedy skończył się nasz piękny sen. Dom w Idylwild sprzedaliśmy z takim zyskiem, że mogliśmy spłacić tatę i kupić dom w Phoenix. To był nowy dom, stojący na nieurodzajnej ziemi pośród innych, identycznych budynków. Nie było tam nawet trawnika. Nie mogłam się przyzwyczaić do życia na środku pustyni. Po prostu nie mogłam tak żyć. I nie mogłam uwierzyć, że to ja jestem tą kobietą, która mieszka w tym strasznym miejscu, i to z Dannym, który większość czasu spędzał w pracy.

Robiłam, co mogłam, żeby stworzyć tu prawdziwy dom, ale wzdrygałam się, kiedy musiałam wyjrzeć przez okno. Wszystko było takie jałowe. Rozkaprysiłam się mieszkając w Idylwild, a nawet w Venice, szczególnie jednak dlatego, że większą część mojego dzieciństwa spędziłam z rodzicami w Europie. Tam zawsze można było zobaczyć coś ciekawego. Tutaj po prostu nic nie było. Było za to okropnie gorąco. Na ulicach nie było widać żywego ducha.

Wills zaczął chodzić do szkoły, a ja oznajmiłam Danny'emu, że chcę rozwodu. W moim życiu nie było żadnego innego mężczyzny, ale czułam, że wkrótce ktoś taki może się pojawić, a poza tym za wszelką cenę chciałam stamtąd uciec. Danny był załamany całą tą historią. Przegadaliśmy kilka nocy z rzędu, analizując wszystko od nowa. Boże, to było prawdziwe piekło. Kiedy teraz o tym myślę, dochodzę do wniosku, że Danny musiał uważać mnie za zwykłą wariatkę. Być może miał rację.

Tato i mama nie mogli się w tym połapać. Tato wyciągnął mnie kiedyś na spokojną rozmowę, tak jak zawsze, gdy dochodził do wniosku, że sprawy zaczynają mu się wymykać z rąk. W zasadzie nie poruszał tematu mojego małżeństwa, chcąc, żebym sama doszła ze sobą do ładu, ale czasami nie umiał się powstrzymać. Tak samo zachowywał się wówczas, kiedy zaczęłam palić. I potem, kiedy zaczęłam sypiać z chłopakami. Identycznie było z narkotykami. Mówił po prostu, co myśli, a z jego argumentami trudno było dyskutować.

Kiedy poszło o papierosy, przyszedł do mojego pokoju i najpierw spokojnie zapytał, czy palę. Nawet nie próbowałam kłamać. Papierosy czuć było ode mnie na odległość, paliłam już wtedy prawie paczkę dziennie, a nauczyciele powiedzieli mamie, że przerwy między lekcjami spędzam w palarni. Tato był całkiem spokojny.

— Posłuchaj, Kate. Rozumiem, że to twoje życie, ale w pewien sposób twoje życie należy także do nas. Poświęciliśmy niesamowicie dużo czasu i wysiłku, troszcząc się o ciebie. Opatrywaliśmy ci odparzoną pupę, robiliśmy płukanie żołądka, kiedy wypiłaś chloradynę, czuwaliśmy przy łóżku, kiedy leżałaś rozpalona gorączką, a lekarze twierdzili, że to choroba Heinego-Medina, uważaliśmy, żebyś nie wpadła pod samochód, pielęgnowaliśmy, kiedy miałaś ospę wietrzną, odrę, świnkę i co tam jeszcze. Karmiliśmy cię witaminami, dbaliśmy, żebyś na czas dostała szczepionki przeciwko wszystkim najgroźniejszym chorobom. Sama wiesz, że do czwartego roku życia nie piłaś innego mleka poza mlekiem twojej matki i kozim mlekiem. Codziennie rano i wieczorem doiłem nasze kozy, żebyś miała to mleko. A teraz naprawdę bardzo się martwimy, ponieważ robisz sobie krzywdę. Wiesz chociaż, dlaczego palisz?

Boże, kiedy tak przemawiał tym swoim okropnym, cichym, ale drżącym z napięcia głosem, trudno było z nim dyskutować. Obiecałam, że przestanę palić, ale nie przestałam. Wiedział o tym, ale uważał, że zrobił już wszystko, co do niego należało. Taki właśnie był mój tato.

Później, kiedy poszło o seks, powiedział, że jeśli nie chcę złapać jakiejś choroby, to powinnam zawsze upewnić się, czy mój chłopak założył prezerwatywę. Nie byłby jednak sobą, gdyby na tym skończył.

— Posłuchaj, Kate. Seks to jedna z najprzyjemniejszych rzeczy na świecie, tak jak gwiazdka. Ale jeżeli ktoś nie wie, co to wstrzemięźliwość, to tak, jakby codziennie urządzał sobie gwiazdkę. Traci ten dreszczyk oczekiwania na coś niezwykłego.

Próbował mi wytłumaczyć różnicę między romantyczną miłością i seksem. Mówił, że kiedy seks wchodzi drzwiami, romantyczna miłość ucieka przez okno, i takie tam sentymentalne bzdury.

Wtedy nie rozumiałam znaczenia słowa „wstrzemięźliwość". Kiedy powtórzyłam kilku znajomym, co mi powiedział, uznali, że to oryginalne i niezwykle zabawne.

A co do narkotyków, to któregoś dnia w naszej budzie wybuchła wielka afera. Oberwało się nawet dzieciom prezesa zarządu i dyrektora szkoły. Podejrzewam, że w palarni czasem było więcej amatorów marychy niż papierosów. To był już początek lat siedemdziesiątych, ale wszyscy próbowaliśmy nadrobić zaległości z lat sześćdziesiątych. Tato znowu kiedyś dopadł mnie w moim pokoju. Pokazał mi małą buteleczkę z jakąś zawartością.

— Przyjrzyj się, Kate. Wiesz, co to jest?

Nie czekał jednak na moją odpowiedź.

— To marihuana, jedna z najlepszych. Kolega mi sprzedał. Wracał do Ameryki i bał się celników. Teraz posłuchaj, Kate. Ta buteleczka zawsze będzie stała na najwyższej półce szafy w mojej sypialni. Jeżeli będziesz chciała, weź sobie trochę, ale pod warunkiem, że będziesz paliła tylko w tym mieszkaniu i bez żadnych koleżanek i kumpli. Francuzi są strasznie cięci na te rzeczy. Jak cię złapią, to ponieważ nie pracuję w żadnej wpływowej firmie, każą nam wyjechać z Francji w ciągu czterdziestu ośmiu godzin. Bardzo bym nie chciał, żeby tak się stało. Mamie i mnie podoba się tutaj. Musisz myśleć również o nas.

Tato uważał, że marycha, a także inne narkotyki, to próba łatwego zdobycia tego, co inni osiągają ciężką pracą, poprzez twórcze działanie. Był przekonany, że narkotyki — chemicznie — powstrzymują ludzi przed podjęciem tego kolosalnego wysiłku, dzięki któremu żyje się na „haju", ale bez prochów.

— Widzisz, Kate, kiedy studiowałem sztukę na uniwersytecie w Los Angeles, przeczytałem *Drzwi percepcji* Huxleya i zrobiło to na mnie ogromne wrażenie. Zgłosiłem się na ochotnika do eksperymentów z LSD 25. Wtedy mówiło się na to „kwas". Potrzebowali artystów i płacili nam trzydzieści pięć dolarów, żebyśmy byli królikami doświadczalnymi. Zrobiłem to dwa razy. Wstrzyknęli mi to coś w ramię. Po jakichś pięciu minutach zacząłem dziwnie się czuć w ubraniu, jego dotyk wywoływał we mnie silne erotyczne skojarzenia. Bardzo wyraźnie słyszałem buczenie neonówek i zafascynował mnie cień maszyny do pisania, na której sekretarka wystukiwała coś po drugiej stronie pokoju. Zabrali mnie do Muzeum Miejskiego i prosili, żebym opisywał obrazy wiszące na ścianach. Wydawało mi się, że wszystkie były namalowane fosforyzującymi farbami. Kiedy wracaliśmy na uniwersytet, samochodem jednego z kierowników eksperymentu, zaczął się odlot. Skuliłem się na swoim siedzeniu. Samochody za szybą na przemian rosły i malały. Wszystko wynikało ze zwykłej zmiany perspektywy, ale mój umysł nie był zdolny do tego rodzaju racjonalizacji. Wróciłem tam jeszcze raz, kiedy namówiono mnie, żebym po zastrzyku sam coś namalował. Byłem pewny, że właśnie tworzę najpiękniejszy obraz, jaki kiedykolwiek namalowano i płakałem ze szczęścia. Kiedy po kilku godzinach doprowadzili mnie do porządku, poszedłem obejrzeć swoje dzieło i okazało się, że na płótnie widnieje tylko wielka bura plama zmieszanych kolorów, słowem, coś, co umiałby namalować niezbyt rozgarnięty przedszkolak. Myślę, Kate, że wtedy czegoś się nauczyłem. Narkotyki powodują, że ta część naszego mózgu, która odpowiada za myślenie, zostaje wyłączona, natomiast uczucia stają się niezwykle intensywne. Umiejętność dokonywania rozróżnień, podejmowania decyzji, rozumienia natury fizycznego świata zostaje mocno osłabiona. I teraz: niewielka to strata, jeśli masz taki sobie, zwyczajny mózg i nie zależy od niego twoja przyszłość. Ale ty, Kate, masz wspaniały mózg i nie mam ochoty patrzeć, jak próbujesz udoskonalić ten cudowny, misterny mechanizm za pomocą gwoździa. Wiesz, Kate, jeszcze przez dwa miesiące od tego eksperymentu nie umiałem wykrzesać w sobie tego entuzjazmu, bez którego nie da się stworzyć naprawdę wartościowego dzieła. Przypominam ci, że słowo „entuzjazm" pochodzi z greki i znaczy „natchniony przez bogów". Żeby dobrze malować, konieczna jest surowa dyscyplina i całkowite zaangażowanie, a ja wtedy prawie już zapomniałem, jak to się osiąga.

Nigdy więcej nie spróbowałem żadnych prochów ani z miłości, ani dla pieniędzy. Ćpanie to jakby deklaracja, że się przestało wierzyć w samego siebie. Ludzie uzależnieni od narkotyków są podobni do alkoholików. Nie szanują się, chcieliby uciec od samych siebie. To rodzaj psychicznego samobójstwa.

Tato patrzył na mnie tymi swoimi zapadniętymi, marmurkowo-niebieskimi oczami, spod swoich małpich brwi. Jednak mnie przekonał i przez całe życie trzymałam się z dala od narkotyków. Możliwe, że należałam do tych nielicznych w moim pokoleniu, którzy przeszli przez swoją próbę ogniową i się nie sparzyli.

Taki właśnie był mój tato. Prawie zawsze na luzie, czasami nawet można było pomyśleć, że mu na niczym nie zależy. Tak naprawdę, bardzo nas szanował. Zależało mu, żebyśmy sami ułożyli sobie życie, nie chciał jednak, żeby któremukolwiek z nas stała się jakaś krzywda.

Kiedy powiedziałam mu, że chcę się rozwieść z Dannym, czułam, że czeka mnie ciężka przeprawa. Akurat przyjechał w odwiedziny, a ja przez pół godziny usiłowałam mu wszystko wytłumaczyć. Siedział na niskim stołku, opierając łokcie na kolanach, a brodę na dłoniach. Czasem przypatrywał mi się badawczo, a czasem tylko siedział ze wzrokiem wbitym w podłogę. Nie odezwał się ani słowem, dopóki nie skończyłam.

— Jak sądzisz, czy Danny cię kocha?

— Wydaje mi się, że tak, ale...

Powstrzymał mnie ruchem dłoni.

— Czy kocha Willsa?

— Przecież wiesz, że tak.

— A jak wam się układa w łóżku? Nie chodzi mi o ciupcianie się na okrągło, ale o zdrowy małżeński seks.

Nie spodziewałam się, że o to zapyta. Mama nigdy nie zapytałaby o nic, co ma związek z seksem. Zrobiłam głęboki wdech.

— Wydaje mi się... porównując z tym, co opowiadały mi inne kobiety, że niczym się nie wyróżniamy.

— Zawsze masz orgazm?

Patrzył mi prosto w oczy.

— Nie zawsze. Ale z tym mogę sobie sama poradzić. Nie potrzebuję do tego Danny'ego.

Nigdy nie przypuszczałam, że potrafię rozmawiać o tym z którymkolwiek z rodziców.

— Nie bije cię, nie pije, nie bierze narkotyków ani nic takiego, prawda? Czy jest jakaś inna kobieta?

— Nie, jeżeli chodzi o pierwsze pytanie. Co do drugiego, chyba nie, jeszcze nie. Myślę, że bym o tym wiedziała.

— Czyli wszystko sprowadza się do tego, że się z nim nudzisz. Jesteś pewna, że nie nudziłabyś się, gdybyś była z innym mężczyzną?

— Ja po prostu tego nie wiem, tato. Odkąd skończyłam szesnaście lat mój świat zaczynał się i kończył na Dannym. Nie mam pojęcia, jak bym się czuła z innym mężczyzną.

20

— Może powinnaś to sprawdzić, zanim będzie za późno. Pamiętaj, że jeśli zdecydujesz się na rozwód, skrzywdzisz zarówno Danny'ego, jak i Willsa, a prawdopodobnie również samą siebie. Musisz być pewna, że tego właśnie chcesz.

— Tato, chyba nie chcesz, żebym sobie znalazła kochanka? Wątpię, żeby mi to odpowiadało.

— W takim razie spróbuj w pełni korzystać z tego, co już masz. Zdarzają się gorsze sytuacje.

— Chcesz, żebym spędziła całe życie z nudnym facetem?

— Mnóstwo ludzi tak żyje. Mężczyźni żyją z nudnymi kobietami, a kobiety z nudnymi mężczyznami. A czasami nudne kobiety żyją z nudnymi mężczyznami. Tak to już jest. Poza tym, Kate, nie możesz twierdzić, że nie znałaś Danny'ego, kiedy za niego wychodziłaś. Żyliście ze sobą jak małżeństwo przez dwa lata, zanim dopełniliście wszystkich formalności. Miałaś wolny wybór. Musiałaś wiedzieć, na co się decydujesz.

Nie wiedziałam, co odpowiedzieć. Czułam, że muszę jeszcze trochę wytrzymać. Wcale nie miałam na to ochoty. Chciałam zabrać Willsa i po prostu odejść. Tato zapytał, czy rozmawiałam z Camille, moją młodszą siostrą.

— Ona ma znacznie więcej doświadczenia od ciebie, chociaż jest o pięć lat młodsza. Ma w sobie coś z dziecka ulicy. Zapytaj ją, co sądzi o swoim życiu. Jest wolna jak ptak. Nie jestem pewny, czy faktycznie potrafi latać, ale nieba to ma pod dostatkiem. Zapytaj ją o zdanie.

Nigdy przedtem nie pytałam Camille o zdanie na żaden temat. Zawsze była taka apodyktyczna, całkiem jak mama. I zawsze mówiła jak postaci ze szkolnych przedstawień. Był to jednak jakiś pomysł.

Przybiegł Wills, złapał tatę za rękę i wyciągnął na podwórko, żeby go pohuśtał. Ja od popychania tej huśtawki miałam już mięśnie jak baba-dziwo. Położyłam się na kanapie i po raz pierwszy od wielu tygodni rozpłakałam się.

No i rozwiodłam się z Dannym. To wszystko było takie okropne. Zanosiło się już, że skorzystają na tym tylko nasi prawnicy, ale w końcu wzięliśmy z Dannym sprawy w nasze ręce. Nie chciałam alimentów, lecz tylko zapomogi na dziecko, w miarę możliwości Danny'ego. Uzgodniliśmy, że pieniądze ze sprzedaży domu dzielimy po równo, ale nie było tego zbyt dużo.

Danny, podobnie zresztą jak cała masa ludzi, stracił pracę w Honeywell Bull i znowu sprzedawał stal, choć teraz już w innej firmie. Wrócił do Venice, gdzie kupił małe mieszkanie.

Doszłam do wniosku, że jedyny sposób, abym mogła utrzymać siebie i Willsa, to skończenie studiów i zdobycie uprawnień nauczycielskich. W moim wieku, do tego z dzieckiem, była to mordęga, ale zapisałam się na Uniwersytet Stanowy w Arizonie i znalazłam pracę na campusie. Pracowałam na Wydziale Geologii i nawet przez jakiś czas chciałam zostać geologiem, raz dlatego, że dobrze zarabiali, dwa, ponieważ większość geologów to mężczyźni; wśród kobiet nie było wielkiej konkurencji. Drugą pracę miałam u germanistów jako wydawca ich dwumiesięcznika. Sporo się przy tej okazji nauczyłam o pisaniu i edytorstwie, choć o mało mnie nie zwolnili, kiedy okazało się, że piszę po niemiecku znacznie gorzej niż mówię.

Willsa oddałam do przedszkola na campusie, które opłacałam kilkoma godzinami pracy z dziećmi. Nie zostawało więc już nawet chwili wolnego czasu, ale odkąd miałam silną motywację, sama byłam zaskoczona swoimi postępami w nauce.

Tato i mama zaglądali do nas co pewien czas, zawsze zostawiając jakąś drobną sumkę, którą łatałam nasz dziurawy budżet, ale w zasadzie byłam całkowicie samodzielna. Stawałam się coraz bardziej pewna siebie jako studentka, i jako kobieta. Wieczorów nie spędzałam już samotnie w domu. Podobało mi się, że nie jestem już skazana na jednego mężczyznę i teraz również ja mogę ich wybierać.

Połowę praktyk nauczycielskich zaliczyłam w Arizonie, a potem złożyłam podanie, żebym drugą połowę mogła odbyć w Szkole Amerykańskiej w Paryżu, gdzie uczyła moja mama. Chciałam wrócić do Europy. Właściwie nigdy nie odpowiadało mi życie w Ameryce.

Tak więc, mając prawie trzydziestkę, wróciłam do domu, żeby zamieszkać z mamą i tatą na ich barce i uczyć się, jak uczyć. Czułam się wtedy silniej związana z moją rodziną niż kiedykolwiek przedtem. Barka, podobnie jak młyn, nigdy nie należała do moich ulubionych miejsc, ale teraz nie wyobrażałam sobie piękniejszego mieszkania. Rodzice mieli specjalny dar wyszukiwania takich niezwykłych miejsc.

Codziennie rano tato zawoził Willsa do francuskiej szkoły i przywoził go wieczorem. Willsowi nie zawsze się to podobało, ale wydaje mi się, że lubił przebywać z dziadkiem. Zaczynał już mówić po francusku, a dla siedmioletniego chłopca nabrzeża Sekwany były wymarzonym miejscem do zabawy. Mimo słabej znajomości języka miał już pierwszych kolegów Francuzów.

Jego ulubionym zajęciem było wchodzenie na wieżę Eiffla. Mówił, że to lepsze od Disneylandu. Uwielbiał też wspinać się z tatą na katedrę Notre Dame, obaj zachowywali się wtedy, jakby właśnie zdobyli Mount Everest. Mama i ja nie mogłyśmy na to patrzeć; obie mamy okropny lęk wysokości, tak samo jak mój brat, Matt. W naszej rodzinie jest czwórka rodzeństwa. Ja jestem najstarsza.

Na koniec praktyk dostałam dobrą ocenę i świetne rekomendacje od dyrektora szkoły. Ponieważ praktykę miałam tylko w nauczaniu początkowym, postanowiłam się trzymać przedszkola i pierwszej klasy szkoły podstawowej. Mama też uczyła tylko w pierwszych klasach. Później Camille, moja młodsza siostra, zrobiła praktyki nauczycielskie w La Jolla, w Kalifornii, i wybrała ten sam zawód. To przechodzi u nas z pokolenia na pokolenie. Nigdy bym nie przypuszczała, że Camille i ja skończymy jako przedszkolanki.

Rozdział II

Po zakończeniu praktyk biorę się za pisanie życiorysu, który zrobi odpowiednie wrażenie na potencjalnym pracodawcy. Chociaż dostałam dyplom z wyróżnieniem, nie mam jeszcze pełnych uprawnień nauczycielskich. Niełatwo zdobyć posadę w szkole poza Stanami Zjednoczonymi bez co najmniej dwuletniego stażu w kraju. Mimo to postanawiam spróbować.

Wysyłam sześćdziesiąt listów do różnych szkół, potem kupuję bilet kolejowy ważny na całą Europę i ruszam w drogę. Jest maj. Mama jeszcze uczy. Wills chodzi do szkoły. Tato obiecuje, że będzie zajmował się Willsem, kiedy mamy nie będzie w domu. Nie cierpię się nimi wyręczać, ale nie ma innego sposobu.

W nocy przenoszę się z miasta do miasta. Śpię w pociągu, żeby zaoszczędzić na hotelach. Przemierzam Europę wzdłuż i wszerz, zawsze wybierając nocne połączenia, na których podróż trwa osiem do dziesięciu godzin. Kiedy już dotrę do miejsca przeznaczenia, najpierw szukam telefonu i umawiam się na spotkanie, a potem toalety, gdzie doprowadzam się do porządku po całonocnej jeździe. Często muszę poprzestać na ochlapaniu się wodą nad dworcową umywalką.

Większość rozmów z dyrektorami szkół wypada zniechęcająco. Zwykle doceniają fakt, że mówię biegle po francusku, niemiecku i angielsku, oraz moje solidne, uniwersyteckie wykształcenie, ale przeszkodą nie do pokonania okazuje się brak doświadczenia. Staram się to ukryć, rozwodząc się nad swoją pracą w przedszkolach w Idylwild i Phoenix, ale nie na wiele to się zdaje.

Po dwóch tygodniach podróżowania i jednej lub nawet dwóch rozmowach dziennie nadal nie znajduję nic pewnego. Następny przystanek wypada w okolicach Monachium. Mam tam spotkanie w międzynarodowej szkole położonej nad jeziorem w pobliżu miasteczka Starnberg. Kiedy byłam dzieckiem, mieszkaliśmy niedaleko stamtąd, w Seeshaupt, skąd do Starnberg jest tylko pół godziny kolejką. Tato był wtedy na rocznym urlopie naukowym.

Kiedy widziałam tatę po raz ostatni, mówił, że właśnie zaczął pisać nową książkę, której akcja częściowo dzieje się w Seeshaupt. Mówił, że wszystko będzie się obracać wokół historyjek, które wtedy nam opowiadał na dzień dobry. Ich bohaterem był Franky Furbo, zaczarowany lis. Prawdę mówiąc, to ja podsunęłam tacie myśl, że z tych historyjek można by zrobić wspaniałą książkę dla dorosłych. Bardzo chciałabym ją przeczytać, ale chyba to się nie uda. Zresztą, być może... Za mało się znam na tych rzeczach. Nigdy jeszcze nie byłam w podobnej sytuacji.

Stan, który przeprowadza ze mną rozmowę kwalifikacyjną, to jedna z najbardziej uśmiechniętych osób, jakie w życiu poznałam. Od razu się dogadujemy. Pojawia się jednak stały problem. Stan obawia się, że nie może zatrudnić kogoś z tak małym doświadczeniem. Mój niemiecki robi na nim ogromne wrażenie. Ja też jestem pod wrażeniem, ponieważ on, również Amerykanin, mówi po niemiecku w ogóle bez akcentu. Okazuje się, że jego pierwsza, zmarła żona, była Niemką.

Prosi mnie, żebym poczekała kilka minut, i wychodzi z biura. Domyślam się, że poszedł do toalety. Nie wierzę już, że dostanę tę pracę. Po dwudziestu odmowach można zwątpić w swoje możliwości. Mam jeszcze tylko nadzieję, że złapię pociąg do Seeshaupt, zanim zrobi się ciemno.

Stan wraca, uśmiechając się od ucha do ucha. Ale on zawsze się uśmiecha. Zaciera ręce.

— Masz szczęście, Kate. Udało mi się przekonać dyrektora. Trochę wyolbrzymiłem twoje doświadczenie jako przedszkolanki, może nawet bardziej, niż ty to robisz, więc postaraj się, żebym nie wyszedł na kłamcę. Z drugiej strony, zawsze szukałem takiej nauczycielki jak ty: uśmiechniętej, energicznej, pełnej entuzjazmu i optymistycznie nastawionej do życia. Być może, po dwóch latach pracy stracisz te wszystkie zalety, ale na razie masz tę posadę. Będziesz uczyć w pierwszych klasach. Pensję dostaniesz taką jak inni nauczyciele pierwszych klas, których przyjąłem w zeszłym roku. Jestem pewny, że ci się u nas spodoba.

O mało się nie przewracam z wrażenia; z trudem powstrzymuję się od płaczu. Ostatnie lata były takie okropne, a teraz wszystko wydaje się takie piękne. Wiem, że powinnam podziękować, ale jestem tak przejęta, że zapominam to zrobić. Stan wychodzi zza swojego biurka.

— Chodź, Kate, pokażę ci szkołę. Jesteśmy z niej naprawdę dumni. Budowę sfinansował rząd niemiecki i prawie połowa naszych uczniów to Niemcy. Ich rodzicom nie podobają się surowe, staroświeckie metody nauczania stosowane w niemieckich szkołach. Mamy tu mieszankę Niemców, Amerykanów i wszystkich innych narodowości, ale uczymy według amerykańskich programów. To naprawdę piękne miejsce.

Zwiedzamy teren należący do szkoły, na którym obok siebie stoją nowoczesne budynki, stare stodoły i niewielki pałacyk. Oglądam swoją przyszłą salę, jasną i ani za dużą, ani za małą. Stan mówi, że starają się, żeby w klasie nie było więcej niż dwudziestu uczniów. Boże, ja chyba śnię. Nie mogę w to uwierzyć. Wciąż jeszcze mam łzy w oczach.

— Kate, masz gdzie się zatrzymać?

— Mam tu niedaleko znajomych, w Seeshaupt. Chyba mnie przygarną. Zaraz zresztą zacznę szukać mieszkania w Starnberg i we wrześniu będę gotowa do pracy. Czy mogłabym zajrzeć tu w czasie wakacji i przygotować swoją salę?

— Co tylko sobie życzysz. Rany, co za ulga. Zwykle muszę biegać za mieszkaniami dla nowych nauczycieli, ponieważ nie znają niemieckiego. Ty jesteś samowystarczalna. Naprawdę nie potrzebujesz żadnej pomocy?

Uśmiecham się, a potem śmieję się na głos.

— A co z umową? Szczerze mówiąc, chciałabym ją podpisać

jak najprędzej, żebym wiedziała, że to wszystko prawda. Nie mogę się doczekać, kiedy powiem o tym rodzicom. Mój synek, Wills, będzie zachwycony tym miejscem. Czy dzieci nauczycieli są zwolnione z opłat za szkołę?

— Absolutnie, całkowicie zwolnione. Za kogo mnie masz, za Scrooge'a?

— Raczej za świętego Mikołaja, Stan.

Pokusa, żeby mu się rzucić na szyję i mocno ucałować jest olbrzymia, ale jakoś się opanowuję. Nie chcę zapeszyć.

Telefonuję do rodziców. Są tak samo przejęci jak ja. Wynajduję małe umeblowane mieszkanie blisko jeziora i uwijam się jak w ukropie, żeby je jakoś urządzić. Szyję zasłony, woskuję wszystkie meble. Moje nowe gniazdko znajduje się na drugim piętrze, skąd rozciąga się przepiękny widok na jezioro. Mam wielki pokój z narożnikową kuchnią i malutkim aneksem jadalnym. Prawie wszystko tutaj zrobione jest z drewna. Przy zagospodarowywaniu się stawiam na prostotę. Kupuję dwa talerze, dwa kubki, dwie łyżki, dwa noże i dwa widelce. Tyle, ile potrzeba dla Willsa i dla mnie. Żadnych przyjęć, przynajmniej na razie. Nie mogę się już doczekać, kiedy przyjedzie Wills.

Wieczorami wertuję podręczniki i piszę konspekty lekcji. Kiedy już zacznę uczyć, chcę mieć wszystko gotowe. Jestem bardzo podekscytowana.

W mojej małej kuchence brakuje lodówki. Mam zamiar kupić jakąś używaną, jak tylko dostanę wypłatę. Tymczasem jestem prawie kompletnie spłukana. Starczy jeszcze na bilet lotniczy dla Willsa i na jedzenie, ale nic poza tym.

Wills przylatuje do Monachium tego samego dnia, w którym kończą się lekcje w MIS. MIS to Międzynarodowa Szkoła w Monachium, moja szkoła. Kiedy Wills wychodzi z odprawy celnej, ściskamy się i płaczemy.

Jedziemy kolejką podmiejską do domu. Willsowi wszystko się podoba: jezioro, miasto, nasze mieszkanie, ale po dziesięciu minutach zasypia na podłodze. Niosę go do łóżka i rozbieram. Domyślam się, że podekscytowany podróżą niewiele spał poprzedniej nocy. Sama też nie mogłam zasnąć. Szepczę mu do ucha, że teraz idę do szkoły, ale wrócę, zanim się obudzi.

Muszę iść na przyjęcie z okazji zakończenia roku szkolnego. Stan prosił, żebym przyszła, pomimo że tego dnia przylatywał Wills.

Od nowego semestru w MIS zaczyna pracę sześciu nowych nauczycieli. Wstałam, kiedy Stan mnie przedstawiał. Rozległy się oklaski. Poznałam większość nauczycieli. Jeden z nich to wielki, brodaty i prawie łysy facet. Nie mogę się nadziwić, taki jest podobny do taty i mojego brata, Matta. Właśnie flirtuje z nową bibliotekarką. Kiedy się przedstawiał, powiedział, że jest z Oregonu, ale uczył gdzieś w południowo-wschodniej Azji. Chyba nie jest żonaty. Żonaci nauczyciele przyprowadzili ze sobą swoje małżonki.

Pracuję jak szalona, żeby na czas przygotować swoją klasę. Willsa zabieram ze sobą i zostawiam na boisku, gdzie kopie piłkę, albo w sali gimnastycznej, gdzie próbuje trafić piłką do kosza. Jest tu również wielki plac gier i zabaw. Od czasu do czasu Wills przychodzi mi pomóc przy ustawianiu ławek.

Kilka razy zagląda tu ten wielki, brodaty facet z Oregonu. Będzie uczył matematyki i również szykuje swoją klasę. Mówi bardzo powoli, ale im więcej rozmawiamy, tym bardziej go lubię. Nie traci czasu na zbędną gadaninę. Dziewięćdziesiąt procent wszystkich rozmów to plotki, ale kiedy on coś powie, to zwykle jest to coś interesującego. Nie może uwierzyć, że mówię po niemiecku, chociaż nie jestem Niemką. Próbuję mu to wytłumaczyć, ale nie jestem pewna, czy mi wierzy.

Udaje mi się znaleźć używaną lodówkę. Starsze niemieckie małżeństwo żąda za nią akurat tyle, ile mogę zapłacić. Zgadzają się poczekać z zapłatą do czasu, kiedy dostanę pierwszy czek. Teraz tylko muszę poszukać kogoś, kto ją przetransportuje.

Następnym razem, kiedy Bert, tak ma na imię ów brodaty Oregończyk, zagląda do mojej klasy, pytam go, czy nie mógłby mi pomóc w przewiezieniu lodówki. Obiecuję w zamian domowy obiad, coś z kuchni amerykańskiej. Przygląda mi się przez dłuższą chwilę, a potem pytająco unosi brwi:

— Żeberka?

Nie mam pojęcia, czy w Niemczech można kupić żeberka, chociaż potrafię je przyrządzić. Wszystko dzięki temu, że w domu to ja zawsze gotowałam, a inni zmywali naczynia. Dobijamy targu. Bert wynosi lodówkę z piwnicy tych staruszków, dźwiga ją przez całe miasteczko, a potem po schodach do mieszkania, bez niczyjej pomocy, jakby to było radio tranzystorowe czy coś w tym rodzaju. Kiedy ustawia ją wreszcie na miejscu, pada ciężko na kanapę.

— Nie masz przypadkiem tego pysznego niemieckiego piwa, Kate?

Przypadkiem mam jedną butelkę. Sama nie przepadam za piwem. Nie jest schłodzone, ale Bertowi to nie przeszkadza. W scyzoryku, który nosi przyczepiony do kluczy, jest również otwieracz do butelek i Bert pije łapczywie swoje piwo, zanim udaje mi się znaleźć szklankę. Właśnie wtedy do mieszkania wbiega Wills. Bert sadowi się wygodniej i uśmiecha się.

— Sie masz, smyku. Jak ci na imię?

Wills z otwartą buzią chłonie widok wielkoluda rozwalonego na naszej kanapie. Bert musi mieć około metra dziewięćdziesięciu wzrostu i ważyć ze sto kilogramów.

— Wills, proszę pana.

— No, Wilzer, widziałem, jak rzucasz do kosza w sali gimnastycznej. Lubisz koszykówkę?

— Pewnie, że lubię, ale nie potrafię jeszcze rzucić piłki tak wysoko, żeby wpadła do kosza.

— Na pewno potrafisz. Następnym razem, jak cię tam zobaczę, pokażę ci, jak to się robi. Będziesz ładował do kosza jak sam Magic Johnson.

Obiad mam już prawie gotowy. Pożyczyłam kilka talerzy i sztućców. Żeberka, od trzech godzin duszące się na wolnym ogniu, podlewam co jakiś czas miejscową namiastką sosu barbecue. Nakryłam już do stołu. Wills cieszy się na te żeberka nie mniej niż Bert. Po raz pierwszy od dłuższego czasu wzięłam się za większe gotowanie.

Wills i Bert rzucają się na jedzenie z takim apetytem, że ślady po moim oszukanym sosie barbecue można znaleźć w całej kuchni. Żaden kucharz nie narzeka, kiedy ludziom smakuje jego potrawa, więc i ja staram się tego nie dostrzegać.

Bert wygląda trochę jak niedźwiedź grizzly, ale mimo to na swój sposób jest atrakcyjny. Jest wielki i silny, uprawia sporty, lubi pić piwo, podrywać kobiety, szaleć z dzieciakami. Należy do tego typu mężczyzn, których przez całe życie unikałam. Rozpoznaję w nim także niektóre cechy taty, które zawsze wprawiały mnie w zażenowanie. Zastanawiam się, co o Bercie powiedziałaby mama. Pewnie zbyłaby go lekceważącym machnięciem ręki jako jednego z tych nie domytych wieśniaków. Muszę przyznać, że ta jego niewyszukana prostota działa na mnie. Czuję, że będę musiała się pilnować.

Dla Willsa Bert jest po prostu jeszcze jednym kumplem do zabawy. Bert z uwagą słucha jego paplaniny i uczy go przynajmniej dziesięciu głupich rzeczy, do których można wykorzystać nóż, widelec i łyżkę. Jedną z nich jest perkusja. Zaczynają bębnić o stół, szklanki, talerze i wszystko, czego tylko mogą dosięgnąć, podczas gdy Bert śpiewa, czy raczej mruczy *Kiedy święci maszerują*. Właśnie dlatego całe mieszkanie upstrzone jest plamami z sosu.

Na wszelki wypadek wycofuję się więc do kuchni i zaczynam sprzątać ze stołu, ale przez cały czas nie mogę oderwać wzroku od Berta i on to czuje. Nie przestaje się zgrywać. Świetnie wie, kiedy przyglądam się jego potężnym ramionom albo włosom na torsie widocznym w wycięciu podkoszulka. Tak jest, Bert zasiadł do obiadu w podkoszulku, brudnym, przepoconym podkoszulku. Wprawdzie dopiero co taszczył moją lodówkę, ale... Chichoczę w duchu, zastanawiając się, jakby to było, gdybym przespała się z niedźwiedziem grizzly.

Dowiaduję się tego jeszcze tej nocy. Kiedy Wills ląduje w łóżku, zaczynamy gawędzić. Bert opowiada o Falls City, swoim rodzinnym mieście w Oregonie. Za najlepszych przyjaciół wciąż uważa dawnych kumpli z ogólniaka, szczególnie tych z drużyny koszykarskiej. Ma trzydzieści dwa lata, czyli rok więcej ode mnie, i nigdy nie był żonaty. Mówi, że nie ma zamiaru się żenić, przynajmniej w najbliższej przyszłości.

W jego prostych ruchach jest coś, co przypomina młodych, niedoświadczonych chłopców, a ja się nie opieram. Już od wielu miesięcy nie miałam mężczyzny.

Bert nie tyle kocha się ze mną, ile pieści, obejmuje, otula mnie całym sobą. Wszystko się dzieje powoli jak w scenach miłosnych kręconych pod wodą. Jego dłonie są mocne, lecz delikatne. Nie spieszy się. Sprawia wrażenie w ogóle nie zdenerwowanego, jakby pójście do łóżka z kobietą było najbardziej naturalną rzeczą na świecie, jakby ci wszyscy mężczyźni i kobiety, którzy właśnie teraz, w tym momencie, nie kochają się ze sobą, tracili coś bardzo cennego. Chyba nigdy z żadnym innym mężczyzną nie czułam się tak bezpieczna i szczęśliwa.

Bert często chichocze. Kiedy się kochamy, prawie nic nie mówi, za to pomrukuje z zadowolenia we wszystkich możliwych tonacjach. Zasypiamy po dwóch godzinach gier wstępnych, szczytowych i zstępnych.

Rano, kiedy się budzę, Berta już nie ma w łóżku. Siedzi w kuchni i gra z Willsem w karty; ściślej mówiąc, pokazuje mu sztuczki karciane, a przez cały czas obaj opychają się płatkami kukurydzianymi, na sucho, to znaczy bez mleka. Czuję zapach kawy. Gdy tylko Bert spostrzega, że nie śpię, woła do mnie:

— Łyczek kawy?!

Kiwam głową. Nie ruszam się z łóżka. Zastanawiam się, co o tym wszystkim myśli Wills. Zawsze starałam się trzymać swoich facetów z dala od niego, ponieważ on wciąż bardzo kocha Danny'ego, a ja nie chcę, żeby wiedział, że między nami nie da się już nic naprawić.

Bert podchodzi wolno do kuchenki i nalewa mi kawy. Ma na sobie tylko szorty. Nie założył nawet butów. Ma szerokie stopy i tatuaż nad lewą kostką. Uśmiecha się do mnie.

— Chyba nie gniewasz się, że zostałem? Mały Wilzer obudził się i wstał z łóżka przed nami, więc dołączyłem do niego. Nie sądzę, żeby coś zauważył.

Bert jest przekonany, że mówi szeptem. Jedną z nowych rzeczy, których się dowiaduję, poznając bliżej Berta, jest to, że jego szept jest słyszalny z odległości pięćdzięciu metrów. Ale Wills jest zajęty kartami, próbuje z nich zbudować domek podobny do tego, który przedtem ustawił Bert.

Siadam i piję kawę. Już prawie nie pamiętam, kiedy po raz ostatni podano mi kawę do łóżka. Moje włosy przypominają kupkę siana. Wiem, że mam rozmazany makijaż, ale Bertowi chyba to nie przeszkadza, bo pochyla się i lekko mnie całuje. Znowu nie mogę wyjść ze zdumienia, że taki wielki, na pozór niezdarny mężczyzna, potrafi być taki delikatny.

— Lepiej już pójdę do siebie — mówi. Moja gospodyni pilnuje mnie jak pasterz swoich owiec, a nam nie zależy na plotkach jeszcze przed początkiem roku szkolnego, prawda? Stary Lister, nasz ulubiony dyrektor, chyba by osiwiał.

Tak to się zaczyna. Spodziewam się, że Bert swoje zainteresowania przeniesie teraz na inną, chętną kobietę, ale nic takiego nie następuje. Raz po raz wychodzimy razem wieczorem, jeszcze zanim rozpoczęła się szkoła, odwiedzając miejscowe *Gasthäuser*, zwykle zabierając ze sobą Willsa. Z trudem się powstrzymuję, żeby nie mówić do niego Wilzer. To daje pewne pojęcie o sile osobowości Berta.

Bert zaprasza mnie do swojego mieszkania. Idę, po położeniu Willsa do łóżka. Kobieta, która mieszka pod nami, obiecuje, że będzie nasłuchiwać, czy coś się u nas nie dzieje. Spotykamy się przy Dampher Steg, w moim ulubionym miejscu, na małym tarasie w pobliżu portu, skąd wypływają statki wycieczkowe. Wymarzone miejsce, żeby na kogoś czekać, z widokiem na łabędzie, kaczki i słońce zachodzące nad jeziorem.

W miarę jednak jak mijają tygodnie, czekam coraz rzadziej, ponieważ Bert jest tam zwykle przede mną. Zawsze ma dla mnie jakąś małą niespodziankę: tabliczkę niemieckiej czekolady, polny kwiat, który zerwał po drodze, jakiś szczególnie ładny kamyk, który znalazł na plaży i wypucował specjalnie dla mnie. Bez przerwy coś struga tym swoim scyzorykiem, na przykład dwa złączone ogniwa łańcucha albo serce z wyrytymi naszymi imionami. Przypomina to nieco uczniowski romans, ale pulsuje w nim jakaś wewnętrzna, utajona siła, płynąca zapewne stąd, że jesteśmy już starsi, wystarczająco dorośli, aby zbyt wiele nie oczekiwać i brać wszystko takim, jakie jest.

Bert już tam jest, czeka na mnie. Idziemy do jego mieszkania. Kładzie palec na ustach i upiera się, żebyśmy weszli tylnymi schodami. Jego gospodyni okazała się nieugięta w kwestii sprowadzania kobiet do pokoju. Niemki potrafią być okropnie zawzięte, zwłaszcza te starsze. Bert twierdzi, że z powodu „kobiecego" zakazu o mały włos nie zrezygnował z tego mieszkania, ale żadne inne nie odpowiadało jego możliwościom finansowym.

Wygląda to jak jaskinia niedźwiedzia albo lisia nora. Całe mieszkanie to jeden duży pokój z łóżkiem wciśniętym pod szczytową ścianę. Prawdę mówiąc, wszystko tutaj jest tak czy inaczej upchnięte pod ukośnymi ścianami. W sumie jednak bardzo tu przytulnie. Bert robi kawę i dolewa do niej trochę brandy. Zazwyczaj nie piję alkoholu, ale to specjalna okazja. Bert jest taki dumny z siebie, że nie mogę odmówić, tak więc sączę gorący płyn i uważam, żeby się nie zakrztusić. Mama i ja mamy ten sam problem: krztusimy się wszystkim, co ma ostry, zdecydowany smak.

Później, bez zbędnych wstępów, splatamy się w uścisku i przewracamy na łóżko, na którym nie da się nawet prosto usiąść. Zaczynam czuć, że mogłabym się w Bercie zakochać. To mi jednak krzyżuje wszystkie plany. Potrzebuję czasu, przynajmniej dwóch lat, żeby sprawdzić się jako nauczycielka i stać się osobą w pełni niezależną.

Nie mija nawet połowa pierwszego semestru, kiedy Bert wymawia swoje mieszkanie i wprowadza się do mnie. Nie oponuję.

Dzięki Bertowi czuję się doceniona, nie wartościowa, ale właśnie doceniona. Takiego poczucia nie dał mi dotąd nikt inny, nawet moi szczerze kochający mnie rodzice.

Nasz „romans" nie jest już tajemnicą. Bert zresztą nie kryje się ze swoimi uczuciami. Kiedy spacerujemy, bierze mnie za rękę albo zarzuca mi na szyję jedno z tych swoich monstrualnych ramion. Mamy tu coś w rodzaju klubu — z kilkoma nauczycielami szkoły podstawowej codziennie spotykamy się na obiedzie i Bert do nas dołączył. Mimo początkowych zastrzeżeń szybko go zaakceptowali. Kiedy wychodzimy gdzieś razem, Bert nie spuszcza ze mnie wzroku.

Wills zmienił się nie do poznania. Zawsze nie cierpiał szkoły. Teraz jeździ tam ze mną i Bertem. Bert rozmawia z nim o lekcjach matematyki, pyta, które tematy są najtrudniejsze, i pokazuje mu magiczne sposoby rozwiązywania zadań, jakby cała arytmetyka była czymś w rodzaju walki z zaczarowanym wielogłowym smokiem. Sam nie jest zagorzałym czytelnikiem, ale potrafi zapalić do lektury Willsa. Czyta mu jakąś książkę i w ważnych momentach pyta, co się wydarzyło, albo co, zdaniem Willsa, dalej nastąpi. Czasami udaje, że nie może wymówić jakiegoś słowa i prosi Willsa, żeby to zrobił za niego. Bert byłby wspaniałym nauczycielem w niższych klasach.

Pozwala Willsowi bawić się swoim kalkulatorem i komputerem. Zaczyna od gier, a potem każe Willsowi sprawdzić rozwiązania zadań domowych — raz na kalkulatorze, innym razem na komputerze.

Odrabianie lekcji stało się rodzajem zabawy. Po kolacji Bert otwiera piwo, a Wills rozkłada na kuchenym stole swoje zeszyty. Bert nie wtrąca się, dopóki Wills sam daje sobie radę, ale kiedy tylko utknie, zaraz wkracza do akcji. Potem wszystko rozgrywa się według reguł, które wymyślił Tomek Sawyer podczas bielenia płotu. Wills w końcu błaga, żeby Bert pozwolił mu dalej rozwiązywać zadanie, ale Bert go odpędza, aż Wills wpada w złość. Wtedy mu ustępuje i Wills, bardzo zadowolony, samodzielnie kończy odrabianie lekcji.

Bert lubi cygara, tanie, najbardziej smrodliwe cygara, jakie kiedykolwiek wąchałam. Kiedy się do nas wprowadził, zabroniłam mu palić w mieszkaniu. Potem rozciągnęłam ten zakaz również na samochód i to nawet, jeśli jedzie w nim sam. Jak już nie może wytrzymać, idzie na spacer. Wills zawsze chce mu towarzyszyć. W tej sytuacji musiałam wprowadzić jeszcze jedną zasadę: żadnych cygarowych spacerów, dopóki Wills nie śpi. Nie wiem, dlaczego Bert tak cierpliwie to znosi.

Zawsze, kiedy obwieszczam kolejne reguły naszego współżycia, a jest ich niemało, Bert tylko przekrzywia głowę i przygląda mi się, badając, na ile jestem poważna, a potem wzrusza swoimi potężnymi ramionami. Strasznie się wtedy czuję. Widzę, ile to go kosztuje. A przecież nie chcę go stracić. Czy kiedyś jeszcze spotkam kogoś takiego jak on?

Bert gra w miejscowej lidze koszykarskiej. To jedna z tych rzeczy, bez których nie mógłby żyć. Wills oczywiście nie opuszcza żadnego meczu. Bert porusza się po boisku jak słoń w składzie z porcelaną. Skomplikowany atak pozycyjny to nie dla niego. Drybluje nie dłużej niż trzeba, szukając partnera, któremu mógłby podać piłkę, a jeśli nikt mu nie wychodzi, zawsze znajdzie jakąś lukę w obronie przeciwnika i wtedy idzie pod kosz. Ma kilka szczególnie efektownych rzutów, poza prawo- i leworęcznym hakiem, rzut jedną ręką z wyskoku.

Wszystkich tych słówek uczę się, oglądając mecze, a potem słuchając objaśnień Berta. Przedtem nie miałam zielonego pojęcia o koszykówce. Sport, a zwłaszcza sporty zespołowe, nie były zbyt popularne w naszej rodzinie.

Po meczu Bert lubi „urwać się z chłopakami". Idą wtedy do jednego z lokalnych *Stüben*, wypijają po kilka piw, palą cygara i pławią się w tej nieco już zatęchłej atmosferze męskiego koleżeństwa.

Wraca do domu lekko nieprzytomny, zwykle z przeprosinowym prezentem, w rodzaju podstawka pod szklankę, z wymalowanym: *Bert kocha Kate*. Potem wali się na łóżko i natychmiast zasypia. Nie mam odwagi prosić, żeby i z tego zrezygnował.

Kiedy zbliżają się święta Bożego Narodzenia, namawiam Berta, żeby pojechał do młyna i spędził gwiazdkę z moją rodziną. Wiem, że mu się tam spodoba: młyn i cała okolica, których ja nie cierpiałam, to coś w jego guście. Opowiadam mu, jak co roku kradniemy choinkę z lasu, co tato później opisze w książce zatytułowanej *Wieści*. Mam tam na imię Maggie.

Bert idealnie pasuje do mojej rodziny. Następnego ranka po naszym przyjeździe paraduje po salonie w dresie i do tego na bosaka. Nikt, nawet tato, nie chodzi we młynie boso. Podłogi są lodowate, ale stopom Berta najwyraźniej to nie przeszkadza. Bertowi tutaj podoba się dosłownie wszystko: staw, wzgórza, ponura, mistyczna atmosfera Morvan i moja rodzina.

Powiada, że nie zna w Europie miejsca, które bardziej przypominałoby jego rodzinne strony i że pod pewnymi względami Morvan nawet nad nimi góruje. Bierze udział w naszej złodziejskiej wyprawie po choinkę, potem pomaga ustawić trzymetrowe drzewko w narożniku koło kominka, zawiesza bombki na najwyższych gałązkach, instaluje lampki. Wchodzi do rodziny w sposób tak naturalny, jak gdyby zawsze był z nami.

Któregoś wieczora, już po Bożym Narodzeniu, kiedy wszyscy już śpią, spędzam kilka chwil sam na sam z tatą.

— Jak ci się podoba Bert, tato?

— No cóż, jeżeli mam być szczery, to nie dałbym głowy, że nie jest członkiem naszej rodziny, który się dotąd przed nami ukrywał. Kiedy patrzę na Roberta, Matta i Berta, to mam wrażenie, że widzę trzech braci. Myślę, że to świetny facet. A co ty o nim sądzisz?

— Pamiętasz, co mi odpowiedziałeś, kiedy zastanawiałam się, czy odejść od Danny'ego, i zadzwoniłam do ciebie, żeby zapytać, czym naprawdę jest miłość?

— Nigdy tego nie zapomnę. Ta rozmowa zupełnie wytrąciła mnie z równowagi. Nie chciałem tego rozwodu. Teraz myślę, że dobrze zrobiłaś, choć wciąż żal mi Danny'ego.

— O Danny'ego się nie martw. Mieszka w Venice, w Kalifornii, i żyje jak ci wszyscy yuppies. Nawet nie przysyła pieniędzy na Willsa, tak jak obiecywał. Ale nie o tym chciałam rozmawiać. Powiedziałeś wtedy, że miłość to podziw, szacunek i namiętność. Wówczas tego nie rozumiałam, ale potem to mi bardzo pomogło. Pamiętasz, co powiedziałeś o przypadku, kiedy żywe są wszystkie te trzy uczucia?

— Jasne, że pamiętam.

— No więc teraz już wiem, że nie muszę umrzeć, żeby dostać się do nieba.

A jednak musiałam.

Rozdział III

Teraz, kiedy Bert wprowadził się do mojego mieszkania razem z większością swoich gratów, uznaliśmy, że potrzeba nam więcej prywatności. Potrzebujemy też osobnej sypialni.

Od jednego z nauczycieli dowiadujemy się o mieszkaniu do wynajęcia na wzgórzu za miastem. Jedziemy je obejrzeć. Chociaż daleko mu do ideału, cena jest przystępna, no i mamy to, o co nam chodziło. Mieszkanie znajduje się na drugim piętrze i prowadzą do niego zewnętrzne, metalowe, spiralne schodki. Możemy też wchodzić od frontu, po prawdziwych marmurowych schodach, ale wtedy musimy przechodzić przez mieszkanie Frau Zeidelman, właścicielki domu. Decydujemy, że dopóki pozwoli na to pogoda, będziemy używać zewnętrznych schodków.

Mieszkanie składa się z korytarza i pokoi po obu stronach. Po jednej stronie okna wychodzą na taras, z którego rozciąga się piękny widok na miasteczko i jezioro. Po tej stronie postanawiamy urządzić salonik, naszą sypialnię i pokój Willsa. Po drugiej stronie znajduje się toaleta z jednym z tych idiotycznych niemieckich sedesów, w których to, co zrobisz, ląduje na porcelanowej platformie i zanim pociągniesz za spłuczkę, psuje powietrze w całej łazience.

Za to wszystko jest czyste, sterylnie czyste, i solidnie, po niemiecku, zbudowane. Podwójne okna otwierają się we wszystkie strony i pod każdym możliwym kątem. Drzwi są tak duże i ciężkie, i tak ściśle wpasowane w futrynę, że bez trudu można odciąć sobie nimi palce.

Ponieważ w szkole wszyscy o nas już wiedzą, każdy z nauczycieli, a nawet niektórzy rodzice przynoszą nam „coś do domu", i w krótkim czasie zdobywamy kompletne umeblowanie. Po raz pierwszy, odkąd wyprowadziłam się z Idylwild, znowu czuję się cząstką swojego mieszkania.

Bert nie cierpi spać w normalnym łóżku. Ma w sobie coś z hipisa. Życzy sobie materaca na podłodze. Zwykle mi ustępuje, ale tym razem jest stanowczy.

Materac jest nawet wygodny i dobrze mi robi na kręgosłup, ale rano podniesienie się z tego „parterowego łoża" jest prawie ponad moje siły. Jeżeli Bert mnie nie popchnie albo nie podciągnie, muszę się przekręcić na brzuch i wygramolić się stamtąd na czworakach, co też nie jest wcale takie łatwe.

Jestem pewna, że Bert nigdy w życiu nie zasłał łóżka. Muszę mu pokazywać, jak się składa pościel i powleka koce. On uważa, że to bardzo zabawne. A ponieważ wieczorami kładzie się na materacu, żeby poczytać — twierdzi, że nie potrafi czytać ani myśleć, siedząc na krześle — posłanie i tak wraca do swojego pierwotnego stanu. Jednym z ulubionych sposobów Berta na spędzenie wieczoru jest leżenie w pościeli z egzemplarzem „Stars and Stripes" albo „Herald Tribune", objadanie się wielkimi, tłustymi niemieckimi preclami i popijanie piwa.

Wills często wtula się obok niego, a ja mam wtedy całe mieszkanie dla siebie. Zazwyczaj siedzę w saloniku i też coś czytam. Później, kiedy Wills zaczyna przysypiać, prowadzę go przez korytarz do łazienki, a potem do jego pokoju.

Sprawdzam, czy jest dobrze przykryty i na ogół wracam prosto do naszego łóżka. Bert, w półśnie, zaczyna swoje murmurando, w takt którego jego dłonie leniwie błądzą po moim ciele. Jeśli mam ochotę, muszę tylko to okazać, a po chwili już płyniemy po morzu miłości. Jeżeli jestem zmęczona albo zwyczajnie nie mam nastroju, jego świadomość, czy cokolwiek to jest, pogrąża się w sennych otchłaniach: Bert obraca się na bok i zaczyna pochrapywać.

Kiedy zbliża się lato, Bert dostaje bzika na punkcie wyjazdu do Grecji. Mam układ z Dannym: zgodził się, żebym zabrała Willsa do Europy, jednak pod warunkiem, że wakacje będą spędzali razem. Zgodnie z prawem rozwodowym Danny mógł nie pozwolić, żebym wywiozła Willsa z kraju.

Danny ma nową, dobrą pracę, sprzedaje nierdzewną stal i ożenił się z bardzo sympatyczną kobietą. Jestem stosunkowo spokojna o Willsa, martwię się tylko, żeby nie przesiedział całego lata przed telewizorem i nie opychał tym „plastikowym" jedzeniem. Ale, jak mówi Bert, Wills jest tak samo dzieckiem Danny'ego jak moim. Nie mogę go nie puścić.

Odbywa się „mokre" pożegnanie na lotnisku. Jak tylko wsadzam Willsa do samolotu, dzwonię do Danny'ego, żeby upewnić się, że odbierze go z lotniska w Los Angeles. Danny'emu zdarza się zapomnieć nawet o najważniejszych rzeczach. Koszty podróży Willsa dzielimy równo między siebie.

Tak więc jedziemy z Bertem do Grecji — z namiotem. Nigdy nie lubiłam jeździć pod namiot. W naszej rodzinie nie był to popularny sposób spędzania wakacji. Tato powtarzał, że podczas drugiej wojny światowej namieszkał się w namiotach za wszystkie czasy. Idea spania wprost na ziemi w czymś, co nazywał „pierdziworem", nie przedstawiała dla niego żadnego uroku.

Ja czasem jeździłam pod namiot ze swoją klasą w szkole średniej. Tylko, że oni wszyscy mieszkali w wielkich domach ze służbą i prymitywne warunki na campingu uważali za zabawną odmianę. My w Paryżu mieszkaliśmy w piątkę na trzydziestu metrach kwadratowych, co już było bardziej podobne do życia w namiocie niż w normalnym mieszkaniu. Potem, po przeprowadzce do młyna, nie mieliśmy elektryczności, a wodę trzeba było nosić ze studni. Na Boże Narodzenie było piekielnie zimno i nawet nie miałam jak umyć włosów. Perspektywa wyjazdu na camping nie wzbudza zatem mojego entuzjazmu. Bertowi jednak bardzo na tym zależy, więc zgadzam się pojechać.

Objeżdżamy całą Grecję, przenosząc się z campingu na camping, gdzie spełniają się wszystkie moje najgorsze przewidywania. Wtedy to Bert wpada na pomysł, że musimy wejść na Olimp.

— Ale po co, Bert? Przecież to strasznie wysoko. Możemy zabłądzić i nikt nas tam nie znajdzie.

— Ależ, Kate, Olimp to siedziba bogów. Na górę wchodzi się wytyczonym szlakiem. Na pewno się nie zgubimy. A jeżeli się zmęczysz, wezmę cię na barana.

Poddaję się. Życie z Bertem jest bajecznie łatwe, póki nie strzeli mu do głowy któryś z jego zwariowanych pomysłów. Wtedy zachowuje się jak opętany.

Bert starannie pakuje plecaki, jego jest prawie dwa razy większy niż mój. Sprawdza moje buty do chodzenia po górach i skarpety. Zapomniałam, że Bert wychował się na wsi i wie, jak sobie radzić w trudnych warunkach. Może dlatego mu zależy, żebym z nim poszła, bo chce się przede mną popisać.

Z początku nie jest najgorzej i nawet sobie podśpiewujemy po drodze. Potem robi się coraz bardziej stromo. Chcę, żebyśmy zawrócili. Do szczytu jest jeszcze bardzo daleko. Poza tym zaczyna robić się zimno — w połowie lipca!

— No, Kate, przeszliśmy już więcej niż połowę drogi. Zastanów się: może spotkamy któregoś z tych greckich bogów, więcej taka okazja może się już nie nadarzyć.

— Idź sam, Bert. Ja tu zaczekam.

— Daj mi rękę, Kate. Będę ci pomagał.

Podaję mu dłoń. Wleczemy się noga za nogą przez następne pół godziny. Potem siadam na najbliższym głazie. Zadzieram głowę. Wydaje mi się, że szczyt ani trochę się nie przybliżył.

— Naprawdę, Bert, nie dam rady. Nie jestem wysportowana. Ty idź, a ja zacznę powoli wracać.

— Po prostu trochę odpocznijmy, kochanie. Potem zobaczymy. Spójrz, jaki piękny stąd widok. Tam na górze musi być jeszcze o niebo piękniejszy.

Jestem zbyt zmęczona, żeby się spierać. Boli mnie głowa i robi mi się słabo. Ale sobie znalazłam faceta!

Po półgodzinie znowu mogę normalnie oddychać. Zbieram się do drogi, w dół. Bert wstaje, kręci młynka rękami i pomaga mi założyć plecak.

— Kate, jeszcze dwieście kroków. Wiem, że dasz radę. Nigdy sobie nie wybaczysz, że byłaś tak blisko szczytu Olimpu i zawróciłaś.

Zaczynamy mozolną wspinaczkę, która wygląda w ten sposób, że to Bert się wspina, a mnie ciągnie za sobą. Zaczynam rozumieć znaczenie słowa „entuzjazm", jednego z ulubionych słówek taty. Nie wiadomo, ile razy słyszałam, że w starogreckim znaczy to „natchniony przez bogów". Bert z pewnością jest natchniony przez bogów, a w każdym razie chciałby być.

Chcąc się czymś zająć, liczę kroki i kiedy dochodzę do dwustu, zatrzymuję się. Gdyby nie było tak zimno, pot wlewałby mi się do butów. Szczyt jest jakby bliżej, ale wciąż nie dość blisko. Nie odzywamy się do siebie. Bert ciska na ziemię swój plecak i pomaga mi uporać się z moim. Siedzimy na kamienistym zboczu tej przeklętej góry. Nawet Bert sapie ze zmęczenia.

— Już niedaleko, kochanie. Założę się, że niewiele kobiet doszło do tego miejsca. Jestem z ciebie dumny.

Słucham tych gładkich słówek i zastanawiam się, czy to naprawdę Bert. A może nasz związek to jedna wielka pomyłka? Ciekawe, jakie głupie pomysły chodzą mu jeszcze po głowie? Spacerek na Mount Everest? Czuję, że jestem bliska histerii.

— Okay, Bert. Spróbuję wejść na szczyt tej cholernej góry, ale kiedy znajdziemy się już na dole, koniec z nami. Mam dość życia z szaleńcem.

— Zlituj się, Kate. Chyba nie mówisz poważnie. Jeżeli koniecznie chcesz, możemy zaraz zawrócić. Nie zdawałem sobie sprawy... Przepraszam.

Patrzę mu prosto w oczy i wstaję. Bert pomaga mi założyć plecak, a potem podnosi swój. Zaczyna schodzić. Ja ruszam pod górę. Stanowczo mam zamiar dać mu nauczkę. Jestem pewna, że umrę z wyczerpania albo na zawał serca, ale zostawię go ze świadomością, że to jego wina. Słyszę za sobą jego pospieszne kroki.

— Co z tobą, Kate? Już wystarczy, wracajmy. Jesteś blada jak trup.

Nie odpowiadam. Krok za krokiem, ze wzrokiem wbitym w ziemię, posuwam się do przodu. Jeśli to ma być ostatnia rzecz, którą robimy razem, to niech to przynajmniej jakoś wypadnie. Bert wlecze się z tyłu. Jestem taka wściekła, że nie myślę nawet o tym, co stanie się z Willsem. Bert chce wziąć ode mnie plecak, a kiedy go odpycham, nie komentuje tego.

Nie wiem, jak to wytrzymałam, ale docieramy na szczyt. Upewniam się, że jestem w najwyżej położonym punkcie, po czym bezwładnie osuwam się na ziemię. Jestem pewna, że zaraz stracę przytomność, ale nic takiego się nie dzieje. Rozglądam się. Jest naprawdę przepięknie. Bert klęczy tuż obok i przygląda mi się badawczo.

— Proszę, nie rób mi tego, Kate. Byłem taki podekscytowany tą naszą wyprawą, że po prostu nie pomyślałem. Błagam, daj mi jeszcze jedną szansę.

Patrzę na niego ze złością. I wtedy widzę łzy w jego oczach. Nigdy nie przyszłoby mi do głowy, że Bert może płakać. On wie. Wie, jak niewiele brakuje, żeby mnie stracił. Ja natomiast zdaję sobie sprawę, silniej niż kiedykolwiek, jak bardzo mnie kocha, i że nie jest to dla niego po prostu kolejny romans czy tylko seks, ale pisana dużymi literami: MIŁOŚĆ. Rzucam mu się na szyję.

Na szczycie tej mroźnej, niesympatycznej góry spędzamy całe popołudnie.

— Kate, lepiej ruszajmy z powrotem, zanim się ściemni. Nie wiem, czy po ciemku potrafię znaleźć drogę do namiotu.

Wstaję. Obracam się do niego.

— Jestem pewna, że potrafisz, Bert.

Patrzy mi w oczy z czułością, obejmuje mnie i zaczynamy schodzić.

Trudno uwierzyć, jak łatwa jest droga w dół. Chociaż nogi mam jak z waty i wydaje mi się, że oba moje duże palce zaraz przebiją grubą skórę buta, meldujemy się na dole równo z zachodem słońca. Bert dźwiga oba plecaki. Wiem, że jest wniebowzięty, że udało nam się wejść na sam szczyt, ale nie chce o tym mówić, dopóki ja czegoś nie powiem. A ja jestem zbyt zmęczona.

W namiocie padam na swój śpiwór. Wszystko mnie boli. Bert upycha w narożniku plecaki, potem klęka przy moich stopach i rozwiązuje mi buty. Nie mam siły, żeby protestować. Zdejmuje mi buty i skarpety, a potem masuje moje stopy. Masaż stóp to jedna z najprzyjemniejszych rzeczy na świecie. Jak on na to wpadł? Z miejsca przestaje boleć mnie głowa. Zaczynam nawet być dumna z naszego osiągnięcia. Bert okrywa mi nogi i czołga się do mojej głowy. Patrzy mi w oczy.

— A widzisz? Dałaś radę. Weszłaś na szczyt Olimpu. To oznacza, że jesteś boginią. Zawsze wiedziałem, że jesteś, ale teraz mam dowód.

Sięga do plecaka i wyciąga butelkę ciepłego szampana. Taszczył ją na sam szczyt, a potem z powrotem na dół.

— Myślałem, że wypijemy na górze, ale jakoś nie wyszło. Napijesz się teraz ze mną, zanim butelka eksploduje?

Uśmiecham się i. wyciągam do niego rękę. Bert pochyla się nade mną i aplikuje mi jeden ze swoich najczulszych i najserdeczniejszych, niedźwiedzich uścisków. Tam, na górze, o mały włos nie straciłam najwspanialszego mężczyzny na świecie. Sączymy ciepłego szmapana. Bert rozbiera się, a potem rozbiera mnie. Wsuwamy się do śpiwora. Zasypiam z głową na jego piersi, nim butelka jest pusta. Pewnie sam ją dokończył, ja nic nie pamiętam.

Zostajemy na tym campingu przez cały następny dzień, czekając aż moje biedne stopy znowu będą się nadawały do chodzenia. Jest ciepło, więc wyciągam się na słońcu. Ciągle patrzę na tę górę i nie mogę uwierzyć, że naprawdę tego dokonałam. Chyba w całym moim życiu nic innego, poza urodzeniem Willsa, nie kosztowało mnie tyle sił i nie dało mi tyle zadowolenia.

Kilka dni później zwiedzamy klasztor, do którego przez całe wieki wstęp mieli tylko mężczyźni. Wciągają nas tam w wiklinowym koszu, wzdłuż niemal pionowej, skalnej ściany. Śmiertelnie się boję, że kosz się urwie i spadniemy w przepaść. Kwaterują nas w małych, czystych pokoikach, które kiedyś służyły mnichom za cele. Jemy przy strasznie długim stole razem z zakonnikami i kilkoma innymi turystami. Potrawy są niewyszukane, ale smaczne. Nie ma tu elektryczności, więc wcześnie kładziemy się do łóżka. Bert zaczyna swoje podchody. Wtedy sobie przypominam.

— Bert, zostawiłam swój krążek w samochodzie, a dzisiaj jest jeden z tych niebezpiecznych dni.

Bert nie przestaje mnie pieścić, całować i bawić się moimi włosami.

— Wiesz, kochanie, naprawdę bardzo cię kocham, ale nie zjadę po ciemku, w tym koszu, po twój krążek.

Obracam się do niego.

— Ja też nie.

Kochamy się w prosty, niewyszukany, niemal dostojny sposób, doskonale odpowiadający klimatowi tego miejsca. Później, leżąc na wznak, patrzę na sufit i próbuję odcyfrować czerwono-złoty napis biegnący wzdłuż wszystkich ścian. Właściwie nic nie udaje mi się wyczytać: pomiędzy tymi wszystkimi dziwacznymi zakrętasami dostrzegam tylko jedno słowo, które wygląda jak *Dayiel*.

W trzy tygodnie po powrocie do domu wiem, że jestem w ciąży. Robię sobie test, który potwierdza moje obawy. To ostatnia rzecz, której bym sobie teraz życzyła. Wiem też, że nigdy nie zdecyduję się na aborcję. Nie ma to żadnego związku z religią. Po prostu nie podoba mi się myśl, że ktoś mógłby bezkarnie okraść moje ciało. Nie narodzone dziecko to jak liczba ujemna, można to wprawdzie zobaczyć, ale to mniej niż zero: nic. Mówię o wszystkim Bertowi.

Bert nie posiada się z radości. Bierze mnie na ręce i rozpoczyna szalony taniec. Boję się, czy mnie nie upuści.

— To było wtedy, w klasztorze, prawda?

— Jeśli dobrze pamiętam, to nie na szczycie Olimpu.

— Wiedziałem. Czułem to. I wtedy, i następnego dnia czułem, że jest z nami ktoś trzeci. Miałem wrażenie, że stoi przy nas anioł, a ciebie otacza jakaś niesamowita aura. Po prostu wiedziałem.

— Dobrze, że mi wtedy nic nie powiedziałeś. I co teraz zrobimy? Znowu nie będę miała dwóch lat stażu potrzebnego do pracy w międzynarodowej szkole. Wróciłam do punktu wyjścia i znowu jestem uzależniona od mężczyzny. Niech to szlag, Bert, ciężko się napracowałam, żeby się z tego wszystkiego wyzwolić.

— Pomyśl, Kate, urodzi się dziecko, zupełnie nowa istota, która jest zarazem tobą i mną. Czy to nie wspaniałe? Boże, jak o tym myślę, kręci mi się w głowie. Chodźmy zaraz do Ratusza i sprawdźmy, co musimy zrobić, żeby się pobrać. Wyobrażasz sobie? Ja będę ojcem, a ty moją żoną!

— Nie. Już to kiedyś zrobiłam. Jedynymi ludźmi, którzy wynoszą jakąś korzyść z małżeństwa, są prawnicy. Albo mnie kochasz i będziesz ze mną, żeby mi pomagać, albo nie. Tego nie zmieni ani żaden ksiądz, ani urzędnik stanu cywilnego, *Bürgermeister* ani żaden czarnoksiężnik machający różdżką i wypuszczający nam w nos kłęby dymu. Mam tylko nadzieję, że jeśli odejdziesz, to starczy ci przyzwoitości, żeby mi pomagać, póki nasze dziecko nie pójdzie do szkoły, a ja będę mogła wrócić do pracy.

— Cholera, Kate. Mówisz to z takim zimnym wyrachowaniem. Ja naprawdę chcę się z tobą ożenić. Chcę, żebyśmy byli panem i panią Woodman. Jestem taki dumny z ciebie i chcę, żeby wszyscy o tym wiedzieli. Nie rozumiesz tego?

— To takie męskie, egoistyczne gadanie. Tylko, że ja już przez to wszystko przeszłam. Więcej, cierpiałam z tego powodu. Chciałabym wierzyć, że z nami byłoby inaczej — wiem, że cię kocham i jestem więcej niż w połowie pewna, że ty mnie kochasz — ale nic nie trwa wiecznie. Życie to ciągła zmiana, a jeśli nie lubi się zmian, to nie lubi się życia. Ja lubię życie.

A jednak sama czuję rosnące podniecenie. Kocham dzieci: przecież właśnie dlatego zdecydowałam się uczyć w przedszkolu i w pierwszych klasach. Pod tym względem jestem podobna do mamy. Czuję, że zaczynam mięknąć. Przysięgałam sobie, że już nigdy nie dam się na to nabrać, a tu masz, stało się. Uśmiecham się i przytulam do Berta.

— Bert, cieszę się, że to ty jesteś ojcem, cieszę się tak samo jak ty. Ale miałam tyle złych doświadczeń z mężczyznami. Ty jesteś pierwszy, któremu naprawdę ufam i jestem szczęśliwa, że będę matką naszego dziecka. Skoro już o tym mowa, jeżeli to będzie dziewczynka, chcę, żeby miała na imię Dayiel.

Bert przytula mnie mocno do siebie, na wszelki wypadek wciągając brzuch, żeby mnie nie ucisnąć. Stoimy tak na środku korytarza, kołysząc się w przód i w tył jakby w jakimś dziwnym tańcu. Bert nawet zaczyna swoje murmurando. Po chwili milknie.

— Powiedziałaś: Dayiel? Jak to się pisze? Gdzie znalazłaś takie imię?

Opowiadam o napisie na suficie w klasztorze, w którym dziecko zostało poczęte. Bert śmieje się. W jego oczach znowu widzę łzy.

— A jeżeli to chłopiec?

Kiedy Wills wraca po wakacjach do domu, zaczynam się już zaokrąglać i mam wrażliwe sutki. Czekamy z nowiną, aż zje kolację. Robię mu gorącą czekoladę, a potem przynoszę ciasteczka, niemieckie *Liebkuchen*. Wills bardzo je lubi. Siedzimy w kuchni. Rozmowę zaczyna Bert.

— Chciałbyś mieć małego braciszka albo siostrzyczkę, Wilzer?

Wills patrzy uważnie na Berta.

— Ale gdzie, tutaj czy w Kalifornii u tatusia i Sally?

Berta zatyka. Żadne z nas tego nie przewidziało. Po prostu zapomnieliśmy, że Wills żyje w dwóch różnych światach, z różnymi ludźmi i że właśnie przyjechał do nas z tamtego drugiego świata.

— Chodziło mi o to, że tutaj, z mamą i ze mną.

— Ale ty nie jesteś moim tatą. Tatuś może być wściekły, jeżeli mama i ty będziecie mieli dziecko.

— Twoja mama i tato już nie mieszkają razem, Wilzer. Są rozwiedzeni. Teraz ja mieszkam z twoją mamą.

— Ale wy nie jesteście małżeństwem tak jak tatuś i Sally. No to jak możecie mieć dziecko?

— Cóż, w pewnym sensie jesteśmy małżeństwem. Uważamy się za małżeństwo. Właśnie dlatego mieszkam z wami.

— Czy muszę być na weselu?

Pochylam się i mocno przytulam Willsa. Po raz pierwszy uświadamiam sobie, jak bardzo jest samotny. Dzieci ciężko przeżywają rozwód rodziców. Z początku tego nie okazują, ale potem już nic ich nie dziwi.

Tej nocy dzwonię do rodziców. Mama jest nawet bardziej przejęta niż Bert. Tato zresztą też. Oboje zawsze kochali dzieci, a jak dotąd, Wills jest ich jedynym wnukiem. Z trudem udaje mi się zakończyć rozmowę: nie stać nas na godzinne telefony do Paryża.

Przez całą ciążę Bert właściwie nie odstępuje mnie na krok. Lubię, gdy przytyka twarz, ucho, a nawet nos do mojego brzucha, który się robi coraz większy. Ruchy dziecka czuję dość wcześnie, jeszcze przed upływem czwartego miesiąca. Kiedy Bert wyczuwa je po raz pierwszy, wpada w zachwyt i zaczyna podskakiwać w dzikim, indiańskim tańcu radości.

— Bert, obudzisz Frau Zeidelman. Skończ te wygłupy i chodź tu do mnie.

Pochyla się nad łóżkiem. Kładzie mi na brzuchu obie dłonie.

— Znowu. Ono żyje. Przytula się do moich rąk. Sama zobacz.

— Widzę, Bert. Śpijmy już.

Odtąd co wieczór, kiedy Wills zaśnie, Bert kładzie się ze mną do łóżka i rozmawia z naszym dzieckiem. Nie tylko rozmawia, również śpiewa jakieś zwariowane piosenki. Nie mam pojęcia, gdzie się tego wszystkiego nauczył. Niektóre to najbardziej nieprzyzwoite piosenki, jakie kiedykolwiek słyszałam. Bert mówi, że pamięta je z dzieciństwa w Oregonie. Kiedy tak śpiewa, ja zaczynam chichotać, aż mi się brzuch trzęsie. Wygląda to strasznie niepoważnie, ale ja to uwielbiam.

Wtedy budzi się Wills i, rzecz jasna, chce się do nas przyłączyć. Przykłada głowę po jednej stronie mojego brzucha, a Bert swoją po drugiej. Bert nie chce przy Willsie śpiewać tych swoich nieprzyzwoitych piosenek, ale kiedy mu pozwalam, Wills śmieje się tak okropnie, że o mało nie spada z materaca. Mali chłopcy przepadają za takimi piosenkami.

Bert stanowczo nalega, żebyśmy się pobrali.

— Posłuchaj, Kate. Moja rodzina pochodzi z małego miasteczka, które ma tylko sześciuset mieszkańców. Wszyscy są katolikami, chociaż jedyną naprawdę religijną osobą jest moja młodsza siostra. Nie musimy mieć zaraz ślubu kościelnego, ale byłoby im trochę przykro, gdybyśmy mieli to dziecko w ogóle bez żadnego ślubu.

W końcu ulegam. Również ze względu na moich rodziców. Proponują, aby ślub odbył się na ich barce, gdzie po ceremonii można urządzić tańce. Mama i tato mają własną, dwupiętrową barkę, z metalowym kadłubem i drewnianą nadbudówką. Cały dolny pokład to właściwie jeden, długi na piętnaście metrów pokój. Barka wygląda jak biblijna arka i idealnie nadaje się na dom weselny. O naszym weselu myślę jak o prywatnym Halloween: mam nadzieję, że na zawsze przepędzimy z naszego życia wszystkie złe duchy. Wtedy jeszcze nie wiedziałam, że duchy nie istnieją, w każdym razie nie w taki sposób, jak to sobie ludzie wyobrażają.

Tak więc, przyjmujemy propozycję moich rodziców. Nikt z krewniaków Berta nie był jeszcze nigdy w Europie, ale całą chmarą zapowiadają swój przyjazd. W tym roku z okazji Wszystkich Świętych i Zaduszek mamy pięć dni wolnych od pracy, więc postanawiamy, że ślub odbędzie się pierwszego listopada. Uczcimy w ten sposób również ciotkę Emmaline, siostrę mamy. Tego dnia wypadają jej urodziny.

Mam dwie ciotki, Emmaline oraz Jean, siostrę taty. Obie przyjaźniły się już w szkole średniej. Prawdę mówiąc, to właśnie one poznały mamę z tatą, kiedy wszyscy byli jeszcze nastolatkami. Ciotka Jean wyszła za nauczyciela wf. i urodziła mu pięcioro dzieci, wszystkie przez cesarskie cięcie. Ciotka Emmaline była aktorką i wyszła za mąż w swoje czterdzieste urodziny. To było jej pierwsze i ostatnie małżeństwo. Trwało tylko pięć lat, chociaż poślubiła najsympatyczniejszego człowieka, jakiego kiedykolwiek spotkałam.

Jako mała dziewczynka przepadałam za ciotką Emmaline. Mieszkała wtedy w wykwintnych apartamentach i nosiła kosztowne stroje. Stale występowała w telewizji w tym czy innym serialu, zagrała również w kilku pełnometrażowych filmach. Zawsze była czarująca. Rozjaśniała sobie włosy, dzięki czemu mogła udawać naturalną blondynkę, i nosiła mocny makijaż. Miała też świetną figurę.

Dla nastolatki Emmaline była wymarzoną ciotką, kimś w rodzaju dobrej wróżki z bajki. Często zabierała mnie do restauracji, a także kupowała mi sukienki. W niczym nie przypominała mojej matki. Mama jest tego samego wzrostu, ale ma ciemne oczy i włosy. Nigdy się nie farbuje. Ma równie dobrą figurę, ale trudno to dostrzec, ponieważ fatalnie się ubiera. Jest bardzo opanowaną osobą. Prawdę mówiąc, nie przypominam sobie, żeby kiedykolwiek podniosła na kogoś głos.

Kiedy jednak ciotka Emmaline skończyła pięćdziesiątkę, była już tylko starą pijaczką. Telefonowała do nas w każdą Wigilię, żeby wygłosić do słuchawki swoją, jak mówił tato, „mowę pożegnalną". Tato zawarł z nami umowę, że w Wigilię nikt poza nim nie będzie odbierał telefonów, ale z jego miny i tak zawsze poznawaliśmy, z kim rozmawia. Właściwie tylko słuchał i kiwał głową. Normalnie tatę trudno skłonić, żeby kogoś wysłuchał. Na koniec pytał: „Czy to wszystko, Em?" Następowała krótka przerwa. „No to życzę ci wesołych świąt i wszystkiego dobrego. Trzymaj się". Nigdy nie wiedzieliśmy, co ona mówiła. Kiedyś wreszcie zapytałam o to tatę. Odpowiedział, iż groziła, że się zabije, ponieważ nikt jej nie kocha.

Moje ostatnie spotkanie z ciotką Emmaline było bardzo smutne. Moja młodsza siostra i ja mieszkałyśmy wtedy w Kalifornii, ja w Venice, Camille w Culver City. Nasza babcia, matka naszej mamy i ciotki Emmaline, mieszkała w Santa Monica, a sama Emmaline w West Hollywood. Babcia miała wtedy ponad osiemdziesiąt lat.

Któregoś dnia babcia zatelefonowała do Camille mówiąc, że od trzech dni próbuje dodzwonić się do Emmaline, ale nikt nie odpowiada. Pojechała tam nawet taksówką, ale drzwi były zamknięte. Nie wiedziała już, co ma robić. Płakała do słuchawki.

Camille zadzwoniła do mnie. Był wieczór i Danny był już w domu, więc poprosiłam, żeby zajął się Willsem. Podjechałam po Camille, a potem razem ruszyłyśmy do mieszkania Emmaline. Nie byłyśmy specjalnie zdenerwowane. Nie pierwszy raz ciotka Emmaline robiła podobny numer. Z drugiej strony, perspektywa wizyty u niej wcale nas nie zachwycała.

Z poprzednich odwiedzin wiedziałyśmy, że do mieszkania można się dostać przez okno łazienki. Zaparkowałyśmy samochód i skierowałyśmy się w stronę domu Emmaline. Spędziłyśmy trochę czasu pod drzwiami, pukając i dzwoniąc na przemian, ale drzwi się nie otworzyły. Przeszłyśmy na tyły domu. Obiecałyśmy sobie, że robimy to po raz ostatni.

Pomogłam Camille przepchnąć się przez okienko, a ona otworzyła mi frontowe drzwi. Było już ciemno, więc zapaliłyśmy lampę. Nawoływałyśmy przez chwilę i wtedy zauważyłyśmy światło w szparze pod drzwiami jej sypialni. Kiedy tam weszłam, o mało nie zemdlałam. Nawet Camille, która była bardziej wytrzymała ode mnie, odwróciła się z krzykiem.

Ciotka Emmaline leżała na podłodze obok łóżka. Wszędzie, na łóżku, na niej i na podłodze, pełno było ekskrementów. Od razu było widać, że nie żyje. Camille rozglądała się po pokoju z wytrzeszczonymi oczami.

— Musimy kogoś powiadomić, policję, kogokolwiek.

Telefon jednak stał przy łóżku, właśnie tam, gdzie leżała ciotka. Kombinowałyśmy, co zrobić. W końcu Camille obeszła łóżko z drugiej strony, przechyliła się i sięgnęła po aparat. Usiadła na podłodze. Ja w tym czasie starałam się podejść jeszcze trochę bliżej, żeby upewnić się, czy Emmaline naprawdę nie żyje. Nie żyła. Zaczynała już cuchnąć i był to nie tylko smród kału i całej reszty. Przedostałam się jakoś do Camille i kucnęłam obok niej. Camille trzymała telefon na kolanach i patrzyła na mnie.

— Chyba powinnyśmy zadzwonić do rodziców. Oni najlepiej będą wiedzieli, co robić. Która tam może być godzina?

Obliczyłyśmy, że mniej więcej siódma rano. Camille dwa razy pomyliła się przy wybieraniu numeru, ale w końcu wykręciła właściwy. Ręce jej się trzęsły.

Możliwie delikatnie wyjaśniła, co się stało. Rozmawiała z tatą, ale mama słuchała przez dodatkową słuchawkę, w którą często wyposażone są francuskie aparaty. Słyszałyśmy, że mama płacze. Tato zapytał, co już zrobiłyśmy.

Camille opowiedziała. W słuchawce zapadła cisza; domyśliłyśmy się, że tato konsultuje się z mamą.

— Dobrze, teraz się rozejrzyjcie i sprawdźcie, czy Emmaline nie zostawiła jakiegoś listu, notatki, czegoś w tym rodzaju.

Zaczęłyśmy szukać. Camille znalazła kilka polis ubezpieczeniowych rozrzuconych na biurku. Dobrze, że miałyśmy wreszcie jakieś zajęcie. Usiłowałam nie patrzeć w otwarte oczy ciotki. Wróciłyśmy do telefonu i Camille powiedziała tacie, co znalazłyśmy.

— Włóżcie je do szuflady biurka. Poza tym niczego nie dotykajcie. Upewnijcie się jeszcze tylko, że nie zostawiła żadnego listu.

Zrobiłyśmy, jak powiedział.

— Teraz zadzwońcie po policję i pogotowie. Zostańcie tam, dopóki nie przyjadą. Potem, tak szybko, jak to będzie możliwe, jedźcie do domu i weźcie sobie coś na sen. Przykro mi, dziewczynki, że musiałyście przez to przejść, ale tego nie dało się uniknąć. Stało się to, czego wasza ciotka zawsze sobie życzyła.

Potem już poszło w miarę gładko. W dokumentach zapisano, że ciotka Emmaline umarła na udar serca; przyjaciółka ciotki załatwiła to z policją, żeby Emmaline mogła zostać pochowana na poświęconej ziemi, i żeby babcia nie dowiedziała się, jak było naprawdę. W tej części świata takie rzeczy są na porządku dziennym. West Hollywood jest jednym z tych miejsc, w których upadłe gwiazdy i gwiazdorzy kończą swoją karierę w taki czy inny sposób.

Nie wiem, czy istnieje jakiś sposób, żeby skontaktować się z ciotką Emmaline. Nie jestem nawet pewna, czy tego chcę, ale wybieram dzień jej urodzin jako datę mojego ślubu. Być może dlatego, że traktowała mnie jak córkę, której sama nigdy nie miała. Jedyne dobre, co wynikło z całej tej sprawy, to moje stanowcze postanowienie, że już do końca życia nie tknę alkoholu ani narkotyków. I nie tknęłam.

Po ślubie wracam do pracy w szkole, ale zaczynam mieć kłopoty. Co rano wymiotuję, oprócz tego wciąż krwawię i czuję się okropnie. Wills urodził się przez cesarskie; musiano wykonać długie pionowe cięcie przez powłoki brzucha i macicę. Tym razem mam nadzieję na naturalny poród, ale niemieccy lekarze twierdzą, że to mało prawdopodobne. Mówią jednak, że będą próbować.

Moja *Frauenklinik* jest bardzo blisko, nad jeziorem Starnberger. Dziecko rozwija się prawidłowo, ale krwawienia i skurcze nie ustają. Lekarze orzekają, że jeśli nie chcę poronić, muszę leżeć w łóżku.

Mówię o tym w szkole i pokazuję zaświadczenie lekarskie, że powinnam przestać pracować. Stan jest dla mnie bardzo miły i wpada do nas kilka razy, żeby dowiedzieć się, jak się czuję. Ruth, jego żona, zagląda regularnie i pomaga w gotowaniu. Jestem naprawdę zaskoczona licznymi oznakami życzliwości ze strony nauczycieli i rodziców. Wiedziałam, że mam oddane przyjaciółki, Ellen, Pam, Cindy, Dallas, ale nie spodziewałam się, że tak skwapliwie ruszą mi z pomocą.

Bert pierze, utrzymuje mieszkanie w czystości i zajmuje się Willsem: karmi go, ubiera, robi wszystko, co potrzeba. Przychodzi do domu prosto ze szkoły, zrezygnował nawet z koszykówki. Czuję się rozpieszczana. Ciągle mi się wydaje, że już mi przeszło, ale gdy wstanę, po półgodzinie dostaję zawrotów głowy i muszę wracać do łóżka.

Jestem uszczęśliwiona, kiedy wreszcie mija siódmy miesiąc. Lekarz twierdzi, że teraz, bez względu na to, co się stanie, dziecko prawie na pewno będzie można uratować. Jednak w dalszym ciągu zdecydowanie odradza naturalny poród. Mówi, że ryzyko jest zbyt duże, ale błagam go, żeby mimo wszystko pozwolił mi spróbować.

W połowie dziewiątego miesiąca dostaję skurczów i zgłaszam się do mojej *Frauenklinik*. Przez siedem godzin próbuję urodzić bez pomocy chirurga. W końcu jednak lekarz uznaje, że to zbyt niebezpieczne i robi mi cesarskie. Jestem zrozpaczona.

Dayiel waży prawie cztery kilogramy. Chyba nie ma śliczniejszego dziecka. Ma jaśniutkie włoski i największe, najbardziej intensywnie niebieskie oczy, jakie kiedykolwiek widziałam.

Bert odwiedza mnie w przerwach obiadowych, żywiąc się kanapkami zjadanymi po drodze, w samochodzie. Bierze dziecko na ręcę, bawi się z nim, na głowie ma ten swój komiczny beret. Co jakiś czas rzuca mi rozanielone spojrzenie i uśmiecha się jak wiejski głupek. Zdaję sobie sprawę, że ja też nie mam szczególnie mądrej miny. Nigdy nie byłam taka szczęśliwa.

Niedługo potem stateczne Starnberg przeżywa typowo oregońskie wydarzenie: pięciu kumpli Berta ze szkolnej drużyny koszykarskiej postanawia, niemal z dnia na dzień, przyjechać do nas ze Stanów w odwiedziny. Mają zamiar zawrzeć bliższą znajomość z córeczką Berta, a także z niemieckim piwem — taki prywatny *Oktoberfest* w samym środku kwietnia.

Bert jest w domu, kiedy miejscowy policjant przyprowadza ich do naszego mieszkania. Nie znają słowa po niemiecku; prawdę powiedziawszy, ich angielski również pozostawia wiele do życzenia. Oblewanie urodzin Dayiel rozpoczęli w najbliższym *Gasthausie*.

Następnego dnia Bert sprowadza ich do szpitala. Wszyscy mają na sobie podobne, grubo dziane swetry, kurtki takie, jakie noszą drwale, dżinsy, buty z okutymi noskami i wykładane na wierzch ciepłe skarpety. Na głowach natomiast wełniane czapeczki z pomponami.

A ten hałas! Z pewnością wydaje im się, że są w lesie. Pielęgniarki psykają, biegając wokół nich niczym chłopki z Morvan, pędzące drogą swoje krowy. Bert zostawia ich gdzieś na korytarzu i przychodzi do mnie. Nie musi mi wiele tłumaczyć. Potrafię to sobie wyobrazić. Jego dzicy kumple z Oregonu sami jakoś znajdują mój pokój. Szczelnie zawijam się w szlafrok — właśnie skończyłam karmić — i przygotowuję się na najgorsze.

Bert nie przestaje mnie przepraszać. Wygląda na zakłopotanego, ale wiem, że w gruncie rzeczy jest mu bardzo przyjemnie, że chłopcy przebyli dla niego taki szmat drogi.

— Okay, Bert. Wpuść ich. Co ma być, to będzie.

Przez pierwszych kilka minut są cisi i spokojni. Bert podaje dziecko jednemu z nich, ten trzyma je jak kłodę drewna, a potem przekazuje następnemu. Każdy chwyta małą w nieco inny sposób, zupełnie jakby sobie podawali wiadro z wodą przy gaszeniu pożaru. Dayiel patrzy każdemu w oczy, jakby to całe zamieszanie wokół niej było czymś całkowicie naturalnym. Bert siedzi obok mnie na łóżku, ściska moją rękę i wprost bije od niego najprawdziwsza ojcowska duma. Ja natomiast trzęsę się, że lada chwila któryś z nich spróbuje jakiegoś efektownego rzutu tą naszą dziwną piłeczką. Oddycham z ulgą, kiedy Dayiel wraca do Berta, a potem do mnie. Pachnie tytoniem, potem i, dałabym sobie głowę uciąć, oregońskim świerkiem.

W końcu zbierają się do wyjścia. Bert musi jeszcze wrócić do szkoły, więc daje im klucze od mieszkania. Od tych drzwi, do których trzeba wspinać się po metalowych, kręconych schodkach.

Bert zagląda do mnie jeszcze przed samą kolacją, w drodze do domu. Byli z Willsem w pizzerii, ale nie widział się z kumplami. Boję się myśleć, co też ci buszmeni zrobili z naszym małym, uroczym gniazdkiem — pewnie rozpalili ognisko na podłodze w saloniku, żeby się ogrzać.

Około dziewiątej, zaraz po ostatnim karmieniu, Bert dzwoni do mnie z domu. Wciąż nie ma wiadomości od swoich kolegów. Umówili się, że pokaże im miasteczko, poza tym miał nadzieję, że kiedy będzie z nimi, uchroni ich od popadnięcia w jakieś tarapaty. Dotąd jednak żaden z nich się nie pojawił.

— Chryste, Kate, żeby tylko się w coś nie wpakowali. Kiedy poczują bluesa, mogą być naprawdę niebezpieczni.

— Nie przejmuj się nimi, Bert. To są już duzi chłopcy i nie odpowiadamy za nich. Po prostu połóż się. Przypilnuj, żeby Wills napił się przed spaniem gorącego mleka.

To mówiąc, odkładam słuchawkę. Zaraz potem zasypiam.

Następna rzecz, która dociera do mojej świadomości, to jakiś potworny rumor, wrzaski i nawoływania. Mam wrażenie, że ktoś coś skanduje, ale nie mogę zrozumieć, co. W tym momencie budzi się Day. Nadstawiam ucha. WOODMAN! Ktoś wykrzykuje: WOODMAN! WOODMAN!

O Boże! Z miejsca domyślam się, kto to taki. Co robić? Dzwonię po pielęgniarkę. Zaraz przybiega i jest niesamowicie przejęta. Tłumaczę jej po niemiecku, żeby wpuściła jednego, tylko jednego, i przyprowadziła do mojego pokoju. Siostrzyczka wytrzeszcza na mnie oczy. Powtarzam więc, tylko jednego. *Nur eins*. Wybiega na korytarz.

Nie wiem, dlaczego wybrała akurat tego. Gdy go wprowadza do mojego pokoju, widzę, że jest kompletnie pijany. Może to był jedyny, który jeszcze trzymał się na nogach. Stoi, a przynajmniej usiłuje stać, przy moim łóżku, opiera się o nie, kolebie do tyłu i do przodu, głowa mu się kiwa na wszystkie strony.

— Nie rozumiecie, że to szpital? Nie możecie tu wejść. Co wam strzeliło do głowy?

Przygląda mi się. Próbuje coś powiedzieć, ale dopiero za trzecim razem udaje mu się wydobyć z siebie zrozumiałe dźwięki.

— Klucz... zgubiliśmy klucz.

O mało nie wybucham śmiechem. Tego już za wiele. Sięgam do mojej torebki leżącej na nocnym stoliku koło łóżka.

— Dlaczego nie poszliście do mieszkania? Bert miał klucz.

Znowu mija dłuższa chwila, zanim daje się słyszeć bełkotliwa odpowiedź.

— Poszliśmy. Nikogo nie było. Wołaliśmy. Nikt nie otwierał.

Wierzę mu. Bert potrafi spać w niewyobrażalnym hałasie. Jak ktoś się wychował koło tartaku, to potem nie zwraca uwagi na byle stukanie. Daję mu klucz.

— Tylko nie zgub! Znasz drogę?

— Taaa. Teraz wszystko gra, jak mamy klucz.

Ściska go w sztywno wyciągniętej ręce jak złoty samorodek znaleziony pod kamieniem. W takiej pozie maszeruje do drzwi. Nie chce mi się wierzyć, że to najbliżsi przyjaciele Berta.

Kiedy następnego dnia w przerwie obiadowej przyjeżdża Bert, nie muszę nawet nic mówić. Oni mu już wszystko opowiedzieli. Bert zasłania się obiema rękami; wygląda jak policjant zatrzymujący samochody na skrzyżowaniu.

— Już po wszystkim, kochanie. Wszyscy cię bardzo przepraszają. Są już w pociągu do Heidelbergu. Najpierw jadą do Monachium, a potem dalej. Wiem, że uważasz ich za bandę dzikusów, ale to naprawdę wspaniali chłopcy. Po prostu zmogło ich to niemieckie piwo.

Wyciągam do niego ręce i Bert podchodzi do mnie. Bije od niego pierwotna siła mieszkańców dziewiczych puszczy. Jestem taka szczęśliwa, że jesteśmy razem. Chciałabym już być w domu.

Kiedy wracam, mieszkanie tonie w kwiatach. Moje przyjaciółki przygotowały nam jedzenie na cały tydzień i włożyły wszystko do lodówki. Wystarczy podgrzać. Pierwsze dni w domu spędzam w łóżku, wstaję tylko do toalety. Kiedy się czuję na siłach, bawię się z Dayiel. Taka z niej już bystra dziewuszka, wszystkiemu się uważnie przygląda. To jak nowy początek. Obliczam, że za siedem lat będę miała następne dziecko. W ten sposób każdym z tej trójki będę mogła się zajmować tak, jakby to było jedyne dziecko. Poza tym starsze będą już dość duże, żeby mi pomóc. Wszystko sobie zaplanowałam. Czegoś jednak nie przewidziałam.

Rozdział IV

Dayiel jest aniołkiem, ale ma też w sobie diabełka. Kiedy kończy trzeci miesiąc, zaczyna mnie gryźć podczas karmienia, a nie ma jeszcze ani jednego zęba. Bert uważa, że to zabawne, a ja, że Dayiel robi to specjalnie, aby go rozśmieszyć.

Staje na czworakach zaraz jak tylko opanowuje sztukę przewracania się na brzuszek. Kołysze się w przód i w tył, śmieje się na głos i ma taką zadowoloną minę, jakby właśnie obrabowała bank. Opracowuje swój własny sposób raczkowania — nie na czworakach, ale na rękach i stopach — i buszuje po całym mieszkaniu jak mały piesek. Nic, co znajdzie się w zasięgu jej rączek, nie jest bezpieczne. Staram się schować wszystko, co mogłaby zniszczyć, ale Dayiel zawsze okazuje się sprytniejsza.

Nigdy nie przesypia całej nocy, budzi się trzy albo cztery razy. Nakarmiona chce się bawić. Nawet kiedy ma już sześć miesięcy, śpi mniej niż osiem godzin na dobę. Tak bardzo kocha życie, że nie lubi zamykać oczek. Jakby coś przeczuwała.

Bert i ja zamieniamy się w automaty do opieki nad niemowlęciem. Na zmianę wstajemy do Dayiel. Później pozwalamy jej spać w łóżku między nami. Wydaje mi się, że nic jej tu nie grozi, ale Dayiel znajduje sposób, żeby się stąd wydostać. Tej nocy, kiedy robi to po raz pierwszy, czuję nagle, że Bert szarpie mnie za ramię.

— Kate, gdzie jest Day?

Jestem wpółprzytomna.

— Nie wiem, może któreś z nas przeniosło ją do jej łóżeczka?

— Ja nie.

Bert zrywa się z materaca. Po chwili wsuwa głowę do naszego pokoju.

— Tam jej nie ma!

Siadam, teraz już naprawdę wystraszona.

— Może jest u Willsa. Może zabrał ją do swojego łóżka, kiedy płakała.

Wyczołguję się z materaca na podłogę i wstaję. Potwornie boli mnie głowa. Bert biega po korytarzu. Coraz bardziej się boję. Gdzie, u licha, w zamkniętym mieszkaniu może się podziać niemowlę? Może coś jej się stało?

Wtedy słyszę śmiech Berta i zaraz potem śmiech Dayiel. Są w łazience.

Day siedzi pod prysznicem i bawi się zabawkami do kąpieli. Wiem, że bardzo lubi się kąpać, to jedno z jej ulubionych zajęć, ale żeby w środku nocy, po ciemku i bez wody? Dayiel pokazuje paluszkiem na kurki — chce żebyśmy odkręcili wodę. Jest brudna i przesiusiana. Bert pochyla się i zaczyna ją rozbierać. Day wciąż wskazuje na kurki.

— Okay, Day. Tylko ten jeden raz. Ale żadnych więcej kąpieli o trzeciej nad ranem. Zrozumiano?

Dayiel uśmiecha się i klapie rączkami o podłogę kabiny prysznicu jak wówczas, kiedy jest tam woda.

— Bert, nie będziesz miał mi za złe, jeśli wrócę do łóżka? Jestem wykończona i strasznie boli mnie głowa.

— Jasne, już cię tu nie ma, dziecino. Zmykaj do łóżka i postaraj się zasnąć. Może po kąpieli uda mi się ją położyć. Kurczę, zanosi się na to, że jutro będę baaardzo niemiłym panem od matematyki.

Odkręca wodę. Słyszę, jak szumi, kiedy idę do naszego pokoju i kładę się do łóżka. Nie wiem, kiedy Bert wraca do mnie; możliwe, że w ogóle nie wraca, ponieważ kiedy budzi mnie płacz Dayiel, nie ma go już w domu.

Kilka razy odwiedzają nas rodzice. Tato fantastycznie bawi się z Dayiel. Nigdy bym się tego nie spodziewała. Chodzi za nią po

59

całym mieszkaniu i pozwala jej robić wszystko, na co ma ochotę, pod warunkiem, że niczym to jej nie grozi. Tato mówi, że to jak wyprowadzanie szczeniaka na spacer, a poza tym, że spędzając tyle czasu na podłodze, on sam zyskuje całkiem nowy ogląd rzeczywistości. Robi Dayiel „samolot", sadza ją sobie na kolanach albo pozwala skakać na swoim brzuchu. Teraz przypominam sobie, jak robił to wszystko ze mną, Mattem i Camille. Zupełnie już o tym zapomniałam.

Pojawienie się dziecka zawsze wywołuje masę wspomnień z własnego dzieciństwa, o których w innej sytuacji nigdy byśmy nie pamiętali. Gdybym nie widziała taty z Dayiel, nigdy bym nie przypomniała sobie tych wszystkich sztuczek, które z nami wyczyniał. Zabawne, jak łatwo się zapomina. Myślę, że niepamięć jest najbliższym śmierci stanem, którego doświadczają żyjący. To coś innego niż sen.

Mama dużo czyta Dayiel. Wydaje mi się, że to ją uspokaja. Mama opowiada mi o wynikach badań naukowych, według których małemu dziecku, począwszy od niemowlęctwa powinno się czytać nie mniej niż trzy książeczki dziennie. Zdaniem tych samych naukowców każde normalne dziecko, któremu przeczytano trzy tysiące książeczek, zanim zaczęło chodzić do szkoły, później radzi sobie dużo lepiej z nauką, nawet na uniwersytecie. Mój Boże! Trzy tysiące książeczek.

Kiedy Day podrasta, a pogoda się poprawia, mama zabiera ją do ogródka i nad jezioro, gdzie razem karmią kaczki i łabędzie. Day jest kochanym dzieckiem, dopóki nie próbujemy zrobić z nią czegoś, czego ona nie chce, albo nie dajemy jej tego, na co akurat ma ochotę. Wtedy potrafi być taka uparta, że chętnie bym ją stłukła. Ale kochamy ją pomimo to, a może właśnie z powodu tych wszystkich jej szelmostw i ciągłej opieki, której od nas wymaga.

Wszystko układa się już całkiem dobrze, kiedy okazuje się, że znowu jestem w ciąży. Day ma tylko trzynaście miesięcy i, oczywiście, nie wyrosła jeszcze z pieluch. Nawet Bert, który już wie, ile sił kosztuje wychowywanie dzieci, jest zaniepokojony.

Jadę do mojej *Frauenklinik*, gdzie nie są zachwyceni, że tak krótko po cesarskim będę miała kolejne dziecko. My jednak decydujemy, że je urodzę, a potem Bert podda się sterylizacji, albo ja każę sobie podwiązać jajniki. Wiem, że nigdy nie będzie nas stać na więcej niż troje dzieci.

Tym razem mdłości mam już od samego początku, a oprócz tego bardzo niskie ciśnienie. Ledwo mogę jeść, a kiedy uda mi się coś przełknąć, zwykle wszystko zwracam. Bert bardzo się o mnie martwi. Chce, żebym rozważyła możliwość przerwania ciąży; jeszcze nie jest za późno.

Odkładam decyzję, ale rano już wiem, że chcę tego dziecka. Tym sposobem, zanim skończę czterdziestkę, wszystkie nasze dzieci będą już w szkole. Mając dzieci w tej samej szkole co my, będziemy mogli dalej uczyć, może nawet tu, w Starnberg. Nie tak to sobie zaplanowałam, ale teraz wydaje mi się, że to niezłe rozwiązanie. Jeśli tylko przeżyję następne cięcie.

Mia przychodzi na świat siedemnastego grudnia. Błagam lekarzy, żeby na Wigilię puścili mnie do domu. Zgadzają się, ale pod warunkiem, że zaraz po świętach wrócę do szpitala. W pierwsze święto mój lekarz przychodzi, żeby mnie zbadać. Mówi, że niechętnie znowu mnie kroił i psuł te wszystkie piękne szwy, które założył mi poprzednim razem, ale że teraz wszystko poszło równie dobrze. Myślał nawet, że wystarczy nacięcie krocza.

To pierwsze świadome święta Dayiel i mała jest zachwycona. Moi rodzice przyjeżdżają z Paryża i są już u nas, kiedy wracam ze szpitala. Tato przywozi kamerę wideo, woła na mnie „Mamma Mia" i kręci parę przepięknych scenek, w rodzaju tej, kiedy Dayiel całuje Mię w czasie karmienia, a potem sama próbuje się pożywić przy mojej drugiej piersi. Mamie udaje się zająć Dayiel jednym z gwiazdkowych prezentów; to nowa książka. Day umie pokazywać już nie tylko obrazki, ale nawet słowa. Będzie czytać jeszcze przed ukończeniem piątego roku życia.

To najwspanialsze święta Bożego Narodzenia, jakie pamiętam, choć z moją rodziną nieraz spędziłam cudowne gwiazdki. Czuję się taka dorosła. Mam świetnego męża i trójkę dzieci. Tato zawsze powtarzał, że człowiek jest dorosły, kiedy woli spędzić święta we własnym domu i z własnymi dziećmi, zamiast jechać do rodziców. To trochę smutne, ale chyba ma rację. Czuję się dojrzałą kobietą. Nigdy wcześniej nie znałam tego uczucia.

Krótko przed narodzinami Mii umiera ojciec Berta. Od dawna chorował na serce. Przyjechał wprawdzie na nasz ślub, ale już wtedy nie wyglądał zbyt dobrze. A teraz tak po prostu umarł. Miał tylko sześćdziesiąt cztery lata, zaledwie kilka więcej niż mój tato.

Bert leci na pogrzeb, pomaga swojej mamie pozałatwiać niezbędne formalności i wraca na tydzień przed narodzinami Mii. Jest jednak zupełnie rozbity.

Kiedyś już byłam zdziwiona, że Bert płacze. Teraz wystarczy, że wspomni o swoim ojcu i już się rozkleja. Ciągle jeszcze pracuje w szkole, ponieważ chce mieć jakieś zajęcie, ale w sumie to prawdziwa męczarnia i dla niego, i dla mnie, ponieważ nie potrafię mu pomóc. Nawet gdybym teraz nie miała własnych problemów, prawdopodobnie nie zdziałałabym wiele. Trudno zrozumieć, dlaczego my, ludzie, nie jesteśmy w stanie pojąć śmierci, łagodnej, głębokiej naturalności wszystkiego, co z tym związane.

Wspólnie dochodzimy do wniosku, że powinniśmy wyjechać na rok czy dwa do Oregonu, żeby Bert mógł być blisko swojej mamy. Claire mieszka teraz sama jedna w wielkim domu, w którym wychowała czwórkę dzieci, i nie wie, co ze sobą począć. Bert strasznie przeżył rozstanie z nią po pogrzebie ojca.

Wyjazd na jakiś czas do Oregonu może się okazać niezłym rozwiązaniem dla nas wszystkich. Danny chce zabrać Willsa do siebie na cały rok szkolny, więc jeżeli będziemy w Oregonie, co wieczór będę mogła do niego dzwonić. Żona Danny'ego, Sally, urodziła chłopca, któremu dali na imię Jonathan, poza tym kupili piękny dom w Redondo Beach. Trochę się boję tego rozstania, ale myślę, że Willsowi będzie tam naprawdę dobrze.

Tymczasem zajmowanie się dwójką malutkich dzieci przysparza nam mnóstwa pracy. Biedny Bert przynajmniej połowę swojego wolnego czasu spędza w piwnicy, napełniając i opróżniając pralkę, a potem rozwieszając pranie, głównie pieluchy.

Chociaż wracam do formy szybciej niż się spodziewałam, zamiast mięśni brzucha mam w środku jakby papkę. Mija miesiąc, zanim mogę zrobić jeden przysiad. Patrzę na swoje buty do joggingu i jestem pewna, że już ich nigdy nie włożę. To bardzo przygnębiające.

Mia to sama radość. Jest zupełnie inna niż Day. Mam wrażenie, że uśmiecha się i próbuje mówić od pierwszej chwili, kiedy ją ujrzałam. Patrzymy sobie w oczy i wtedy dzieją się między nami jakieś czary. Czuję, że znam ją od bardzo, bardzo dawna, że jest niezwykle mądra i że ogromnie mnie kocha. Wiem, że większość ludzi uważa to za niemądre, babskie gadanie, ale oni się na tym po prostu nie znają. Teraz już wiem, że miałam rację.

Mieszkanie musimy oddać w idealnym stanie albo stracimy depozyt; trójka dzieci potrafi w tym przeszkodzić. Wszystko dokładnie szorujemy, a potem malujemy. Jeśli chodzi o nas, to jesteśmy bardzo zadowoleni z końcowego efektu, ale wiemy, że w oczach Niemki zostawiamy po sobie chlew. Frau Zeidelman jednak oddaje nam pieniądze.

Przyjęcie pożegnalne zdaje się ciągnąć w nieskończoność. To gorsze niż trzy gwiazdki i trzy sylwestry razem wzięte. Ale jest cudownie. Pralkę dostaje Camille i jej mąż, Sam. Volkswagena dajemy Mattowi. Meble rozdajemy w taki sam sposób, w jaki kiedyś trafiły do nas. W ostatnią noc przed wyjazdem dysponujemy tylko łóżeczkiem Mii, naszym materacem, gdzie śpimy razem z Day, oraz poduszką, na której kładziemy Willsa. Także i to wszystko nazajutrz zmieni właściciela.

W ciemnościach Bert obraca się do mnie.

— Wiesz, Kate, kiedyś myślałem, że nigdy nie polubię tej naszej starej Fryclandii. A teraz, gdyby nie to, że moja matka została zupełnie sama, że Wills będzie mieszkał z Dannym, i że nie mamy już żadnych mebli, najchętniej poszedłbym do Stana i powiedział, że jednak zostajemy. Ci wszyscy ludzie, których poznaliśmy w szkole, są nawet milsi niż Oregończycy, a to coś znaczy.

Podróżowanie z dziećmi nigdy nie należy do przyjemności, ale nasza wyprawa od razu zaczyna się fatalnie. W Monachium musimy czekać sześć godzin, aż samolot dostanie pozwolenie na start. Podczas lotu do Paryża wiry powietrzne miotają samolotem na wszystkie strony. Przelot z Paryża do Nowego Jorku jest jeszcze gorszy. Dostaję napadu mdłości. Ostatni raz zdarzyło mi się to w samolocie, kiedy miałam dwanaście lat. Teraz wpycham się do malutkiej toalety i wymiotuję tak długo i gwałtownie, że jestem przekonana, że za chwilę umrę. Któraś ze stewardes słyszy, co się dzieje, a może przysyła ją Bert, puka, a ja resztką sił odblokowuję drzwi i wpuszczam ją do środka.

Jest miła i uprzejma, sadza mnie na jednym z foteli zarezerwowanych dla załogi, opuszcza oparcie i daje jakąś pastylkę. Pyta, czy jestem w ciąży. Pokazuję palcem na Berta, Mię, Day i Willsa.

— To moja rodzina.

Stewardesa z pewnością myśli, że jestem kimś w rodzaju chłopki z Arkansas albo fanatyczną katoliczką. Jest jednak bardzo życzliwa. Inna stewardesa przez cały lot pomaga Bertowi i Willsowi przy dziewczynkach.

Kiedy w końcu lądujemy w Nowym Jorku, mamy blisko sześciogodzinne opóźnienie.

Mama czeka na lotnisku, od sześciu godzin to jej główne zajęcie. Przyjechała prosto z New Jersey, gdzie rodzice mają dom na plaży, w którym od siedmiu lat spędzają każde wakacje. To piękny, stary dom, w pięknym, starym miasteczku o nazwie Ocean Grove. Pamiętam, że byłam nim zachwycona, kiedy wybrałam się tam pięć lat temu. Teraz jednak taka przerwa w podróży kosztowałaby nas dodatkowo siedemset dolarów, na co nie możemy sobie pozwolić.

Wychodzę z samolotu biała jak ściana. Mię trzymam na rękach, Bert dźwiga Dayiel i nasz ręczny bagaż. Wills taszczy kolejną torbę. Jestem naprawdę u kresu. I wtedy widzę mamę, jak zawsze roześmianą, i z taką miną, jakbyśmy się właśnie przypadkiem spotkały gdzieś na ulicy. Ryczę jak bóbr. Wcale nie czuję się dorosła, lecz jak mała dziewczynka, która się zgubiła i teraz właśnie znalazła swoją mamusię.

Kiedy pierwsze emocje opadają, Bert zagląda do naszych biletów.

— Spóźniliśmy się na połączenie do Oregonu. Mogę ci zostawić na chwilę Dayiel? Muszę się zorientować, co robić.

Tylko kiwam głową. Karmię Mię. Założę się, że przez to wszystko moje mleko skwaśniało, ale dzięki temu mam chwilę spokoju. Kiedy Mia przysypia, oddaję ją mamie. Mama pilnuje też Willsa, który pilnuje Dayiel, a mnie nagle urywa się film, spadam w czarną otchłań.

Kiedy się budzę, jest przy mnie Bert. Uśmiecha się wyraźnie zadowolony.

— Chcieli nam dać pokój w „Hiltonie" do jutra, ale powiedziałem, że mamy gdzie się zatrzymać, za to chcielibyśmy przesunąć rezerwację na przyszły tydzień. Długo to trwało, ale w końcu się zgodzili. Jeżeli więc Rosemary nie ma nic przeciw temu, to pakujemy się do samochodu i jedziemy do Ocean Grove. Co wy na to?

Kiedy docieramy do Ocean Grove, jest już po północy. Tato śpi. Wyskakuje z łóżka, tak jak on to potrafi, zupełnie goły. Mówi, że trzymał stolik na bankiecie, na który byli zaproszeni razem z mamą, dopóki nie sprzątnięto całego jedzenia. Wtedy wrócił do domu, zadzwonił na lotnisko, a kiedy dowiedział się, że lot z Monachium jest opóźniony, postanowił się przespać i martwić dopiero nazajutrz. W naszej rodzinie nikt nigdy nie brał pod uwagę możliwości, że wydarzyła się jakaś katastrofa. Żyliśmy w rodzaju Nibylandii, gdzie wszystko złe przytrafiało się tylko innym.

Przez dwadzieścia lat, kiedy tato zarabiał jedynie na swoich obrazach, żyliśmy bez ubezpieczenia na życie, a nawet bez ubezpieczenia na samochód: w ogóle nie mieliśmy żadnego ubezpieczenia, poza rentą taty z czasów, kiedy został ranny na wojnie.

Moi rodzice byli szaleni, głupi albo mieli szczęście. Możliwe, że było to szalone, głupie szczęście, ponieważ rzadko chorowaliśmy. Wydaje mi się, że żadne z naszej czwórki w ciągu tych dwudziestu lat nie było u lekarza więcej niż sześć, siedem razy, a i to głównie na szczepienie.

Mama jest trochę czarownicą, oczywiście dobrą czarownicą. Całe górne piętro tego wielkiego domu w New Jersey urządziła specjalnie dla nas. Znajdujemy tu łóżeczko dla Dayiel, kołyskę dla Mii, osobne łóżka (i pokoje) dla Willsa i dla nas. Skąd wiedziała, że tu przyjedziemy? Może zaczarowała ten samolot? Kiedy byłam nastolatką, byłam pewna, że mama ma na usługach jakieś magiczne moce, dzięki którym zawsze wszystko wie. Teraz rozumiem, że to nie ma nic wspólnego z czarami. Ona po prostu ma silne przeczucia, ufa im i postępuje zgodnie z tym, co jej podpowiadają. Nigdy jednak nie zdoła przewidzieć tego, co się nam przydarzyło. Jest taką bardziej praktyczną czarownicą.

Śpimy jak zabici. Jest już dobrze po dziesiątej, kiedy słyszę, że Bert wygrzebuje się z łóżka, żeby przynieść mi Mię. Po raz pierwszy przespała całą noc, a jeśli nawet się budziła, to my tego nie słyszeliśmy. Bert kładzie ją przy mnie, a ona natychmiast przysysa się do mojej piersi. Bert schodzi na dół. Wills ciągle śpi.

Jestem pewna, że rodzice, chociaż położyli się bardzo późno, zdążyli już rozegrać partię tenisa, popływać w oceanie, odbyć przejażdżkę rowerową i może nawet trochę pobiegać.

Tato wygląda jak podstarzały atleta, ale mama nigdy nie zdradzała w tym kierunku żadnego zainteresowania. A teraz, proszę, wali trzymaną oburącz rakietą w piłkę, i robi to naprawdę nie najgorzej. Codziennie rano przebiega swoje trzy kilometry, może niezbyt szybko, ale zawsze. Zastanawiam się, czy kiedy moje dzieci trochę podrosną, uda mi się wrócić do dawnej formy. Pod tym względem jestem podobna do mamy. Żaden ze mnie sportowiec, ale cenię sobie dobre samopoczucie.

Spędzamy cudowny tydzień. Dayiel nawet przez chwilę nie może usiedzieć w jednym miejscu: to się kąpie w oceanie, to znów bawi w piasku ze swoim dziadkiem, budując zamki i pochylnie, to znowu biega po plaży, która wydaje się nie mieć granic.

Bert okazuje się iście wodnym zwierzęciem, tak samo Wills. Kąpią się razem z tatą około dwudziestu razy dziennie. Wills ma tu mnóstwo kolegów i często znika gdzieś na dłużej. Bert i tato nie przejmują się tym tak jak ja i mam wrażenie, że w ogóle nie pilnują dzieci. Bert idzie pod prysznic z Mią; kiedy już ją przebrał, podchodzę do nich.

— W ogóle nie interesujesz się, co robi Wills? Pływa teraz po tych wysokich falach na desce, może się utopić albo zniesie go gdzieś daleko. Jesteś taki sam jak tato. Nigdy nie bierzesz pod uwagę, że może zdarzyć się coś złego.

Bert podnosi głowę i mruży oczy, ponieważ razi go słońce.

— Posłuchaj, Kate. Widzisz facetów w czerwonych kamizelkach, którzy siedzą na tych białych stanowiskach? To ratownicy. Oni tu są od pilnowania, zwłaszcza małych dzieci, i znają to wybrzeże jak własną kieszeń. Rozmawiałem z jednym z nich, okazało się zresztą, że to kapitan straży przybrzeżnej, i wiesz, co powiedział? Że od prawie stu lat, odkąd pracują tu ratownicy, na tej plaży nikt nigdy się nie utopił. Zdaje się, że znaleźliśmy się w najbezpieczniejszym miejscu na świecie. Tak więc, nie denerwuj się i spróbuj wypocząć.

Odwracam się. Nie spodziewałam się innej odpowiedzi, ale ma rację. Odtąd staram się nie denerwować i wypoczywać. Czuję się, jakbym po latach wróciła do domu.

Mama i ja gotujemy, a mężczyźni zajmują się maluchami. Nawet wujek Robert, mój tyczkowaty młodszy brat, bierze w tym udział. Lubi Day, chociaż z zasady nie cierpi małych dzieci. Bawi się z nią, a potem, jak to on, bardzo długo i metodycznie tłumaczy nam, dlaczego uważa, że Dayiel jest wyjątkowa.

Mama odwozi nas na lotnisko. Tym razem odprawa odbywa się zgodnie z rozkładem lotów. Kiedy do akcji wkracza mama, zawsze wszystko dobrze się kończy.

Przylatujemy do Oregonu, gdzie na lotnisku odbiera nas Steve, brat Berta. Nie mam żadnych specjalnych wyobrażeń o tym, co nas tutaj czeka. Droga z lotniska zapchana jest dziwacznymi pojazdami, samochodami terenowymi, autami z przyczepami, furgonetkami, a wszystkie pędzą z ogromną, naprawdę ogromną szybkością, wpychając się między siebie i zajeżdżając sobie nawzajem drogę.

— Steve, czy tutaj nie ma żadnego ograniczenia prędkości? Jedziesz setką, a prawie wszyscy cię wyprzedzają. We Francji i w Niemczech wydawało mi się, że już gorzej być nie może, ale jak widzę, to byli całkiem rozsądni kierowcy.

— Tak to już jest, Kate, że wszyscy w Oregonie wiecznie gdzieś się spieszą. Sam tego nie rozumiem. Ale jeśli zejdziesz poniżej setki, rozjadą cię. Oregon jest jednym z kilku stanów, w których przywrócono ograniczenie szybkości do stu kilometrów na godzinę. To oznacza, że możesz pruć sto dwadzieścia i gliny nie kiwną nawet palcem. Może to skutek mentalności pogranicza.

Spogląda na Berta i śmieje się. Jedziemy wielkim amerykańskim samochodem, w którym jest dość miejsca i dla nas, i dla naszych bagaży. Całą trójkę dzieci mam ze sobą z tyłu. Nie ma tu pasów bezpieczeństwa, więc trzymam tylko Day i Mię, a Willsowi każę mocno chwycić się oparcia. W Kalifornii i w Niemczech dzieci woziliśmy w specjalnych fotelikach i mieliśmy z tyłu pasy bezpieczeństwa. Tam to jest obowiązkowe, ale i tak bym tego przestrzegała. Małe dziecko nie ma żadnych szans już przy ostrzejszym hamowaniu. Bert ogląda się do tyłu.

— Widzisz, Kate, znaleźliśmy się na Dzikim Zachodzie. Ograniczenie do osiemdziesięciu kilometrów na godzinę ocaliło życie większej liczbie ludzi niż jakakolwiek inna ustawa uchwalona w Stanach Zjednoczonych, ale w Oregonie uważają, że lepiej być martwym niż bezpiecznym. Tutaj nie lubią, jak się im mówi, co mają robić.

Przestaję kurczowo przyciskać do siebie dzieciaki dopiero, kiedy zjeżdżamy z autostrady. Jest wczesny wieczór i za oknem roztaczają się piękne krajobrazy, które gdzieniegdzie przesłania coś, co wygląda jak smog, gorszy jeszcze niż w Los Angeles.

— Co to za dym, Bert? Macie tu jakąś dużą fabrykę?

— To z wypalanych pól, Kate. Jedną z najważniejszych upraw w Oregonie są trawy, wiesz, na nasiona. Po każdych zbiorach farmerzy wypalają setki tysięcy akrów ścierniska. Trwa to już prawie czterdzieści lat. Nikomu się to nie podoba, ale hodowcy nasion zarabiają na tym interesie setki milionów dolarów rocznie. Nikt nie potrafi ich powstrzymać. Próbowały tego najrozmaitsze organizacje, ale żadnej się nie powiodło. Oregończycy słono za to płacą. Stale pieką ich oczy, niebo przesłaniają chmury czarnego dymu, powietrze, ziemia i woda są skażone rakotwórczymi substancjami. Wszystko dlatego, że kilku farmerów postanowiło się wzbogacić. Właściwie to nie ma wiele wspólnego z uprawą ziemi, to już nie agrokultura, lecz agroprzemysł. Kiedyś byłem szefem organizacji studenckiej, która usiłowała z nimi walczyć: zostałem aresztowany za pikietowanie siedziby gubernatora. Czasem wstyd mi, że jestem Oregończykiem.

Zastanawiam się, jaki wpływ to będzie miało na Willsa i na mnie. Oboje jesteśmy strasznymi alergikami. Co prawda, Wills w przyszłym tygodniu będzie już w drodze do Los Angeles. W tym zamieszaniu prawie zapomniałam, że przez następny rok rzadko będziemy się widywać. Zawsze był moim najlepszym przyjacielem. Będzie mi go brakowało. Ale, jak mówi Bert, Wills jest również dzieckiem Danny'ego. Pod wieloma względami, tam, w środku, jest nawet bardziej dzieckiem Danny'ego niż moim.

Wiem już co nieco o rodzinie Berta. Jego ojciec był rzeźnikiem i miał sklep w Falls City, małym miasteczku, które liczyło zaledwie sześciuset mieszkańców. Potem ojciec Berta poszerzył ofertę sklepu o inne artykuły, żeby ludzie nie musieli po każdy drobiazg jeździć do sąsiedniej miejscowości.

Nawet nieźle im się powodziło. Bert, tak jak całe jego rodzeństwo, pracował w sklepie. Dowiedziałam się także, że ich ojciec kupił kawałek ziemi za miastem i na siedemnastu akrach postawił dom. Próbował uprawiać ostrokrzew, żeby potem sprzedawać na Boże Narodzenie, ale nic z tego nie wyszło.

Kiedy przyjeżdżamy do posiadłości Woodmanów, jestem oczarowana. Nie zdawałam sobie sprawy, że dom może być czymś tak osobistym, że w takim stopniu może być dziełem własnych rąk. Jest trochę zaniedbany, potrzebuje trochę gwoździ, młotka i farby, ale prezentuje się wspaniale i doskonale wtapia się w krajobraz. Jest tu zagroda dla koni, w której biegają dwa kucyki. Wills dostaje kompletnego bzika.

Claire — jak każe siebie nazywać mama Berta — robi wrażenie uradowanej naszym przyjazdem, zwłaszcza cieszy się dziewczynkami. Poza nimi ma jeszcze tylko jednego wnuka. Dziewczynki z miejsca garną się do niej. Claire ma w sobie dużo prawdziwego babcinego ciepła, ale pod tym wszystkim czai się głęboki smutek. Czterdzieści lat była żoną tego samego człowieka, ojca Berta, i większość z nich przeżyła w tym domu, wychowując dzieci. Teraz on odszedł, a dzieci mają swoje własne życie.

Oba nasze maluchy zasypiają na jej kolanach. Claire przygotowała dla nas dawny pokój Berta. Niesie tam teraz Mię, Bert bierze Dayiel. Nawet ich nie rozbieramy, tylko nakrywamy kołderkami i gasimy światło. Claire opowiada, że w tym samym łóżeczku i kołysce kiedyś spał Bert, a po nim cała reszta jej dzieci.

Atmosfera tego domu sprzyja wspomnieniom. Coś podobnego czuliśmy w Niemczech, w Seeshaupt, gdzie jadaliśmy przy stole, za którym od stu lat zasiadała ta sama rodzina, pokolenie za pokoleniem. Zawsze lubiłam sobie wyobrażać, że czas to coś, co łączy ze sobą jedną część rodziny z następną, kiedy nadchodzi jej kolej. Teraz już wiem, że to nie całkiem tak. Wszystko jest znacznie bardziej skomplikowane.

Bert wprost się pali, żeby wyremontować dom. Zastanawiają się z Claire, czy powinna go sprzedać i przeprowadzić się do małego mieszkania w najbliższym miasteczku, czy też zostać na miejscu. Claire nie chce się nigdzie ruszać, ale jest tutaj zupełnie sama. Poza tym, w jej wieku, utrzymanie takiego domu to zadanie ponad jej siły. Wiem, że Bert i reszta rodzeństwa chcieliby, żeby została, ale myślę, że głównie ze względu na siebie. Zależy im, żeby ich stary dom pozostał w rodzinie. Chcą móc o nim myśleć jako o miejscu, do którego zawsze mogą powrócić.

Żadne z nich, z wyjątkiem Berta, nie mieszka dalej niż trzydzieści kilometrów stąd. Przez najbliższy rok czy dwa także my z Bertem będziemy mieszkać niedaleko, prawdopodobnie w Eugene. Jeszcze nie podjęliśmy decyzji. Wszystko zależy od tego, czy będzie mi się podobało w Oregonie; również od tego, czy spodoba się tu Bertowi. Dawno go tu już nie było.

Niezależnie od tego, co zdecydujemy, Bert postanawia odmalować dom i zamierza skorzystać z pomocy każdej pary rąk, nie wyłączając swoich kumpli z drużyny koszykarskiej. Ciarki mi przechodzą, kiedy wyobrażam sobie tych klownów z pędzlami w ręku. Po prostu już wiem, czego się można po nich spodziewać.

Bert kupuje cztery stulitrowe puszki białej farby. Potem miesza ją z innymi kolorami. Szuka takiej barwy, która będzie pasować do otoczenia, a zarazem będzie się z niego wyróżniać. Prosi mnie, żebym podjęła decyzję. Wybieram kolor zbliżony do barwy kory cedru, który tu rośnie, mieszankę sjeny naturalnej, palonej sjeny, palonej umbry i czerwieni oksydowej. Mieszamy farby tak długo, aż próbka po wyschnięciu spełnia moje oczekiwania.

Z nie znanych mi powodów uważają mnie tu za eksperta w tej dziedzinie. Po kilku wspólnych wizytach w muzeach Monachium i Paryża Bert jest przekonany, że jestem prawdziwym znawcą sztuki. Pewnie więc o tym rozpowiedział. W naszej rodzinie wszyscy byliśmy ciągani po muzeach, odkąd tylko nauczyliśmy się chodzić. Mama albo tato opowiadali nam o obrazach i rzeźbach, które oglądaliśmy, i w wieku lat dwunastu wszyscy dysponowaliśmy wiedzą o sztuce na poziomie studiów.

Bert wynosi drabiny, rozdaje pędzle i wałki. Tworzymy rodzaj żywego obrazu, na którym wszyscy machają pędzlami albo nabierają farbę na wałek. Spodziewałam się większego bałaganu, ale i tak jest co sprzątać. Muszę przyznać, że ci koszykarze jak chcą, to potrafią pracować, oczywiście, jeżeli nie są pijani. Wieczorami urządzamy dla naszych malarzy barbecue, w ciągu dnia oferujemy dowolną ilość suchego prowiantu.

W trzy tygodnie zużywamy czterysta litrów farby i przynajmniej drugie tyle piwa. Malujemy cały dom trzy razy i efekt jest naprawdę wspaniały. Trochę się obawiałam, że będzie za różowo, ale po wyschnięciu odcień jest dokładnie taki, jaki zaplanowałam. Wybieram jeszcze kolory do prac wykończeniowych: dla miejsc nie wystawionych na działanie atmosferyczne biel, dla framug okiennych — paloną sjenę, oraz mieszankę palonej i naturalnej sjeny dla samych okien. Pomalowanie tego wszystkiego zabiera nam kolejny tydzień.

Po zakończeniu pracy oglądamy nasze dzieło, gratulujemy sobie nawzajem i przygotowujemy wielkie przyjęcie. Doug, najlepszy kumpel Berta, wynosi dodatkową beczkę piwa i prawie wszyscy zalewają się w trupa. Łaska boska, że przedtem zamknęliśmy resztki farby w szopie, jeszcze by im strzeliło do głowy, żeby wymalować okoliczne drzewa. Ta istna malarska orgia awansuje do rangi jednego z najważniejszych wydarzeń w Falls City na przestrzeni ostatnich lat.

Claire nie może uwierzyć, że tak szybko się z tym uporaliśmy. Myślała, że remont będzie się ciągnąć miesiącami. Zaczynam rozumieć, czego Bertowi brakowało, kiedy wyjechał z Oregonu. To pewien rodzaj koleżeństwa, obejmujący również kobiety.

Rozdział V

Nasz następny plan to zapisanie się na uniwersytet w Eugene, zorientowanie się, czy studenckim małżeństwom przysługuje miejsce w akademiku, a potem ewentualnie kupienie domu. Obliczamy, że stać nas na inwestycję rzędu czterdziestu tysięcy dolarów. Składają się na to oszczędności moje, Berta, i to, co odłożyliśmy, kiedy byliśmy razem. Do tego premie w wysokości pięciu tysięcy dolarów, które wypłacali nam moi rodzice z okazji narodzin i urodzin każdego z maluchów. Wszystko wolne od podatku.

Chcielibyśmy kupić dom do remontu w pobliżu uniwersytetu. Pracowalibyśmy nad nim w ciągu tych dwóch lat, które mieliśmy tu spędzić, a potem albo wynajęli studentom, albo sprzedali. Bert nie ma wielkiego doświadczenia jako robotnik budowlany, ale uważa, że da sobie radę. Z kolei ja zawsze marzyłam, żeby robić coś takiego. Tato jest najwybitniejszym specjalistą od remontowania starych domów, jakiego znam. Twierdzi zresztą, że gdyby kupował domy do remontu i potem je sprzedawał, zarobiłby więcej niż przez dwadzieścia lat malowania obrazów.

Doug, najlepszy przyjaciel Berta, pożycza nam furgonetkę volkswagena, żebyśmy mogli pojechać do Eugene. Wypożyczam też parę dziecięcych fotelików i mocuję je do pasów bezpieczeństwa z tyłu samochodu. Umawiamy się, że kiedy będę musiała nakarmić Mię, zjedziemy na pobocze i zaczekamy, dopóki się nie naje. Nie musimy się nigdzie spieszyć. Tak robiliśmy w Niemczech. Mam zresztą przeczucie, że Mia niedługo zrezygnuje z mojego mleka. Już teraz czasem proponuję jej butelkę i chyba jej to odpowiada.

W ostatniej chwili, kiedy mamy już ruszać, Wills stwierdza, że woli zostać z Claire, żeby pobawić się z synem Douga i z kucykami. Wiem, że mogę go bez obawy zostawić.

Zamierzamy się zatrzymać u Dona i Roni, dobrych znajomych Berta, którzy mieszkają w Eugene. Podobno już zaczęli szukać domu dla nas. To nadzwyczajne uczucie stać się ogniwem tego łańcucha ludzi dobrej woli, który tworzą przyjaciele Berta. Nigdy nie zdawałam sobie sprawy, że jest tutaj tak lubiany i że tak wiele znaczy dla ludzi mieszkających w okolicach Falls City. Teraz rozumiem, co traciła Claire, kiedy był tak daleko.

Przechodzimy przez pierwsze sito zapisów na Uniwersytet Stanowy w Eugene, deklarując się jako mieszkający na stałe w Oregonie, z nadzieją, że nikt tego nie będzie sprawdzał. Oboje chcemy zrobić magisterkę, Bert — już drugą. Byłby wówczas podwójnym magistrem: najpierw matematyki i teraz informatyki.

Oglądamy z dziesięć różnych domów. Nie mogę wprost uwierzyć: mamy sporo ofert w odległości mniej niż dziesięciu przecznic od uniwersytetu — w granicach czterdziestu tysięcy dolarów. W Los Angeles, Phoenix albo w Niemczech czy Francji za taką sumę nie kupilibyśmy nawet garażu.

Znajdujemy dom, który podoba się nam obojgu, wyceniony wprawdzie na czterdzieści osiem tysięcy, ale nasz pośrednik zapewnia, że cena jest do ustalenia. Na początek proponujemy trzydzieści osiem tysięcy. Jesteśmy gotowi zgodzić się na czterdzieści dwa, ale nie więcej: nie chcemy narobić sobie długów, zwłaszcza że sporo pieniędzy pochłonie sam remont.

Dom jest bardzo ładny, dwupiętrowy, z czterema sypialniami. Sądzimy, że bez specjalnych nakładów łatwo można z nich zrobić sześć sypialni. Dach, instalacja elektryczna, fundamenty — wszystko to robi na nas dobre wrażenie. Don, który sam zbudował własny dom, przyjeżdża na inspekcję i orzeka, że jemu także wydaje się solidny. Około jedenastej rano składamy oficjalną ofertę u pośrednika, po czym dzwonimy do Claire, że na kolację będziemy w domu. Pakujemy się, żegnamy z Donem i Roni i ruszamy w drogę. Czekają nas dwie godziny jazdy: prosto na północ, autostradą międzystanową nr 5, w skrócie I-5. Jest to na tyle blisko, że Bert będzie mógł odwiedzać mamę, kiedy tylko przyjdzie mu na to ochota.

Oba maluchy od razu zasypiają w swoich fotelikach. Próbuję nie patrzeć na koszmarny tłok na drodze. Na ostatnich dwudziestu kilometrach autostrada zamieniła się w zwyczajną, dwukierunkową szosę: z powodu robót drogowych cały ruch z nitki południowej skierowano na nasz pas. Skutkiem tego między samochody nie da się już wetknąć nawet przysłowiowej szpilki. Zastanawiam się, jak długo wytrzymam w Ameryce. Nieprzerwany sznur pojazdów pędzi z szybkością stu kilometrów na godzinę. Bert usiłuje zwolnić, ale osiemnastokołowa ciężarówka, która jest tuż za nami, zaraz zaczyna migać światłami, żeby przyspieszyć. Zaczynam się bać.

W końcu, niedaleko Salem, auta jadące na południe zjeżdżają z powrotem na swoją nitkę. Rozpoczyna się obłąkańczy wyścig, żeby nadrobić stracony czas. Niebo zasnuwa biały dym. Próbuję skoncentrować się na fragmentach mijanego krajobrazu, żeby nie widzieć tego, co się dzieje na drodze: samochodów zajeżdżających sobie drogę, przeskakujących z pasa na pas, ciągnących przyczepy z łodziami albo wyładowanych do granic możliwości ledwo przytroczonymi meblami. Wyprzedzają nas samochody terenowe z olbrzymimi kołami sięgającymi dachu naszej furgonetki. Przed nami widzę coś, co wygląda jak żółta wstęga przecinająca w poprzek autostradę.

— Co to takiego, Bert?

— To właśnie to, o czym ci mówiłem. Palą ścierniska, a dym znosi nad drogę. To może być niebezpieczne.

Próbujemy zwolnić, ale inna osiemnastokołowa ciężarówka jest tuż za nami i prawie nam wjeżdża w tylny zderzak. Bert chce zmienić pas, ale nic z tego. Kolejny osiemnastokołowiec pędzi obok nas, a z drugiej strony jest tylko miękkie pobocze. Bert podkręca okno, żeby dym nie dostał się do środka. Włącza światła.

Najpierw powietrze robi się żółte, potem bursztynowe, a w końcu ciemnobure. Oglądam się do tyłu, żeby zobaczyć, co z dziećmi, ale widzę tylko tę olbrzymią, osiemnastokołową ciężarówkę, przylepioną do naszego zderzaka; właśnie zapaliła światła. Odwracam się — przez przednią szybę teraz już nic nie widać. Jest ciemno jak w tunelu. Bert dusi kilka razy na hamulec, chcąc dać znak ciężarówce za nami, żeby zwolniła. W tym momencie uderzamy, niezbyt mocno, w samochód jadący przed nami, po czym Bertowi udaje się zatrzymać furgonetkę. Ułamek sekundy później słyszę straszliwy chrzęst, niewiarygodny hałas, po którym następuje potężny wstrząs od uderzenia w tył furgonetki. Obracam się do dzieci i słyszę ich krzyk.

Nic już nie możemy zrobić.

CZĘŚĆ DRUGA

Will

Rozdział VI

Mój syn, Robert, i ja prowadzimy rowery ścieżką biegnącą między naszym domem a płotem sąsiadów. Po pięciokilometrowym wyścigu w Asbury Park jesteśmy spoceni jak myszy. Miejscowa YMCA organizuje te zawody w każdy czwartkowy wieczór, o siódmej, na promenadzie. Potem musieliśmy jeszcze wrócić stamtąd do domu — następne półtora kilometra. Powietrze jednak jest jak balsam.

Rosemary przyjechała do domu samochodem. Na kolację zaprosiliśmy przyjaciół, którzy też zawsze biorą udział w tym wyścigu. Rosemary wróciła prędzej, żeby wszystko przygotować i nakryć do stołu. Albie i Linda pojechali po pizzę. Bobbie, kolejna nasza znajoma, jest z nimi. My z Robertem syciliśmy się wolną jazdą w zapadających ciemnościach, z góry ciesząc się na prysznic i pizzę z rodziną i przyjaciółmi.

Kiedy przechodzę obok okna jadalni, kątem oka widzę Rosemary idącą przez kuchnię do tylnych drzwi. Stawiam swój rower przy pojemnikach na śmieci. Robert opiera swój o płot okalający grządkę nagietków, które niedawno posialiśmy. Przebiega obok Rosemary, żeby szybko wziąć prysznic i zwolnić łazienkę dla mnie. Postanawiam w tym czasie pomóc Rosemary.

Rosemary wyszła już z kuchni i stoi na werandzie. Zaczynam wchodzić po schodkach, ale wtedy ona szybko zbiega do mnie. Jest to dość niezwykłe, więc bacznie się jej przyglądam. Rosemary płacze. Przytula się do mnie. Mocno ją obejmuję. Szlocha tak rozpaczliwie, że czuję to całym ciałem. Co, u licha, mogło się stać? Moja żona nie rozkleja się z byle powodu. Przychodzi mi do głowy kilka osób z naszej rodziny, parę mocno już starszych ciotek i wujków. Rosemary podnosi wzrok, ujmuje moją głowę w obie dłonie, patrzy mi prosto w oczy. Ledwo ją widzę w tych ciemnościach.

— Will, kochanie, stało się coś strasznego.

Urywa, bierze głęboki, spazmatyczny oddech.

— Oni wszyscy nie żyją. Kate, Bert, Mia, Dayiel. Wszyscy nie żyją. Właśnie rozmawiałam z Claire Woodman. Zginęli w katastrofie na autostradzie w Oregonie. Wszyscy nie żyją, wszyscy, z wyjątkiem Willsa. On został w domu z Woodmanami.

Opiera głowę na moim spoconym ramieniu i płacze jeszcze bardziej rozpaczliwie. Tulę ją do siebie, ponieważ nic innego nie przychodzi mi na myśl. Jestem zdumiony swoją reakcją. Ja po prostu nie wierzę. Ktoś się pomylił. Nie mogę się z tym pogodzić. To naturalna reakcja ludzi, którzy nie chcą przyjąć czegoś do wiadomości. A jednak nie płaczę. Za to zaczyna mi się trząść głowa.

— Kiedy to się stało? Jak? To pewna wiadomość?

Rosemary mówi wtulona twarzą w moje ramię.

— Wczoraj, o czwartej po południu tamtego czasu. Był pożar na autostradzie. Siedem osób zginęło. Zderzyło się około trzydziestu samochodów. Claire tak płakała, że ledwo mogłam ją zrozumieć. Wciąż nie rozumiem.

— To stało się wczoraj? I tyle to trwało? Co to za ludzie, że nawet nie mogli nas powiadomić od razu, kiedy to się wydarzyło? Jesteś pewna, że się nie przesłyszałaś?

— Niestety tak. Oni nie żyją. Odeszli na zawsze. Już ich nigdy nie zobaczymy. Ja tego nie przeżyję.

Przyciskam ją mocniej do siebie. Teraz już cały się trzęsę. Czuję, jak po moim ciele rozlewa się lodowate zimno. Jak to się mogło stać? Przecież to jedna z tych rzeczy, które przydarzają się wyłącznie innym. Zawsze dotąd jakoś nam się udawało. Bert był takim ostrożnym kierowcą, nie mówiąc już o Kate. Ona nie pojechałaby na sąsiednią ulicę, jeśli dzieci nie byłyby dokładnie zapięte w swoich fotelikach. Wyglądały wtedy jak para astronautów, z tymi pasami wzdłuż i w poprzek ich drobnych figurek.

Prowadzę Rosemary po schodach do kuchni. Jest zbyt roztrzęsiona, żeby dojść tam o własnych siłach. Ja wciąż nie płaczę. Jeszcze to do mnie nie dotarło. Słyszę silnik jeepa, który parkuje przed domem.

Nasi przyjaciele są już na frontowej werandzie. Otwieram drzwi. Są w kurtkach, żeby nie zaziębić się po wyścigu. Albie trzyma duże, poplamione tłuszczem pudełko z pizzą. Uśmiecha się. Dziewczyny stoją tuż za nim. Od razu orientują się, że coś się wydarzyło. Coś niedobrego.

— Przepraszam, ale właśnie dostaliśmy straszną wiadomość.

Po raz pierwszy tego wieczoru jestem bliski płaczu. Dopiero kiedy muszę komuś o tym powiedzieć, wszystko staje się takie realne — realne i nieodwołalne.

— Kate, Bert, Mia i Dayiel zginęli w kraksie samochodowej w Oregonie. Rosemary właśnie rozmawiała z mamą Berta. To stało się wczoraj po południu.

Albie kładzie pizzę na stole przy oknie.

— I dopiero teraz was o tym powiadomili?

Reaguje tak samo jak ja. Rosemary odzywa się zza moich pleców. Nie chce, żeby myślano źle o kimś, kto w niczym nie zawinił.

— Sami dowiedzieli się nie dalej jak godzinę temu. To był taki potworny wypadek, że długo nie mogli zidentyfikować ciał. Wczoraj wieczorem Kate i Bert mieli być u Woodmanów na kolacji.

Rosemary przerywa, żeby złapać oddech i stłumić szloch. Mówi dalej, przez łzy.

— Nie przyjechali. Woodmanowie myśleli, że popsuł się im samochód albo że zostali na noc u znajomych. Są tacy jak my — zakładają, że takie rzeczy nie zdarzają się w ich rodzinie. We wszystkich oregońskich wiadomościach, a nawet w całym kraju mówiło się o tym wypadku, ale im nie przyszło do głowy, że to się mogło przydarzyć komuś z nich.

Rosemary milknie, pochyla się do przodu, kryje twarz w dłoniach. Linda podbiega do niej, klęka i obejmuje ją. Czuję, że nogi odmawiają mi posłuszeństwa i że zaraz się przewrócę. Osuwam się na podłogę, głowę opieram o brzeg kanapy, jak podczas transmisji meczów baseballowych. Bobbie ściąga z kanapy jedną z poduszek i wciska mi ją pod głowę. Obie, Linda i Bobbie, płaczą. Obie mają własne dzieci.

Albie prostuje mi nogi, idzie do jadalni i przynosi krzesło. Opiera moje nogi na krześle, Bobbie podkłada kolejną poduszkę. Ich zachowanie świadczy, że muszę być w szoku. Czuję się fatalnie. Nie jestem w stanie opanować trzęsienia głowy.

Linda wynosi pizzę do kuchni. Wraca ze zwilżonymi ręcznikami dla Rosemary i dla mnie. Czuję, że to wszystko zaczyna mnie przerastać. Chcę podejść do Rosemary i jakoś ją pocieszyć, ale jestem jak sparaliżowany. Albie klęka przy mnie.

— Chcesz, żeby zawołać pogotowie? Jeżeli zadzwonię, będą tu za pięć minut.

Kręcę głową, że nie.

— Nie. Myślę, że potrzeba nam tylko chwili samotności. Muszę powiedzieć Robertowi. On jeszcze nic nie wie. Jakoś się pozbieramy. Wy lepiej jedźcie do domu, do swoich rodzin, i cieszcie się, że je macie.

Rosemary prostuje się na krześle, gotowa do wypełniania obowiązków gospodyni.

— Tak, jedźcie do domu. Mamy tyle do zrobienia. Na razie nikt nam nie może pomóc. Jeżeli będziemy czegokolwiek potrzebowali, zadzwonimy. Słowo.

Bobbie obejmuje Rosemary.

— Wiem, że nie zasnę tej nocy, więc dzwoń, kiedy zechcesz, a zaraz przyjadę. Dave też się może przydać. Wiecie, że ratownicy są przeszkoleni w zakresie pierwszej pomocy. To bez sensu, żebyście zostali sami z tym wszystkim.

Linda i Albie stoją gotowi do wyjścia. Chcą nam pomóc, ale wszyscy wiemy, że tak naprawdę nic już nie mogą dla nas zrobić. Rosemary ma rację: sami musimy się z tym uporać.

Wychodzą. Próbuję ich namówić, żeby zabrali pizzę, ale nikt nie ma ochoty na jedzenie. Widzę, jak schodzą z werandy i wsiadają do jeepa. Patrzę na cichą, spowitą mrokiem uliczkę. Ocean Grove słynie z tego spokoju. Zastanawiam się, czy kiedykolwiek jeszcze będzie takie dla nas. Odchodzę od drzwi. Klękam obok Rosemary, biorę ją za ręce. Cicho popłakuje. Patrzy mi prosto w oczy.

— W ciągu tych dwudziestu minut, kiedy ja już wiedziałam, a wy jeszcze nie wróciliście, Boże, jak ja wam zazdrościłam tych dwudziestu minut niewiedzy. Mam takie dziwne poczucie, że gdybyśmy o tym nie wiedzieli, nic by się nie wydarzyło. Kiedy to się stało, odłożyłam słuchawkę, usiadłam przy schodach. Wtedy dałabym wszystko, żeby umieć krzyczeć albo się modlić.

Słyszę, że Robert schodzi na dół. Zatrzymuję go przy schodach.

— Robercie, muszę ci o czymś powiedzieć.

Robert jest z natury bardzo powściągliwy w okazywaniu uczuć. Musiał coś dostrzec w mojej twarzy, w moim głosie, ale zachowuje się, jak gdyby nigdy nic.

— Powinno starczyć wody na prysznic, jest też jeden suchy ręcznik.

— Robercie, mam złe wiadomości, stało się coś strasznego.

Stoi nieruchomo z rękami zwieszonymi po bokach. Wolałbym nie mówić, nie burzyć jego spokoju. Podarować mu jeszcze jedną spokojną noc. Ale tego nie da się uniknąć.

— Robert, wiem, że trudno ci będzie uwierzyć, ale Kate, Bert, Mia i Dayiel zginęli w wypadku samochodowym w Oregonie. Mama właśnie rozmawiała z panią Woodman. Ona nam powiedziała.

Robert blednie. Stoi bez ruchu przez kilka sekund. Patrzy w stronę saloniku.

— Jak mama to zniosła?

— Ciężko, ale trzyma się.

— Chcesz, żebym coś zrobił?

— Nie teraz. Chcesz kawałek pizzy? Jest na stole.

— Nie, nie mógłbym niczego przełknąć. Mogę iść nad ocean? Chyba się wam teraz na nic nie przydam. Boję się nawet tam wejść i spojrzeć na mamę.

— Jasne, rozumiem, myślę, że ona też się tego boi. Wróć tylko przed dziesiątą, bo nie wiem, o której będziemy musieli wyjechać na pogrzeb, do Oregonu. Właściwie to nawet nie wiem, kiedy będzie ten pogrzeb, ale chyba wyjedziemy z samego rana.

— Okay, niedługo wrócę.

Wyczuwam, że jest bliski płaczu. Kiedy ostatni raz widzieliśmy go płaczącego, nie miał jeszcze dziesięciu lat. Spacer po plaży czy promenadzie, po ciemku, gdzie nikt nie zobaczy, że płacze, to w jego stylu. Wychodzi tylnymi drzwiami. Wracam do saloniku. Zaczynam się głupio czuć w tym swoim kolarskim stroju.

Nagle przypominam sobie, że w najbliższą niedzielę mamy wziąć udział w wielkim zjeździe rodzinnym u mojej ciotki Alice, pod Filadelfią. Będę musiał zaraz do nich zadzwonić. Chcę też zatelefonować do mojej siostry w Kalifornii.

Ściągam z siebie bluzę od dresu — już zaczęła na mnie wysychać. Zdejmuję również mokrą od potu koszulkę. Wykonuję te wszystkie czynności automatycznie, nie myśląc o tym, co robię. Zerkam ciągle na Rosemary. Stoi przy oknie, łzy spływają jej po policzkach. Powinienem wziąć prysznic i włożyć na siebie coś suchego, ale nie chcę zostawić jej samej. Zresztą ja też nie chcę teraz być sam.

— Will, idź na górę i weź prysznic. Nic mi nie jest. Jak wrócisz, zarezerwujemy bilety na samolot i zamówimy limuzynę na lotnisko. Przedtem jednak muszę się trochę pozbierać, zapanować nad tym wszystkim, jeśli to w ogóle możliwe. Ty w tym czasie weź prysznic.

Uśmiecha się do mnie. Ja też się uśmiecham. Ależ to głupie. Powinniśmy trzymać się w objęciach i zalewać gorzkimi łzami. Żadnemu z nas nie przychodzi łatwo okazywanie swoich uczuć. Jak dotąd rzadko byliśmy do tego zmuszani.

Stoję pod prysznicem przeszło dziesięć minut. Tutaj nareszcie mogę płakać do woli. Zastanawiam się, czy Rosemary też jeszcze płacze. Wkładam stare, luźne spodnie i koszulkę z krótkim rękawem; mało to przypomina strój żałobny, ale stroje żałobne to także nie nasza specjalność. Powoli schodzę na dół, próbując się przygotować. Rosemary przeniosła się z krzesła przy oknie na krzesło przy biurku. Na kolanach trzyma książkę telefoniczną, mówi coś do słuchawki. Po chwili kończy rozmowę.

— No więc, mamy lot z Newark, jutro rano o dziesiątej zero pięć. Dzisiaj już nie ma żadnych połączeń. Będziemy mieli przesiadkę w Chicago, w Portland wylądujemy koło południa. Zaraz zadzwonię do Claire Woodman, żeby wiedziała, kiedy przylatujemy. Chyba mówiła, że pogrzeb ma być we wtorek, ale nie jestem pewna. Wtedy to jeszcze do mnie nie dotar... — Rosemary wybucha płaczem. Podchodzi do mnie i opiera głowę na mojej piersi. Obejmuje mnie. — Pomyśl, tacy wspaniali młodzi ludzie, a my... jedziemy na ich pogrzeb. To nie w porządku. Nie dostali od życia swojej szansy.

Trzymam ją mocno w ramionach i równie mocno sam staram się jakoś trzymać. Zastanawiam się, jakim cudem pozbierała się na tyle, żeby zadzwonić do linii lotniczych. Wciąż mnie czymś zaskakuje. Jeśli dla mnie to jeden wielki horror, dla niej to musi być nie do wytrzymania. Dzieci to całe jej życie. Ja mam swoje obrazy i książki, tak jakby inne dzieci. Ale Rosemary właśnie straciła swoją ukochaną pierworodną Kathleen, Berta i te dwie śliczne dziewczynki.

Delikatnie wyzwala się z moich objęć.

— Chcę to już mieć za sobą, potem będę się mazać.

Dzwoni do Claire Woodman i podaje godzinę naszego przylotu. Steve, brat Berta, odbierze nas z lotniska i zawiezie na miejsce. Rosemary odkłada słuchawkę.

— Sama nie wiem, jak nam się udało porozumieć. Claire prawie bez przerwy płakała. Bert również był jej pierwszym dzieckiem. Nie przyszło mi to do głowy.

Wyciąga swój notatnik i wykręca następny numer. Tym razem dzwoni do radiotaxi. Zamawia limuzynę na siódmą rano. Odkłada słuchawkę.

— Już nie mam sił. Mógłbyś zatelefonować do ciotki Alice i powiedzieć, że nie będziemy mogli przyjechać? Potem zadzwoń do Jean. Z pewnością chciałaby, żeby ją powiadomić.

— Nie sądzisz, że w pierwszej kolejności powinniśmy zadzwonić do dzieci?

— Tam jest teraz trzecia rano. Po co ich budzić?

— Myślę, że nigdy by nam nie wybaczyli, że nie zawiadomiliśmy ich od razu.

Rosemary patrzy przez okno.

— Chyba masz rację. Trzeba zadzwonić do Camille. Proszę, powiedz im, żeby nie przyjeżdżali na pogrzeb. W niczym nam nie pomogą, a dla nich to ogromny wydatek.

Numer znam na pamięć. Po dziesięciu sygnałach słyszę zaspany głos Camille, teraz naszej jedynej córki. Ledwo mogę mówić, znowu mi się zbiera na płacz.

— Camille, mówi tato.

Zakrywam dłonią słuchawkę i robię dwa głębokie wdechy.

— Co się dzieje?

— Stało się coś strasznego, Camille.

— Co się stało? Możesz mówić trochę głośniej?

Równie dobrze mogę od razu przejść do rzeczy. Nie mam zresztą wyboru. Dławi mnie w gardle, kiedy zaczynam mówić.

— Kate, Bert, Dayiel i Mia zginęli w strasznej kraksie samochodowej w Oregonie.

— Co? Kto wam o tym powiedział? Skąd o tym wiecie?

Nie mogę dalej rozmawiać. Rosemary wyjmuje mi z ręki słuchawkę. Łzy jej lecą ciurkiem, ale nie szlocha.

— Zadzwoniłam, żeby zapytać o wizytę Kate u ginekologa, czy wszystko w porządku. Odebrał Wills, ale Claire wzięła od niego słuchawkę i powiedziała, co się stało. Trudno w to uwierzyć, ale to prawda. Wciąż jeszcze nie możemy się z tym pogodzić, to takie absurdalne.

Biorę słuchawkę od Rosemary. Camille płacze, prawie krzyczy. Usiłuje powiedzieć Samowi, swojemu mężowi, co się stało. Wołam ją kilka razy, próbując skupić jej uwagę.

— Camille!

Następuje dłuższa pauza, po czym odzywa się Camille, wciąż łkając:

— Jestem, tato.

— Nie martwcie się o pogrzeb. To dla was za daleko, a my z mamą damy sobie radę.

— Jak chcecie.

To nie w jej stylu. Camille z zasady nie słucha niczyich rad. Taka po prostu jest.

— Posłuchaj, Camille. Powiadomisz Matta? My nie mamy jak tego zrobić. Zresztą, może najlepiej poczekać z tym do rana.

— Przecież jest rano.

— Wiesz, o co mi chodzi. Po co ich budzić?

— Matt nigdy by nam tego nie wybaczył. Na pewno chciałby, żebyśmy go od razu zawiadomili. Sam już się ubrał i wyprowadza samochód, więc zaraz tam podjedziemy. Poza tym myślę, że będziemy chcieli być razem z wami.

Teraz już brzmi jak prawdziwa Camille. Rosemary odbiera mi słuchawkę.

— Słyszysz, Camille? My to mówimy poważnie. Nie przyjeżdżajcie. My sobie tutaj poradzimy, a wy i tak w niczym nie możecie nam pomóc.

— Słyszę cię, mamo, słyszę. Zastanowimy się nad tym. Kiedy ma być pogrzeb?

Rosemary oddaje mi słuchawkę. Łzy cieką jej po policzkach.

— Pyta, kiedy będzie pogrzeb. Czuję, że ona tu przyjedzie, i Matt pewnie też. To taka daleka podróż, do tego po nic. Ich nie stać na taki wydatek. Porozmawiaj z nią, bo ona chyba tego nie rozumie.

— Posłuchaj, Camille. Pogrzeb będzie we wtorek, ale proszę, nie przyjeżdżajcie. Przemyślcie to. Wiesz, że Kate to by się nie spodobało. Pogrzeby niczego nie zmieniają. Przede wszystkim pojedźcie do Matta i pomóżcie jemu i Juliette. Teraz tylko o was się martwimy, tylko wy nam zostaliście.

W słuchawce zapada milczenie. Camille chyba nakryła dłonią słuchawkę, ale i tak słyszę jej szloch.

— Tato, sami zdecydujemy, co mamy zrobić. Jesteśmy już dorośli. Porozmawiam z Mattem i razem podejmiemy decyzję.

Ale prawdopodobnie i tak nie zdołamy dotrzeć do Oregonu na czas. Najważniejsze, żebyście zadbali teraz o siebie. Może poprosicie jakichś swoich przyjaciół, żeby u was przenocowali?

— Chcemy być sami, Camille. Zarezerwowaliśmy już bilety i jutro o dziesiątej rano odlatujemy do Portland. Steve, brat Berta, odbierze nas z lotniska.

Rozmowa o praktycznych aspektach tego strasznego wydarzenia pomaga mi trzymać się w ryzach. Już nie płaczę.

— Tato, musimy kończyć. Sam już czeka w samochodzie. Zadzwonimy, żeby wam powiedzieć, co postanowiliśmy. Mój Boże, to po prostu okropne. Nie mogę uwierzyć, że nasze dziewczynki nie żyją. Boję się nawet o tym myśleć.

Telefon robi się głuchy; rozłączyła się. Kładę słuchawkę na widełkach, ale złą stroną, więc ją poprawiam. Oglądam się na Rosemary. Siedzi u stóp schodów prowadzących do sypialni, kryjąc twarz w dłoniach. Płacze tak gwałtownie, że z trudem łapie oddech.

— Camille powiadomi Matta i Juliette. Nie jestem pewny, czy ją przekonałem, żeby nie przyjeżdżali.

Rosemary nie odpowiada. Stoję przy biurku i nie wiem, co robić. Czuję, że zaraz zemdleję. Nigdy w życiu nie zemdlałem, ale teraz chyba już wiem, co to za uczucie.

— Najpierw zadzwonię do ciotki Alice. Trzeba im powiedzieć. Chcesz, żebym im coś przekazał od ciebie?

Tym razem Rosemary reaguje.

— Po prostu powiedz, co się stało i że jest nam przykro, że nie przyjedziemy. W końcu dla nas organizowali ten zjazd. Zresztą, wiesz równie dobrze jak ja, co powiedzieć. Ja teraz nie jestem w stanie...

Szlochając, ociera oczy, nos i kąciki ust papierową chusteczką.

Sięgam po jej notatnik, żeby znaleźć numer. Ręce mi się tak trzęsą, że dopiero za trzecim razem uzyskuję połączenie. Rzucam okiem na zegarek. Pewnie już śpią, ale rano nie będzie już czasu na telefony. Odbiera ciotka Alice.

— O, Will, jak się masz?

— Obudziłem cię, ciociu?

— Nie, właśnie oglądaliśmy mecz.

— Myślę, ciociu, że powinna ciocia usiąść.

— Uważasz, że jestem tak stara, że o tej porze nie mogę już ustać na nogach?

— Nie, ale niech ciocia usiądzie.

Robię głęboki wdech. W miarę, jak dowiaduje się o tym coraz więcej osób, wypadki ubiegłego popołudnia stają się coraz bardziej realne, stają się częścią normalnego życia, jedną z tych wielu zwykłych rzeczy, które wciąż nam się przytrafiają.

— Ciociu, nie przyjedziemy w niedzielę. Bardzo przepraszamy.

Ciotka Alice nic nie mówi. Czeka. Próbuję się opanować.

— Stało się coś strasznego.

Urywam, wciąż żadnego odzewu z tamtej strony. To typowe dla ciotki Alice. Nigdy przedtem nie zwracałem na to uwagi.

— W Oregonie był okropny wypadek. Kate, Bert i obie dziewczynki nie żyją. Właśnie się dowiedzieliśmy. Nie chcemy, żeby ktoś się poczuł urażony. W porządku, ciociu?

— W porządku, Willy. Dziękuję, że zadzwoniłeś.

W każdym razie mam to już z głowy. Jeszcze tylko ostatni telefon. Wybieram numer mojej siostry w Kalifornii. Tam pewnie siadają właśnie do kolacji. Po trzecim sygnale odzywa się Leo.

— Leo, mówi Will. Mógłbyś poprosić Jean?

— Jasne, nie ma sprawy.

Wyczuwam, że jest trochę obrażony. Zazwyczaj ucinamy sobie dłuższą pogawędkę, zanim przekazuje słuchawkę Jean.

— Cześć, wielki bracie. O co chodzi?

— Lepiej znajdź sobie coś do siedzenia, Jean. Mam złe wiadomości. Powiedz Leo, żeby podszedł do drugiego telefonu.

— Już mam serce w gardle, ty stary ośle.

Jean odsuwa słuchawkę od ust i krzyczy:

— Leo, mógłbyś iść do drugiego aparatu? Okay, już siedzę. Co to za niesamowita wiadomość? Mam nadzieję, że nic się nie stało. Coś ci dolega?

— Jean, właśnie dzwoniła mama Berta z Oregonu. Bert, Kate, Dayiel i Mia zginęli wczoraj w wypadku samochodowym. Nie znamy jeszcze żadnych szczegółów.

— O mój Boże! Jesteście pewni? Nie mogę w to uwierzyć.

— My też nie, ale to prawda. Jutro rano wyjeżdżamy na pogrzeb. Powiadomiliśmy już dzieci, ale zaklinaliśmy je, żeby nie przyjeżdżały. W niczym nie mogą nam pomóc. Co się miało stać, już się stało. Tak więc, niech wam nie strzeli do głowy, żeby przyjechać. Tam i tak będzie dużo za dużo ludzi, wszyscy wytrąceni z równowagi, i na pewno będą kłopoty z noclegiem. Wątpię, żeby ktoś z rodziny Berta miał dostatecznie duży dom, żeby wszystkich wzięli do siebie, a założę się, że w Falls City nie ma żadnego hotelu. To miasteczko ma tylko sześciuset mieszkańców. Teraz czworo mniej.

— Will, jeżeli mnie nabierasz, zabiję cię.

— Chciałbym, żeby to nie była prawda, z całego serca, Jean. Ale ich już nie ma.

Dłużej już nie wytrzymuję i ryczę jak bóbr.

— Jezusie, Maryjo i Józefie! Jak to się mogło stać? Słyszałeś, Leo?

Leo włącza się do rozmowy.

— O mój Boże! Widziałem to wczoraj w telewizji! Trzydzieści samochodów zderzyło się na I-5. Dym z wypalanych pól nawiało nad autostradę. Był wielki pożar, ściągnęli straż pożarną, helikoptery, wszystko. Ciągle nie wiedzą, ile osób zginęło. To musiało się zdarzyć wczoraj, gdzieś między czwartą a piątą po południu. Jak to możliwe, że dopiero teraz się dowiedzieliście?

— Może to nie ten sam wypadek, Leo.

Rosemary wstaje i podchodzi do mnie. Wyciąga rękę po słuchawkę.

— Myślę, że ten sam, Leo. Nie powtórzyłam Willowi wszystkiego, ale Claire Woodman, matka Berta, też mówiła o pożarze. Bert, Kate i dzieci wracali z Eugene, kiedy to się stało. Dziękujmy Bogu, że małego Willsa nie było z nimi. Za to powinniśmy być naprawdę wdzięczni.

Rosemary oddaje mi słuchawkę. Jest zielona na twarzy.

— Will, jesteś tam?

— Tak, Jean, chyba tak.

Jean płacze, ale może mówić.

— Wiem, że powiedzenie „przykro nam" to w takiej chwili niewiele, ale naprawdę okropnie nam przykro. Będziemy się za nich modlić, tak samo jak za was wszystkich, za ciebie, Roberta, Willsa i Rosemary. Zaraz schowam jedzenie do lodówki i jedziemy do kościoła.

Płacze coraz gwałtowniej, kolejne zdanie przerywa głośne chlipanie.

— Posłuchaj, Will. Kiedy już załatwicie wszystko, co macie do załatwienia w Oregonie, może byście przyjechali do nas trochę odpocząć. Z pewnością będziecie tego potrzebować. Dobrze?

— W porządku. Zobaczymy, czy uda nam się zmienić powrotną rezerwację. Będzie z nami Robert.

— Wiesz przecież, że mamy tu dużo miejsca. Tylko przyjedźcie. Będziemy czekać. Teraz oboje spróbujcie zasnąć. Weźcie coś na sen. Koniecznie musicie się przespać. Wciąż nie mogę w to wszystko uwierzyć. To musi być dla was straszne.

Odkładam słuchawkę. W tym samym momencie odzywa się brzęczyk telefonu. To ciotka Alice. Mówię Rosemary, kto dzwoni. Podchodzi i bierze ode mnie słuchawkę. Idę do drzwi frontowych i zamykam je na zasuwę. Powinniśmy powiadomić jeszcze całą masę ludzi, ale zwyczajnie nie mamy siły.

Rosemary kończy rozmawiać z ciotką Alice. Uśmiecha się blado.

— Dzwoniła, bo nie uwierzyła w to, co jej powiedziałeś. Wiesz, jak ona wolno reaguje. A to już było dla niej za wiele. Myślała, że może to jakiś żart. Nikt nie chce w to uwierzyć.

Rosemary idzie do kuchni i zaczyna zbierać talerze przyszykowane na kolację. Idę za nią, żeby jej pomóc. Kiedy tak krążymy między stołem a szafką, dwukrotnie, mijając się, przystajemy i mocno się obejmujemy. Żadne z nas nie wypowiada przy tym ani słowa.

Kiedy kończymy, wraca Robert. Idzie prosto do schodów i potem na górę do swojego pokoju. Rosemary siedzi w bujanym fotelu. Teraz jej twarz jest czerwona i opuchnięta. Oczy też ma opuchnięte.

— Chyba powinniśmy się dzisiaj spakować. Rano nie będzie na to czasu.

— Racja, powiem Robertowi.

— Daj mu jeszcze trochę czasu, kochanie. On i tak zawsze późno się kładzie. Powiesz mu, kiedy będziemy szli do łóżka. Niech spakuje garnitur, koszulę, krawat, skarpetki na zmianę i bieliznę.

Kiedy idę po schodach za Rosemary, myślę o mitycznym Syzyfie, jego nieustającej wspinaczce i upadkach. Wyciągamy swoje torby podróżne i zaczynamy się pakować. Każda z tych czynności wydaje mi się teraz taka błaha. Składam swój popielaty garnitur, jedyne normalne ubranie, jakie posiadam. Mam jeszcze letni garnitur, ale musiałbym go najpierw oddać do czyszczenia. Wrzucam do torby skarpetki, bieliznę, kilka koszul i zapasową parę butów, mniej eleganckich niż te, które włożę na drogę. Zerkam na Rosemary. Pakuje się, jak zawsze, spokojnie i metodycznie — starannie składa każdą sukienkę, spódnicę, bluzkę, spina gumką każdą parę pończoch i bieliznę.

Idę do łazienki. Wyglądam okropnie. Spryskuję twarz wodą. Z apteczki biorę cztery tabletki valium, po dwie dla mnie i dla Rosemary. Pigułki są żółte, pięciomiligramowe. Nigdy dotąd nie zażywałem dwóch na raz. Czasem tylko łykam jedną — kiedy nie mogę zasnąć. Mam nadzieję, że teraz dwie wystarczą. I że Rosemary zgodzi się je wziąć. Ona w ogóle nie cierpi lekarstw i strasznie się męczy, kiedy musi coś połknąć.

Powoli się rozbieramy, gasimy światło i kładziemy się do łóżka. Drzwi na werandę zostawiamy otwarte. Znad oceanu wieje lekka bryza. Przypominam sobie, że nie wziąłem reszty swoich lekarstw. Wyślizguję się z łóżka i wracam do łazienki. Łykam pigułki na nadciśnienie, na cukier we krwi i jeszcze parę innych. Uświadamiam sobie, że zapomniałem powiedzieć Robertowi, żeby się spakował.

Wracając do sypialni, pukam do jego pokoju i otwieram drzwi. Robert leży w ubraniu na łóżku. Ma zaczerwienione oczy.

— Robercie, wyjeżdżamy wcześnie rano, więc powinieneś się spakować, zanim pójdziesz spać. Mama mówi, żebyś nie zapomniał spakować garnituru, porządnej białej koszuli i krawata. Weź też swoje najlepsze buty; pogrzeb to dość uroczysta ceremonia.

— Okay. I tak szybko nie zasnę.

— My pewnie też, ale będziemy próbować. Jutro nas czeka długi dzień, potem również nie będzie łatwo, więc przebierz się w piżamę i postaraj wypocząć. Jak chcesz, mogę ci dać coś na sen.

— Nie, nie trzeba.

Wychodzę z pokoju i zamykam drzwi. Jeżeli chodzi o łykanie tabletek, Robert jest taki sam jak Rosemary.

Rosemary i ja śpimy na dwóch łóżkach zsuniętych razem. Nie lubimy spać osobno, a w tym domu nie ma podwójnego łóżka. Zawsze najpierw kładę się obok Rosemary, po jej stronie, a kiedy zasypia, przenoszę się na swoje łóżko, od strony werandy.

Wchodzę do sypialni i zamykam za sobą drzwi. Rosemary leży na wznak; nie przykryła się kołdrą, za to ma na sobie szlafrok. Ja w lecie śpię bez piżamy. Przełażę na czworakach przez swoje łóżko i przytulam się do Rosemary. Leży z rękami pod głową i podkurczoną jedną nogą. Często zasypia w takiej pozycji. Teraz oczy ma otwarte i łzy wolno toczą się po jej policzkach, ale nie jest to już dawny spazmatyczny płacz ani nawet szloch. Rosemary płacze w duchu. Przyciskam twarz do jej mokrego policzka; dziwię się, że łzy są takie zimne. Nie przychodzi mi do głowy nic, co mógłbym powiedzieć. W ogóle nie mam ochoty nic mówić, a zarazem czuję, że powinienem. Rosemary obraca się do mnie. Kiedy słyszę jej głos, wydaje mi się taki spokojny, nieobecny, oschły i beznamiętny, że zastanawiam się, czy to naprawdę ona.

— Nie wiedziałam, że od płaczu mogą rozboleć zęby.

— Ja mam to samo z uszami. Nie miałem pojęcia, że samo powstrzymywanie się od płaczu jest takie bolesne. To jak zapalenie ucha, co mi się często zdarzało w dzieciństwie. Boli mnie nawet przełykanie śliny. Możliwe, że ból zębów ma to samo źródło: starasz się nie płakać i za bardzo je zaciskasz.

Zapada długa cisza. Leżymy blisko siebie. Przysuwam się jeszcze bliżej, ale Rosemary nie reaguje. Nie jest jeszcze bardzo późno. Położyliśmy się głównie dlatego, że łóżko jest najbardziej intymnym miejscem, jakie znamy.

Leżymy tak, bez ruchu, może godzinę; chyba oboje udajemy przed sobą, że śpimy. W końcu nie wytrzymuję. Podczołguję się do stoliczka, na którym zostawiłem tabletki i szklankę z wodą. Oglądam się na Rosemary.

— Mam valium. To nam pomoże zasnąć. Jutro będziemy mieli ciężki dzień, najpierw podróż, potem ten cały Oregon. Naprawdę uważam, że powinnaś spróbować to połknąć, kochanie.

Wyciągam do niej rękę z pigułkami. Rosemary nie reaguje.

— Nie chce mi się spać, Will. Chcę po prostu trochę poleżeć, rozmyślać i wspominać. Ale ty coś weź. Któreś z nas musi być jutro przytomne i na chodzie. Nastawiłeś budzik?

— Nastawiłem na szóstą trzydzieści. To chyba dość czasu, żeby się pozbierać.

— Na pewno. Ale teraz poważnie, Will. Uważasz, że naprawdę musimy jechać do tego całego Oregonu? Oni nie żyją. Nic już nie możemy zrobić. Pojedziemy tam tylko ze względu na Woodmanów. To chyba nie jest wystarczający powód. Może lepiej zostać tutaj, gdzie widzieliśmy Kate, Berta i dzieci po raz ostatni i zachować w pamięci te wszystkie piękne chwile, które spędziliśmy razem? To prawdziwy cud, że mieliśmy ich tu jeszcze w zeszłym miesiącu. Po co to niszczyć, jadąc do miejsca, gdzie zostali unicestwieni. Nigdy nie miałam najmniejszej ochoty na wyprawę do Oregonu. Kate wiedziała o tym. Większość tamtejszych ludzi to prostacy i nieokrzesańcy. Prawie nie znamy tych Woodmanów, więc może lepiej niech to tak zostanie?

Jestem zszokowany, chociaż nie powinienem. To samo przecież mówiliśmy naszym dzieciom. Mimo wszystko to takie dziwaczne nie pojechać na pogrzeb własnej córki, jej męża i dwojga z trójki naszych wnuków. Zaczynam się zastanawiać, czy Rosemary na pewno dobrze się czuje. Zawsze jest taka uważna, kiedy w grę wchodzą konwenanse i dobre obyczaje. Nic jednak nie mówię.

— Will, jeżeli trumny będą otwarte, to ja nie chcę oglądać żadnych zwłok. Z pewnością są straszliwie zmiażdżone i popalone. To mi do niczego niepotrzebne, tobie zresztą też nie. Zupełnie nie rozumiem, po co my to sobie robimy?

Jak zwykle, na swój sposób, jest przekonująca. Leżę na plecach i nie odzywam się, ciekawy, co jeszcze powie. Rosemary wie, że nienawidzę i wesel, i pogrzebów. Kiedy miałem jedenaście lat, byłem na ślubie jednej z moich ciotek, później dopiero na swoim własnym, a potem na wszystkich weselach naszych córek, ale te ostatnie były na takim luzie, że właściwie się nie liczą.

Z kolei, kiedy miałem dziewięć lat, byłem na pogrzebie swojej babci, a sześć lat później, dziadka. Eskortowałem wtedy trumnę. Potem brałem już tylko udział w pogrzebach mojej matki i ojca. W sumie, zupełnie niezłe osiągnięcie jak na mężczyznę po sześćdziesiątce. Przez całe życie starannie unikałem wesel i pogrzebów. Prawdę mówiąc, nie widzę między nimi wielkiej różnicy. Rosemary wie o tym.

— W porządku, masz rację, Rosemary. Wiesz, jak nienawidzę pogrzebów. Jestem pewny, że jeśli Kate i Bert wiedzą, o czym rozmawiamy, to przyznają nam rację. Nie zapłaciliśmy jeszcze za bilety, więc możemy anulować rezerwację. Jutro o szóstej odwołam limuzynę. Zaraz powiem Robertowi. Nie sądzę, żeby był bardzo zawiedziony. Skontaktuję się z Camille i Mattem i powiem im, że postanowiliśmy się zastosować do naszej własnej rady i zostajemy w domu. Jeśli oni chcą jechać, to ich sprawa. Coś jeszcze? Rany, od razu lepiej się poczułem.

Spuszczam nogi z łóżka, żeby iść powiedzieć Robertowi.

— Jesteś słodki, kochanie, ale nigdzie nie idź. Musimy pojechać. Tego się nie da uniknąć. Skoro jednak oboje wiemy, że to tylko przedstawienie dla innych, jakoś to przeżyję. Przepraszam, jeżeli narobiłam ci nadziei.

Wracam pod kołdrę, biorę szklankę z wodą i połykam dwie następne tabletki valium. Może za jednym zamachem odbębnimy również mój pogrzeb. Ci, którzy umierają razem, na zawsze są razem.

Pigułki nie dają natychmiastowego rezultatu. Kiedy mój zegarek „popiskuje" na dwunastą, Rosemary też jeszcze nie śpi. Przychodzi mi na myśl, że chociaż o tej porze raczej nikt do nas nie zadzwoni, może zatelefonować któreś z naszych dzieci. Znowu wygrzebuję się z pościeli i schodzę na dół. Wciskam wtyczkę od telefonu do gniazdka.

Valium chyba wreszcie zaczęło działać, ponieważ, kiedy trafiam z powrotem do łóżka, jestem kompletnie otępiały. Zasypiam jak kamień. Budzi mnie telefon. Chwiejnie podnoszę się z łóżka. Widzę, że Rosemary też wstaje.

— Śpij, kochanie, ja odbiorę. To pewnie któreś z dzieci.

Wypadam z sypialni i prawie zbiegam po schodach. Rosemary za mną. Liczę dzwonki. Po piątym podnoszę słuchawkę. Opadam na krzesło stojące między stołem a biurkiem. Rosemary wisi mi nad głową.

W słuchawce słyszę lekki brzdęk oznaczający, że to połączenie międzymiastowe, a potem czyjeś sapanie. Zboczeńcy raczej nie korzystają z usług międzymiastowej.

— Halo, kto mówi?

W słuchawce rozlegają jakieś grzmoty, potem czyjś kaszel i szloch. Poznaję po tym Jo Lancastera, mojego najlepszego przyjaciela.

— Jo, to ty?

— Kocham cię.

Jeszcze gwałtowniejszy szloch. Nie wiem, co odpowiedzieć. Sam zaczynam płakać. Oddaję słuchawkę Rosemary.

— Jo, to ty?

Po dłuższej chwili Rosemary podchodzi do biurka i odkłada słuchawkę na widełki.

— Powiedział tylko, że bardzo mu przykro i rozłączył się.

Patrzymy na siebie i oboje wybuchamy płaczem. Przygarniam ją do siebie. Rosemary wciska głowę pod mój podbródek. Pod cienkim, białym szlafrokiem czuję jej jedwabistą skórę. Jej włosy łaskoczą mnie w nos. Wycieram nos o jej włosy wiedząc, że ona o tym wie i że jej to nie przeszkadza. Po prawie czterdziestu latach trochę już mnie zna.

W końcu uwalniamy się ze swoich objęć.

— Rosemary, chyba powinniśmy wziąć prysznic. Kto wie, kiedy znowu będziemy mogli się wykąpać?

Rosemary bez słowa zaczyna wchodzić po schodach. Obraca się do mnie.

— Will, mógłbyś obudzić Roberta? Wiesz, jak ciężko rano go wywlec z łóżka. Poczekaj, aż wstanie. Wiem, że zasnął, bo słyszałam chrapanie.

Rosemary idzie na górę. Zapalam światło w saloniku jako znak dla kierowcy limuzyny. Wtedy uświadamiam sobie, że jestem zupełnie nagi, i że jeśli jakiś dureń nie śpi o tej porze i mnie widzi, to w myśl obowiązującego w Ocean Grove prawa — właśnie się „obnażam". Szybko wracam na górę.

Budzę Roberta i czekam, aż się wygrzebie z łóżka. Nie zmuszam go do rozmowy. Robert czasem miewa kiepski start, ale serce ma na właściwym miejscu.

— Wiem, tato. Nie śpię. Naprawdę, już wstaję.

Idę do naszej sypialni i ubieram się w rzeczy, które przyszykowałem sobie poprzedniego wieczora.

Rozdział VII

Czekamy już na werandzie, kiedy przyjeżdża zamówiony samochód. To najprawdziwsza limuzyna z ciemnoniebieskimi pluszowymi obiciami i podwójnymi siedzeniami. Robert siada z przodu, ponieważ ma najdłuższe nogi. Kierowca prowadzi pewnie i wzbudza nasze zaufanie. Nie sposób zapomnieć o celu naszej podróży; prócz tych kilku pogrzebów, na których byłem, nigdy nie jeździłem limuzyną.

Lot jest długi i nudny. Szarpiący smutek walczy we mnie ze zmęczeniem. Rosemary zasypia, zanim dolatujemy do Chicago, gdzie mamy przesiadkę na inny samolot. Robert zapada w sen zaraz po starcie. Ja staram się nie oglądać filmu wyświetlanego na zawieszonym w kabinie ekranie.

Z Chicago do Portland lecimy jeszcze dłużej. Robert znowu zasypia kamiennym snem. Rosemary siedzi ze wzrokiem wbitym w sufit, a łzy spływają jej po policzkach. Czuję, że nie powinienem jej teraz przeszkadzać, że jest teraz z Kate. Niepokoję ją tylko wówczas, kiedy przynoszą śniadanie. Zabieram się do jedzenia. Jeść mogę w każdych warunkach. Rosemary zazwyczaj też, ale tym razem tylko bawi się jedzeniem, odsuwając wszystko na bok. Wypija jedynie filiżankę herbaty.

W Portland czekają na nas Steve i Wills. Ściskamy mocno Willsa i staramy się zbytnio nie mazać. Robert nawet teraz nie wychodzi z roli. Odkąd skończył dwanaście lat, nie widziałem, żeby się z kimś ściskał.

Steve jest wysoki i chudy. Trudno uwierzyć, że to brat Berta, ale przypominam sobie, że jest cukrzykiem. Od przeszło dwudziestu lat bierze zastrzyki. Jego życie w znacznym stopniu zależy od tego, czy zanadto nie przytyje.

Ma zaczerwienione oczy; ściskamy sobie dłonie. Obaj ze wszystkich sił powstrzymujemy łzy. Steve idzie po samochód i podjeżdża do miejsca, w którym nas zostawił. Wrzucamy bagaże i wsiadamy, Robert z przodu koło Steve'a, Wills z tyłu z nami. Rosemary gorączkowo rozgląda się za pasami bezpieczeństwa, ale najwyraźniej niczego takiego tutaj nie ma.

Steve przepycha się przez korki na drogach wyjazdowych z lotniska i wjeżdża na autostradę. Mówi, że to ta sama autostrada, I-5, na której zginęli Kate, Bert, Dayiel i Mia.

Tłok na drodze jest przerażający. Steve prowadzi niezwykle ostrożnie i trzyma się prawego pasa. Każdy mijający nas pojazd ciągnie jakąś przyczepę. W życiu nie widziałem takiej autostrady, nawet w Los Angeles. Zdaje się, iż tutejsi kierowcy wyobrażają sobie, że siedzą w dziecięcych samochodzikach w wesołym miasteczku. Stale zajeżdżają sobie drogę i przeskakują z pasa na pas pomiędzy gigantycznymi ciężarówkami i półciężarówkami, które pędzą z szybkością stu kilometrów na godzinę.

Po tym, co się wydarzyło, myślałem, że już nigdy nie będę bał się śmierci, a jednak się boję. Zerkam na Rosemary. Jest blada i ma kłykcie zbielałe od kurczowego zaciskania palców. Staramy się zająć Willsem, który trajkocze jak nakręcony o koniach, które mają Woodmanowie, o tym, że to jest „fajne" i tamto jest „fajne". Zaczynam się zastanawiać, czy nikt mu nie powiedział, co się stało, czy też jest jeszcze taki dziecinny, że nie potrafi tego zrozumieć. Nagle Wills przytula się do Rosemary i mówi zdławionym głosem:

— O tej porze Dayiel i Mia zawsze spały. Teraz też śpią, prawda? Po prostu się nie obudziły?

Rosemary patrzy na mnie i oboje oddychamy głęboko, próbując się uspokoić. Rosemary spuszcza głowę, chowając twarz we włosach Willsa.

— Masz rację, Wills. Po prostu zasnęły i nigdy nie dowiedziały się, co się stało. To straszne, że musiały od nas odejść, ale chyba ich to nie bolało.

Wills milczy, więc my się też nie odzywamy. Steve stara się skoncentrować na prowadzeniu samochodu, ale łzy leją mu się ciurkiem po policzkach. Wills podnosi głowę i patrzy na mnie.

— Czy ktoś kiedyś będzie jeszcze mówił do mnie: Wilzer? Bardzo lubię to imię. Wiesz, to Bert je wymyślił.

— Jak chcesz, ja mogę tak mówić. I jestem pewny, że każdy, kogo o to poprosisz, też będzie cię tak nazywał.

Wills cichnie na kilka minut. Potem znowu obraca się do mnie.

— Chciałbym, żeby tylko mężczyźni mówili na mnie Wilzer. To moje męskie imię. Chciałbym, żebyś ty i Robert, i Matt, i Sam, i Steve, żebyście nazywali mnie Wilzer. Nikt inny na razie nie przychodzi mi do głowy.

Wkrótce Steve zjeżdża z I-5 i dalej poruszamy się po podrzędnych drogach. Odchylam głowę do tyłu i próbuję się wyłączyć. Wills zasypia przytulony do Rosemary. Z pewnością jest wykończony. Tkwi w tym wszystkim od samego początku.

Zaczynam się bać i tego domu, w którym nigdy nie byłem, i kontaktów z ludźmi, których ledwo znałem, tym bardziej że wszystko miało się odbyć w takich okolicznościach. To gorsze od najgorszego wesela.

Jedziemy teraz polnymi drogami. Po kilku skrętach zajeżdżamy przed stary dom pomalowany na ziemistoróżowy kolor. Prezentuje się całkiem nieźle.

Claire Woodman schodzi po schodach z frontowej werandy. Wills biegnie jej na spotkanie. Ona tuli go do siebie, podczas gdy Willsowi buzia się nie zamyka.

— Widzisz, przyjechali. Mówiłem, że przyjadą. To mama i tato mamusi. Mogłem się założyć, że przyjadą.

Tę krępującą scenę przerywa chrzęst kół na żwirowym podjeździe. Naszym oczom ukazuje się duży, nowy amerykański samochód. Za kierownicą siedzi Danny. Jest sam.

Parkuje koło samochodu Steve'a i podchodzi do nas. Zakłopotani, najpierw tylko podajemy sobie ręce, ale od razu naprawiamy tę niezręczność serdecznym uściskiem. Rosemary całuje Danny'ego. Ze Steve'em i Claire Danny wymienia uściski dłoni. Wtedy Wills nie wytrzymuje. Rzuca się ojcu w ramiona i wybucha żałosnym płaczem. Danny obejmuje go i prowadzi na bok. Wstyd się przyznać, ale prawie mnie cieszy histeryczna reakcja Willsa. Przedtem nie zdawałem sobie sprawy, ile go to wszystko kosztowało. Claire zaprasza nas do środka.

W ciągu następnych kilku godzin, w miarę jak schodzi się coraz więcej osób — każdy, jak to na wsi, z czymś do jedzenia — poznajemy więcej szczegółów wypadku. Pokazują nam gazety. Przez dwa dni była to główna wiadomość w oregońskich dziennikach. Jasne, nieostre zdjęcia robią na nas wstrząsające wrażenie. Nie potrafię połączyć tego, co na nich widzę, z tym, co przydarzyło się naszej rodzinie. To jak oglądanie wiadomości o ćpunie, który wdrapuje się na wysoką wieżę i strzela do ludzi, albo o żołnierzu, który urządza sobie polowanie na studentów.

Okazuje się, że farmer o nazwisku Paul Swegler podpalił swoje pola przekonany, że ma na to zgodę Wydziału Środowiska. Wydział ma wówczas obowiązek kontrolować sytuację z powietrza, patrolując dolinę przy użyciu lekkich samolotów.

Pan Swegler odmówił jakichkolwiek wywiadów, a jego syn wyrzucił dziennikarzy z ich posiadłości.

Diane — która, zdaje się, była narzeczoną Steve'a — mieszka z Claire, podczas gdy Steve żyje z inną kobietą. Nieźle się nabiedziłem, zanim się w tym wszystkim połapałem. Tak czy owak, Diane pierwsza zorientowała się, że nieobecność Kate, Berta i dziewczynek może mieć związek z wypadkiem na autostradzie.

Przez cały wieczór oglądała reportaże z I-5. Następnego dnia rano brała właśnie prysznic, kiedy usłyszała w radiu, że w spalonej furgonetce znaleziono cztery nie zidentyfikowane osoby, dwoje dzieci i dwoje dorosłych. Okręciła się tylko ręcznikiem, pobiegła do telefonu i zadzwoniła do Douga. Doug to najlepszy kumpel

Berta, ten, który pożyczył mu furgonetkę. Powtórzyła mu wiadomość usłyszaną przez radio i zapytała, czy mógłby tam pojechać i zidentyfikować samochód.

Kiedy Doug dotarł na miejsce, rozpoznał swoją furgonetkę; była na wpół zmiażdżona, ze spalonych tablic rejestracyjnych ledwo dało się odcyfrować numery.

Później zdołano ustalić tożsamość Berta na podstawie zdjęcia rentgenowskiego zębów. Kate zidentyfikowano w ten sam sposób. Ciała były w takim stanie, że była to jedyna metoda.

Wiemy już, że powinniśmy zostać w Ocean Grove i spędzić ten dzień na pustej plaży, rozmawiając ze sobą. I po co nam to było?

Kremację zamówiono w zakładzie pogrzebowym w sąsiednim miasteczku, które nazywa się dość dziwacznie — Dallas. Claire jest katoliczką, ale Kościół katolicki, niepostrzeżenie, złagodził swoje stanowisko w kwestii traktowania świątyni Ducha Świętego.

Osobiście wolałbym uniknąć kremacji, ale jest już trochę za późno, żeby to zmieniać. Upieram się tylko, żeby cała rodzina została skremowana razem, a nie jak zaplanowano, osobno. Dzwonimy do Dallas, żeby to uzgodnić. Mam nadzieję, że nazwa miasteczka jest wcześniejsza niż telewizyjny serial.

Jo Ellen i Diane wracają z pracy. W Ameryce, jak się okazuje, przysługuje tylko jeden dzień wolny, dzień pogrzebu. Nic poza tym. My, Amerykanie, potrafimy być bezkompromisowi. Na mnie, jako pisarza, wywierane są naciski, abym zaproponował tekst zawiadomienia (czy czegoś w tym rodzaju), które ma być rozdawane podczas uroczystości pogrzebowych. Z każdą chwilą robi się coraz gorzej.

Przychodzi mi to jednak bez trudu. Dostarczają mi papier i ołówek. Nawet nie muszę się zastanawiać. Myśli same spływają z końcówki tępego ołówka. Nie przypomina to niczego, co dotąd pisałem, jest to raczej pewien rodzaj poezji mistycznej. Brzmi następująco:

SPOTKALI SIĘ,
POBRALI SIĘ,
ŻYLI RAZEM,
ODESZLI RAZEM.

Zdaje się, że wszystkim się podoba. Później proszą, żebym zaprojektował nagrobek. I znowu, zanim zdążę pomyśleć, mam przed oczami gotowy projekt. Czuję się, jakby mi ktoś podpowiadał. Jak medium.

Biorę następną kartkę i szkicuję tarczę zegara słonecznego, na której — w punktach odpowiadających czterem stronom świata — wpisuję imiona Kate, Berta, Dayiel i Mii. Wokół tarczy umieszczam słowa powyższego wierszyka. Przynajmniej mogę się czymś zająć. Mam zamiar wyrzeźbić model nagrobka, jako wzór dla kamieniarza. Topimy lak, który Claire używa do zapraw, i wlewamy do dużej puszki. Kiedy twardnieje, wydostaję z puszki okrągły walec świetnie nadający się do dalszej obróbki. Planuję wziąć się do pracy z samego rana.

Zaczynamy odbierać telefony i telegramy od znajomych z całego świata. Kilkoro naszych przyjaciół i kilkoro przyjaciół Kate z Paryża i Monachium zamierza przylecieć na pogrzeb. Camille, Sam i Matt dzwonią z Bostonu, żeby powiedzieć, że są w drodze. I wszystko z powodu czwartego przykazania.

Claire jest roztrzęsiona. Tak jak przypuszczałem, w promieniu trzydziestu kilometrów nie ma ani jednego hotelu. Zaczynamy gromadzić wszystkie kołdry, koce, śpiwory, dmuchane materace i prześcieradła, jakie udaje nam się znaleźć. Zamiast domu pogrzebowego powstaje camping pogrzebowy. Część z nas będzie musiała spać pod gołym niebem. W mieszkaniu Steve'a, odkąd wprowadziła się tam jego dziewczyna, nie ma wolnych miejsc. Jim, najmłodszy brat Berta, miałby trochę miejsca, ale dla koni, nie dla ludzi.

Okazuje się, że Rosemary i ja, jako goście honorowi, mamy spać w pokoju Berta. To pokój, w którym mieszkał, zanim wyjechał ze Stanów, i w którym razem z Kate spędzili swoją ostatnią noc w tym domu. Stoją tam łóżeczko i kołyska. Claire proponuje, że zabierze je na dół, ale przekonujemy ją, że wcale nam nie przeszkadzają. Jesteśmy tak zmordowani, nie zmęczeni, ale właśnie zmordowani, że jest nam wszystko jedno, gdzie będziemy spać; naturalnie, o ile uda nam się zasnąć.

Kładziemy się wcześnie. Oboje staramy się nie myśleć i nie rozmawiać o tym, że na tym samym prześcieradle i pod tymi samymi kocami jeszcze niedawno spali Kate i Bert. Czuję nawet perfumy Kate, Magie Noire, które wybrał dla niej Bert. Wiem, że Rosemary też rozpoznała ten zapach.

Tulimy się do siebie i płaczemy. Za dużo się tego dzisiaj uzbierało: szczegółowe wiadomości o tym, jak umarli i jakie to było makabryczne, dyskusje o kremacji, wszystkie formalności, a do tego potworne zmęczenie. Krótka drzemka Rosemary w samolocie i moja w Ocean Grove to stanowczo za mało jak na nasze potrzeby.

Przez kilka godzin popłakujemy sobie i prawie milczymy. Prawdę mówiąc, nie ma o czym rozmawiać. Jak w ogóle można debatować nad czymś takim?

W końcu, już po północy, Rosemary zasypia. Poznaję to po równomiernym oddechu, czasem tylko przerywanym przez żałosny ni to jęk, ni to szloch. Jednak, dzięki Bogu, Rosemary nie budzi się. Ostrożnie uwalniam się z jej objęć i wyciągam na kołdrze.

Prawdopodobnie szybko zasnąłem, ponieważ nie pamiętam, żebym długo czekał na sen. Tym razem to prawdziwy sen, bez chemicznego wspomagania. Odpływam w nicość.

Kiedy się budzę, jest jeszcze ciemno. Powodem przebudzenia nie jest żadna fizjologiczna potrzeba. Przepełnia mnie dziwny, wewnętrzny spokój. Mam świadomość tego, co się stało, ale teraz wszystkie te wydarzenia wydają mi się częścią mnie samego i wiem już, że potrafię je zaakceptować. Leżę z otwartymi oczami, patrzę w ciemność i wdycham delikatny zapach perfum Kate. Czuję się pogodzony z samym sobą i niczego się już nie boję. Zaczynam podejrzewać, że to objawy psychozy. Uczucie tak absolutnego wyzwolenia i oderwania wydaje się co najmniej nienaturalne w tych okolicznościach. Z tą myślą zasypiam.

Zdarzenie, o którym teraz zamierzam opowiedzieć, wykracza poza doświadczenie większości ludzi. W świetle kryteriów wyliczonych w przedmowie nie może być uznane za prawdziwe. Jeśli nie czytaliście przedmowy albo zapomnieliście, czego dotyczy, proszę, przeczytajcie ją jeszcze raz.

Cała ta opowieść byłaby łatwiejsza do napisania i bardziej „prawdziwa" — w znaczeniu „wiarygodna" — gdyby nie poniższy ustęp. Jednak skoro zdecydowałem się przedstawić prawdę, nie mogę pominąć i tego doświadczenia.

Rano budzę się z tym samym uczuciem niewyobrażalnego spokoju. Sprawia mi przyjemność myśl, że może w nocy umarłem i że to właśnie jest śmierć — stan wszechogarniającego spokoju.

Lekko obracam głowę, na tyle tylko, by przekonać się, że Rosemary wciąż śpi. Nie odczuwam najmniejszej potrzeby ruchu. W tym dziwnym stanie zawieszenia pomiędzy życiem i śmiercią pozostaję jeszcze przez bliżej nieokreślony czas, obserwując słońce przesuwające się za oknem.

W pewnym momencie w mój błogostan wkrada się niepokój o to, co się dzisiaj wydarzy. Ostrożnie przesuwam się na skraj łóżka i unoszę do pozycji siedzącej. Trwam tak przez kilka minut, patrząc przez okno na podwórze.

Potem wstaję. W tej samej chwili czuję potężne uderzenie w plecy. Opadam na kolana. Ręce zwinięte w pięści lądują na starym, poprzecieranym dywanie. Przez kilka sekund nie mogę złapać tchu. Kiedy mi się to w końcu udaje, łapie mnie tak spazmatyczny szloch, że prawie wymiotuję. Pomiędzy kolejnymi napadami rozpaczliwie chwytam oddech, ale wszystko to dzieje się tylko na zewnątrz.

W środku poznaję sprawy, o których nie mam prawa nic wiedzieć. Kręci mi się w głowie. Wiem, że za chwilę zemdleję. Wtedy czuję ręce Rosemary na moich rozdygotanych ramionach i jej łzy na moich nagich plecach.

— Co z tobą, kochanie? Źle się czujesz? Zawołać kogoś?

Zostało mi jeszcze akurat tyle sił i przytomności umysłu, aby pokręcić głową, że nie. W dalszym ciągu klęczę, podpierając się rękami o podłogę. Nie mam siły się podnieść. Rosemary klęka obok, jedną rękę kładzie mi na barkach, drugą ujmuje mnie za nadgarstek. Wyglądamy jak zapaśnicy na macie podczas szkolnego meczu. To wspomnienie, ten obraz przemyka mi przez głowę, ale zaraz wypierają go inne obrazy, niezwykle intensywne i silniej wryte w pamięć niż jakiekolwiek inne wspomnienia.

Staram się głęboko oddychać. Stopniowo udaje mi się opanować drżenie rąk. Rosemary pyta, czy, moim zdaniem, to udar albo zawał serca i czy wezwać lekarza. Muszę coś odpowiedzieć. W pierwszym odruchu chcę zbagatelizować przeżycia ubiegłej nocy, uznać, że tak naprawdę nic się nie wydarzyło, a winę za mój stan przypisać histerycznym skłonnościom. I nade wszystko — zachować to dla siebie. A jednak nie wolno mi tego zrobić; nie tego ode mnie oczekują. Moim obowiązkiem jest podzielenie się tym, co wiem, lub wydaje mi się, że wiem, z innymi, przede wszystkim z Rosemary. W pewnym szczególnym sensie jestem posłańcem, w najgorszym wypadku — posłańcem do samego siebie.

— Najdroższa, wydarzyło się coś, o czym nie wiem, jak ci opowiedzieć, żebyś nie straciła dla mnie szacunku. Wiem tylko, że muszę ci to powiedzieć. To konieczne, nawet jeśli nie potrafisz tego zaakceptować.

Siadam na podłodze, krzyżując nogi. Niespodziewanie uświadamiam sobie własną nagość. Siedzę nagi w smudze słonecznego światła wpadającego przez okno.

— Rosemary, mogłabyś zamknąć drzwi od sypialni na klucz? Nie zrobiłem tego wczoraj wieczorem na wypadek, gdyby ktoś nas potrzebował.

Rosemary podnosi się, przechodzi przez pokój i przekręca staroświecki klucz w zamku. Wraca, siada przede mną na piętach. Zastyga w tej pozycji. Patrzy mi w oczy, czeka.

— To się zaczęło, a może stało, w środku nocy. Nie wiem, która mogła być godzina. Obojgu nam udało się wreszcie zasnąć. Po jakimś czasie obudziłem się z uczuciem nieopisanego spokoju. To było trochę tak, jakby nagle ustąpiła długotrwała, wysoka gorączka. Świat wydaje się wtedy jakby odnowiony, a my jesteśmy jego częścią. To było coś podobnego. Z początku myślałem, że zwariowałem. Skąd ten spokój, skoro właśnie straciliśmy Kate, Berta, Dayiel i Mię? Nie mogłem tego zrozumieć. A jednak ten dziwny psychiczny dystans nie budził we mnie niepokoju.

— Rano obudziłem się świeży i wypoczęty — kontynuuję. — Nie chciało mi się nawet ruszyć palcem. Chciałem jedynie na zawsze pozostać w tej nirwanie spokoju. Wciąż nie rozumiałem, skąd bierze się moje zadowolenie i beztroska; mamy dzisiaj tyle spraw do załatwienia i wszystkie czekają zaraz za drzwiami tego pokoju. Zsunąłem się z łóżka i stanąłem na podłodze. Wtedy zaczęły się dziać rzeczy, w które trudno uwierzyć. Ale proszę, nic nie mów, tylko słuchaj. Chcę ci opowiedzieć wszystko po kolei.

Silę się na spokój, ale w środku jestem roztrzęsiony.

— Kiedy wstałem, jakieś potężne uderzenie w plecy rzuciło mnie na ziemię. Nie mogłem złapać tchu, tak jak wtedy, gdy znalazłaś mnie na podłodze. I właśnie wówczas zrozumiałem, co mi się przydarzyło tej nocy, co mnie tak uspokoiło, i wbrew wszystkiemu, pocieszyło.

Robię kolejny głęboki wdech, usiłując przetłumaczyć coś, co nie było słowami, na język zrozumiały dla Rosemary, chociaż wiem, że ona i tak nigdy w to nie uwierzy. A jednak muszę jej powiedzieć. Opowiadanie o tym jest częścią całego doświadczenia.

— Siedzę na jednym z naszych leżaków, twarzą do morza, za moimi plecami słońce kryje się już za dachami Ocean Grove. Wiesz, jak bardzo to lubię, te purpurowe cienie, cienie rzucane przez każde wgłębienie w piasku, kolor wody zmieniający się w miarę jak zmieniają się barwy zachodniego nieba. Także cichy szum wody toczącej się i cofającej po przybrzeżnych kamykach. Nigdzie nie czuję się bardziej odprężony, bardziej skłonny do takiej naturalnej, nie wymagającej żadnego wysiłku medytacji. Zawsze ma to dla mnie prawdziwie czarodziejski urok.

Nagle widzę długie cienie ludzi, którzy nadchodzą z tyłu. Jestem zawiedziony. To miał być czas odpoczynku, a nie spotkań towarzyskich. Okazuje się jednak, że to Kate i Dayiel. Mijają mnie i idą w stronę wody.

Ani Kate, ani Dayiel nie patrzą na mnie. Jestem zdziwiony, ponieważ Kate powinna w tym czasie pomagać ci przy obiedzie, a jeszcze bardziej mnie dziwi to, że w ogóle zeszła na plażę. Wiesz, jak ona reaguje na piasek. Nie znosi, kiedy coś ją łaskocze między palcami. W takim razie po co tu przyszła, i do tego boso? Z początku myślę, że może pokłóciła się z Bertem i później okazuje się, że po części miałem rację.

Chwilę potem po mojej lewej stronie pokazuje się Bert. Kate i Dayiel minęły mnie z prawej strony. Bert ma na sobie kąpielówki i jedną z tych swoich jaskrawych hawajskich koszul. Niesie Mię, jak zawsze, pod pachą, jak gdyby była piłką. Sadowi się obok mnie na piasku, a Mię sadza sobie na kolanach.

Mia jest w pieluszce, oprócz tego ma na sobie cienką, białą koszulkę i czapeczkę z falbankami. Patrzy mi w oczy w sposób, w jaki jeszcze nigdy tego nie robiła, najwyraźniej ciekawią ją nie moje oczy, ale ja sam. Bert rysuje przed nią jakieś znaki, ale za każdym razem piasek się osypuje i nie zostaje nawet słaby ślad. Patrzy na mnie, sprawdzając, czy to zauważyłem. Po twarzy błąka mu się zagadkowy uśmiech. On także długo patrzy mi w oczy, w sposób, w jaki nigdy przedtem tego nie czynił. Gdzieś głęboko kiełkuje we mnie podejrzenie, że stało się coś strasznego. Bert zaczyna wolno potrząsać głową, co u niego, tak samo jak u mnie, oznacza, że nie może w coś uwierzyć albo czegoś zrozumieć.

„Wiesz, Will — mówi — pewnie w to nie uwierzysz, ale ciebie tu nie ma. Mnie także tu nie ma. Ty leżysz w moim łóżku w Falls City, w Oregonie, w pokoju, w którym spędziłem dzieciństwo. Jeśli chodzi o nas, to wciąż nie jestem pewny, gdzie jesteśmy. Nie boimy się ani nic w tym rodzaju, po prostu nie wiemy. Zdaje się, że teraz możemy znaleźć się niemal w każdym miejscu, w którym zechcemy. Mamy nadzieję, że wkrótce dowiemy się czegoś więcej. Mamy takie przeczucie. Mówię ci, to wszystko jest dość niesamowite".

Milknie. Nie mam pojęcia, o czym on mówi. To takie odległe od tego, co widzę, lub wydaje mi się, że widzę, czuję, albo wydaje mi się, że czuję, wiem, czy też wydaje mi się, że wiem. To jakaś absurdalna gra, tylko dlaczego wypadło akurat na mnie? Gapię się na niego z wytrzeszczonymi oczami i czekam.

„Will, bycie nieżywym to coś zupełnie, ale to zupełnie innego niż sobie wyobrażasz. Wciąż nie jestem pewny, co się właściwie z nami dzieje, za to wiem, że nie powinienem z tobą rozmawiać. Nikt mi tego wprost nie zabronił, ale ja to wiem. Chcę jednak coś ci powiedzieć, zanim będzie za późno. Zasługujesz na to.

Kate jest na mnie zła, że opowiadam ci to w czymś, co może ci się wydawać snem, ale wszystko było po prostu idealne: miejsce, czas, sposób, w jaki to się odbyło. Wszystko to się zbiegło i nie mogłem się temu przeciwstawić. Nie mamy zbyt wiele tego, co przywykliśmy nazywać czasem, więc muszę się spieszyć.

Najlepiej wyjaśnię ci to w ten sposób: to nie my odeszliśmy od was, to wyście od nas odeszli. Widzisz, to tak, jakbyśmy wszyscy znajdowali się w jakimś wielkim pociągu czy czymś w tym rodzaju. My wysiedliśmy, podczas gdy wy jedziecie dalej. To nie całkiem tak, ale lepiej już tego nie potrafię wytłumaczyć. Moją specjalnością zawsze były liczby, nie słowa.

Chcę jednak, żebyś wiedział, że czujemy się dobrze i że wciąż jesteśmy razem. Nie wiadomo, co się dalej z nami stanie, ale nas to nie martwi. To bardzo ważne. Tak więc, wy też się nie martwcie".

Ogląda się za siebie. Kate wraca znad wody z Dayiel, która biegnie obok niej w podskokach. Nie idą w naszą stronę. Najwyraźniej znowu mają zamiar nas minąć, nie obdarzając nawet spojrzeniem.

„Kate uważa, że nie wiem, kiedy spasować. Ale czy mógłbym cię prosić o przysługę? Mógłbyś jakoś dotrzeć do tyeh ciał, które kiedyś były nami, i zrobić zdjęcia? To ważne. Może one pomogą przerwać ten proceder wypalania pól, przez który musieliśmy umrzeć. W ciągu najbliższych miesięcy dowiesz się więcej na ten temat. Pomów ze Steve'em, opowiedz mu o wszystkim. Na pewno ci pomoże".

Wstaje. Mia wciąż patrzy mi w oczy. Dołączają do Kate. Obserwuję ich cienie, długie, fioletowe cienie na piasku. Nie odwracam głowy. W chwili, kiedy znika ostatni cień, dociera do mnie głos Kate: „Do widzenia, tato. Przykro nam".

Wtedy się obracam, ale ich już nie ma. Plaża jest pusta. Odwracam się z powrotem i patrzę na ocean.

Chyba właśnie wtedy się obudziłem. Po raz pierwszy czułem w sobie taki spokój. Wówczas nie zdawałem sobie z tego sprawy. Teraz już to wiem i nie zapomnę tego do końca życia.

Urywam. Rosemary płacze. Patrzy mi głęboko w oczy.

— Will, to najpiękniejszy sen, jaki mi kiedykolwiek opowiedziano. Nawet mnie, mimo że tego nie śniłam, łatwiej teraz się z tym wszystkim pogodzić. Nie mogę powiedzieć, że wierzę, iż to się naprawdę wydarzyło, taka już jestem. Wierzę jednak, że ty w to wierzysz, a to najważniejsze. Sądzę, że dlatego Bert przyszedł do ciebie, ponieważ wiedział, że ty uwierzysz. Ja nigdy nie wierzyłam w takie rzeczy. Co teraz chcesz zrobić?

— Chyba już wiem, dlaczego tak strasznie płakałem. Przecież taki sen, sam w sobie, nie doprowadziłby nikogo do płaczu. To, co mnie przeraża, to te zdjęcia. Nie wyobrażam sobie, żebym mógł patrzeć na ich zmiażdżone, spalone ciała. Chciałbym ich zapamiętać takimi, jakimi widzieliśmy ich miesiąc temu, albo takimi, jakimi byli we „śnie". Nie sądzę, żebym mógł to zlecić komuś innemu, nawet jeżeli ktoś by się zgodził. Sam już nie wiem. Może to w ogóle nielegalne. Będę musiał znaleźć kogoś do pomocy. Bert zaproponował Steve'a. Wobec tego, chyba zacznę od niego. Ostatecznie, Bert musiał wiedzieć, co mówi.

Pomagam Rosemary podnieść się z podłogi, a potem razem ścielimy łóżko. Jesteśmy sobie bliżsi niż kiedykolwiek przedtem. Zastanawiam się, co powiedzą inni, kiedy zejdziemy na dół tacy pełni życia zamiast śmierci.

Rozdział VIII

Najpierw kąpie się Rosemary, potem ja biorę prysznic. Kiedy schodzę na dół, na stole leży wszystko, co potrzeba do śniadania. Obowiązuje samoobsługa. Mam ze sobą swój zestaw do pomiaru poziomu cukru we krwi. Przed jedzeniem muszę zrobić sobie test. Wychodzę na frontową werandę. Steve podąża za mną. Też ma ze sobą swój aparat. Co za zbieg okoliczności. Kłujemy się, wyciskamy kroplę krwi. Czekając na wynik, rozmawiamy.

— Steve, nie wiem od czego zacząć, ale w nocy przeżyłem coś bardzo dziwnego.

Opowiadam mu wszystko po kolei, tak jak opowiedziałem Rosemary. Steve przygląda mi się w jasnym świetle poranka.

— To Bert, bez dwóch zdań. Zawsze był strasznie cięty na to wypalanie pól. A on nigdy nie odpuszcza, nawet jeżeli nie żyje. Żałuj, że nie widziałeś, jak grał w piłkę albo kosza. Wołaliśmy na niego: Nigdy-się-nie-poddawaj-Woodman.

— Teraz najważniejsze, Steve, mógłbyś mi pomóc? Bert powiedział, że mogę na ciebie liczyć. Muszę zobaczyć te ciała i zrobić zdjęcia. Włosy mi stają dęba, kiedy o tym myślę, ale o to właśnie prosił Bert.

— No, mogę zadzwonić do Johna z kostnicy w Dallas i pojechać tam z tobą. Najpierw jednak coś zjedzmy.

— Chciałbym, żebyś zatrzymał to dla siebie, Steve. To wszystko może wyglądać na jakiś obłęd, nie chce mi się każdemu tłumaczyć.

— Zadzwonię z telefonu na górze.

Zjadamy olbrzymie śniadanie, składające się z kilku patelni przepysznej jajecznicy. Rosemary mówi mi, że Danny postanowił natychmiast zabrać Willsa do Los Angeles. Wyjechali przed godziną. Jest mi przykro. Chciałem porozmawiać z Willsem, chciałem, żeby wiedział, co czuję. Jednak zgadzamy się, że to było najlepsze rozwiązanie. Willsowi cały ten pogrzeb jest potrzebny akurat tak jak nam.

W tym czasie zewsząd zaczynają zjeżdżać się goście: przyjaciele Kate ze Szkoły Amerykańskiej w Paryżu, nauczyciele i uczniowie, przyjaciele z Niemiec, ludzie, których w ogóle nie znamy. Telefon nie milknie ani na chwilę. Znajomi Berta i Kate przybywają z najróżniejszych części Stanów — z Minneapolis, Connecticut, Florydy, Nowego Jorku. Za każdym razem, kiedy odzywa się telefon, nasłuchuję, kto dzwoni. Nigdy ci, na których czekam.

Przychodzi także mnóstwo telegramów. W większości są zaadresowane do nas, wszyscy są wstrząśnięci, ale bardzo mili i współczujący. Jednak i w korespondencji nie ma nic od tych, których reakcji oczekiwałem.

Prawie wszyscy przyjaciele Woodmanów pochodzą z najbliższej okolicy i zjawiają się nieodmiennie obładowani pieczonymi kurczakami, szynkami, ciastami, słowem — całą garmażerią. Wyglądałoby to jak jakiś wielki piknik, gdyby nie to, że rozmowy są prowadzone przyciszonym głosem. Wszyscy zachowują się tak, jakby się znali od urodzenia. Prawdziwa tragedia zbliża ludzi do siebie, tak jak wspólna walka na wojnie, kiedy każdy jest ze śmiercią za pan brat.

Naczynia trzeba zmywać samemu w wielkim kuchennym zlewie. Właśnie skończyłem to robić, kiedy dostrzegam Steve'a, który stoi przy drzwiach wejściowych i daje mi jakieś znaki. Podchodzę do niego.

— John mówi, że ciała są u koronera, ale jeżeli nam zależy, przewiezie je do kostnicy. Mówi, że wyglądają naprawdę strasznie i że odradzałby pokazywanie ich rodzinie.

— Co mu powiedziałeś?

— Nic. Umówiliśmy się na pierwszą. Może być?

— Dzięki, Steve. Tymczasem wezmę się za model nagrobka.

— Ojciec miał wszystkie potrzebne narzędzia. Są w szopie, z tyłu. Ale nie musisz tego robić teraz. To może zaczekać.

— Kiedy ja chcę to robić. Wolę być w szopie niż w domu, gdzie wszyscy ciągle rozmawiają o wypadku. Potrzebuję trochę samotności. To będzie moja wymówka.

Steve prowadzi mnie do warsztatu. Narzędzia wiszą na gwoździach wbitych w deski, każde obrysowane na ścianie w ten sposób, żeby wiadomo było, gdzie je należy odwiesić i żeby ojciec Steve'a wiedział, którego brakuje. Mając trzech synów, musiał mieć sprzęt na oku.

Steve przynosi odlew i kilka noży. Sprząta ze stołu, a zbędne narzędzia wiesza na swoich miejscach.

— Tu powinno być ci wygodnie. Nie masz pojęcia, jak bardzo jesteśmy ci wdzięczni, że to robisz.

To mówiąc, zostawia mnie samego. Zastanawiam się, czy wierzy, że robiłbym to, gdyby nie śmierć tylu osób z naszej rodziny. Z pewnością jest tak samo wytrącony z równowagi jak ja. U cukrzyka taki szok może spowodować ciężkie powikłania. Mam nadzieję, że Bert wiedział, co robi, kiedy prosił mnie, żebym zwrócił się do Steve'a o pomoc.

Ranek spędzam na rzeźbieniu, aż z laku powoli zaczyna wyłaniać się model nagrobka. Wokół tarczy umieszczam słowa wiersza. Z gwoździa robię gnomon. Imię Berta rzeźbię na godzinie dwunastej, Kate na szóstej, Mii na dziewiątej, a Dayiel na trzeciej. Wszystkie nacięcia wypełniam złotą farbą, którą znalazłem w jednej z szafek. Całość bardziej przypomina roczny kalendarz niż zegar słoneczny.

Gotowe dzieło wygląda mało żałobnie, ale bardzo poprawia mi nastrój — przynajmniej coś zrobiłem. Pomaga mi wyrazić, choćby w przybliżeniu, to, co mógł mieć na myśli Bert, kiedy mówił o czasie. Czas jest to coś, co my, ludzie, po prostu sobie wymyśliliśmy.

Kiedy pracuję, zdaje mi się, że wyczuwam obecność Berta, ale nic nie widzę i nic nie słyszę. To tylko moja wyobraźnia.

Czasami ten i ów zagląda do szopy, ale ja nawet nie sprawdzam, kto. Nie zdarza się to często, więc pewnie Steve uprzedził, że chcę być sam.

Przychodzi Rosemary. Siada przy mnie i przez chwilę przygląda się mojej pracy. Patrzymy na siebie, uśmiechamy się, ale nie rozmawiamy. Myślę, że mówienie sprawia jej taką samą trudność jak i mnie. Rosemary dotyka lekko mojego ramienia i odchodzi. Obracam model na wszystkie strony i obserwuję, jak reaguje na zmieniające się oświetlenie. W końcu uznaję swoje dzieło za skończone. Akurat wchodzi Steve.

— Powinniśmy coś zjeść, zanim pojedziemy do Dallas. Dzwonił John, że udało mu się przewieźć ciała, ale koroner nie był zachwycony.

— Uwierz mi, Steve, musimy to zrobić. Przypuszczam, że żaden z nas nie jest tym zachwycony, ale to sprawa, którą po prostu trzeba załatwić. Nie mamy wyboru. Mam ze sobą aparat, ale nie zostało mi już dużo filmu. Czy w Dallas można gdzieś kupić film?

— Jasne, wezmę też swój aparat. Dostaniemy tam wszystko, co potrzeba. W tym samym miejscu można wywołać film i zamówić odbitki. Możemy nawet wszystko dać na ekspres. Pojedziemy tam zaraz, jak zrobimy zdjęcia.

— Dobrze. Trochę tu posprzątam i zaraz jestem. Czy w Dallas znajdziemy jakieś miejsce, gdzie zajmują się obróbką marmuru i granitu?

— Jest taka firma, nazywa się Capitol Monuments. Zamawialiśmy u nich tablicę na grób ojca. Możemy tam wstąpić, jak będziemy wracali od Johna. Albo możemy tam pojechać, kiedy będą wywoływali film. Jutro wszystko będzie zamknięte. Wiadomo, niedziela.

— Tak właśnie zrobimy. Za parę minut będę w domu.

W domu gwarno jak w ulu. Wszyscy są tacy przejęci i tacy zadowoleni, widząc siebie nawzajem, że bardziej to przypomina ślub niż pogrzeb. Rzucam ogólne „dzień dobry", starając się nie wyjść na hipokrytę, a zarazem nie urazić niczyich uczuć. Nie jestem już taki rozbity jak wczoraj. Rosemary też jest w lepszej formie. W oczach tych ludzi musimy być najbardziej nieczułymi rodzicami i dziadkami, jakich nosi ziemia. Wyręcza nas Camille. Przyjechała z Samem dziś rano i właściwie nie przestaje płakać. Dziewczynki traktowała jak własne córki — tak często przyjeżdżała ze Stuttgartu, żeby się nimi zaopiekować pod nieobecność Berta i Kate. Zaczynały się nawet rozumieć z Kate, chociaż to dwie zupełnie różne osobowości. Twarz Camille jest spuchnięta i mokra jak po długim biegu.

Cieszę się z przyjazdu naszego najstarszego syna, Matta, i jego żony, Juliette. Matt ma zaczerwienione oczy i prawie się nie odzywa. Juliette robi, co może, żeby podtrzymać go na duchu. Tak więc, mamy tu całą naszą rodzinę, oprócz Kate, Berta, Mii i Dayiel. Po raz pierwszy odczuwam ich brak jako stratę nie tylko jakościową, ale także ilościową. Unicestwiona została prawie połowa naszej genetycznej przyszłości, to jest, przyszłości Rosemary i mojej. Dotąd nie brałem tego pod uwagę. Pozostała rozległa, pusta przestrzeń.

Nie miałem pojęcia, że zjedzie się tutaj taki tłum. Okazuje się, że między lotniskiem w Portland i Falls City kursuje teraz bezpośredni autobus. Transportem nowo przybyłych zajmują się siostra Berta, jego brat, Jim, oraz kilkoro przyjaciół i sąsiadów. Do Falls City nie tak łatwo trafić, jeśli się nie wie, gdzie to jest.

Jest kwadrans po dwunastej. Spieszę się z jedzeniem. Właściwie wcale nie jestem głodny, ale nie chcę, żeby mi się zrobiło słabo, zwłaszcza teraz. Steve mruga do mnie, po czym wychodzi z domu. Odczekuję dwie minuty i idę za nim. Samochód Steve'a stoi za bramą, słychać już warkot silnika. Wpadam po drodze do warsztatu, skąd zabieram swój model i aparat fotograficzny; zostawiłem go tutaj, ponieważ robiłem zdjęcia kolejnych faz przeistaczania się modelu. Model umieszczam na kawałku sklejki. Wsiadam do samochodu z przodu, koło Steve'a.

Podróż do Dallas mija szybko, prawie nie rozmawiamy. Najpierw zatrzymujemy się przy sklepie fotograficznym, gdzie kupujemy trzy rolki kolorowego filmu, po dwadzieścia cztery klatki każdy. Obliczamy, że to wystarczy. Potem jedziemy do kostnicy. Nie wygląda aż tak źle, jak się obawiałem; właściwie to nawet całkiem ładnie, wszystko w drewnie i przyciemnianym szkle. Budynek jest większy niż przypuszczałem. Najwidoczniej mają tu duże zapotrzebowanie na tego rodzaju usługi.

Kiedy jednak wchodzimy do środka, nie mamy żadnych wątpliwości, gdzie się znaleźliśmy. Mówi nam o tym przenikliwy zapach, poza tym jest cicho i głucho. Z biura wychodzi do nas rudawy, lekko łysiejący mężczyzna i wita się. To John. Steve podaje mu rękę i mówi, kim jestem. John patrzy na mnie trochę kpiąco.

— Jest pan pewny, że tego właśnie pan chce? Osobiście odradzam.

Potakująco kiwam głową. Nie mam ochoty na rozmowę. Moja wytrzymałość ma swoje granice i czuję, że jestem prawie u kresu. Pobyt w kostnicy, w której przechowywani są moi najbliżsi, robi swoje.

— Czy widział pan już kiedyś spalone ludzkie zwłoki?

Znowu kiwam głową. Muszę być bardzo blady, ponieważ John proponuje, żebyśmy usiedli na fotelach w poczekalni. Siadamy. Czuję, że powinienem coś powiedzieć, ale nie mam ochoty opowiadać mu o odwiedzinach Berta. John z pewnością nasłuchał się już takich historii. Ograniczam się do odpowiedzi na pytania.

— To było podczas drugiej wojny światowej. Pomagałem wyciągać zwłoki ze spalonych czołgów, niemieckich i amerykańskich. Wiem, jak to wygląda. Głównie pamiętam ten zapach.

— To nie będzie to samo. To pańska rodzina, a nie obcy czy wręcz nieprzyjaciele. Musiałem spryskać ciała formaldehydem, żeby nie cuchnęły i żeby zwolnić proces rozkładu. A ponieważ przechowujemy je tak długo, musimy trzymać je w lodówkach. Dlatego, między innymi, były u koronera — w naszych lodówkach zabrakło miejsca.

— Rozumiem.

Rozumiem, ale zaczynam mieć już tego wszystkiego dosyć. Chcę się wycofać. Po kolorze twarzy Steve'a poznaję, że on też doszedł do podobnego wniosku. Nastawiam aparat i wstaję. Steve też wstaje. John podnosi się z fotela. Prowadzi nas wąskim korytarzem na tyły budynku. Na samym końcu są drzwi. Domyślam się, że tędy wnosi się zwłoki, żeby oszczędzać wrażeń ludziom mieszkającym w sąsiedztwie.

Wchodzimy w ostatnie drzwi po prawej stronie. Jakiś przenikliwy odór miesza się z zapachem chemikaliów. Przypomina mi to zajęcia z biologii na uniwersytecie. W pomieszczeniu znajdują się cztery stoły, jeden mały, zaraz przy wejściu, nieco dalej drugi mały, a w głębi dwa duże. Każdy stół przykryty jest nieprzemakalnym materiałem, z jednej strony czarnym, z drugiej żółtym. John chwyta za brzeg płachty okrywającej pierwszy mały stół i odwraca się do nas.

— Czeka was ciężka przeprawa. Jak będziecie mieli dosyć, po prostu dajcie znak. Nakryję je z powrotem i wyjdziemy stąd.

Milknie i bacznie nam się przygląda.

— Pierwsza jest ta, która najmniej się spaliła, niemowlę.

Obaj ze Steve'em cofamy się trochę, a John powoli, delikatnie zdejmuje okrycie. W pierwszym momencie przychodzi mi na myśl, że identycznie wyglądały ciała wykopane w Pompei i Herkulanum. Jest zupełnie białe i rysy twarzy są zatarte, mimo to nie ma najmniejszych wątpliwości, że to zwłoki małej dziewczynki. Lewa stopa, złamana tuż powyżej kostki, wisi na strzępku czegoś, co kiedyś było ciałem. Tu i ówdzie widnieją zwęglone partie, których nie pokrył formaldehyd.

Steve i ja patrzymy po sobie. Obaj ciężko oddychamy. John bacznie nas obserwuje.

— Mam ją zakryć?

Wydaje mi się, że dam sobie radę. Obracam się do Steve'a. Kiwa głową. Zakładam, że jego kiwnięcie oznacza, żebyśmy brali się do roboty, ale nie jestem pewny. Ręce mi się tak trzęsą, że mam kłopoty z nastawieniem aparatu i skierowaniem go na ciało dziecka. Czuję, że łzy cieką mi po policzkach. Jest takie niepodobne do Mii, którą pamiętam. Kiedy widziałem ją po raz ostatni, siedziała na kolanach Kate i uśmiechała się do mnie przez szybę samochodu.

Trudno uwierzyć, że to jedna i ta sama osoba. Robię zdjęcia z boku, potem z góry, pochylając się nad stołem i wdychając świdrujący płuca odór rozkładającego się ciała i chemikaliów. Steve robi to samo. John przykrywa Mię i wyprowadza nas na korytarz.

— Słuchajcie, nie mam pojęcia, dlaczego to robicie, ale nie potrzebuję tutaj kolejnych zwłok. Pchacie się w coś, co was przerasta. Ja tu pracuję, ale wątpię, żebym się zdobył na robienie zdjęć swojej rodzinie, gdyby przytrafiło mi się coś tak okropnego.

Opieramy się plecami o ścianę korytarza, głęboko oddychamy i próbujemy dojść do siebie. Mam wrażenie, że tylko siłą woli powstrzymuję się przed zwymiotowaniem.

— Nic nam nie będzie. To po prostu niełatwe. Bardzo zależy nam na tych zdjęciach. To jedyne, co nam pozostanie po najbardziej kochanych ludziach pod słońcem. W porządku, Steve? Możemy wracać?

Steve kiwa głową. John ponownie otwiera drzwi. Odór nie wydaje się już taki straszny. Nasze ubrania zdążyły nim przesiąknąć, więc szok nie jest już tak duży. John podchodzi do drugiego małego stołu. Ściąga przykrycie. Tym razem utrzymanie nerwów na wodzy kosztuje mnie znacznie więcej wysiłku. Dayiel straciła w wypadku czubek głowy. Myślę o Kennedym i jego żonie, wyciągniętej w poprzek tylnego siedzenia limuzyny, szukającej odstrzelonego kawałka jego czaszki.

Widoczne są jeszcze pofałdowania mózgu. Dayiel ma również obcięte obie ręce powyżej łokci i obie nogi powyżej kolan. Gdyby przeżyła, wyglądałaby jak jedno z tych kalekich dzieci, ofiar talidomidu. Nie mogę uwierzyć, że patrzę na Dayiel, małą, ruchliwą jak żywe srebro dziewczynkę, z niebieskimi oczami i złotymi loczkami. Nad karkiem dostrzegam kępkę sczerniałych włosów, być może jej włosów, ale teraz już nie ma w nich życia.

Zaczynam robić zdjęcia i nagle wszystko zaczyna wirować mi przed oczami. W ostatniej chwili łapię się stołu, na którym leży Dayiel. John przysuwa się do mnie, ale biorę się w garść. Przyciskam migawkę aparatu. Wtedy słyszę, że coś się dzieje ze Steve'em. Obracam się. Steve opiera się plecami o ścianę i wolno osuwa na podłogę. John chwyta go pod ramiona i wyprowadza na zewnątrz. Ja zostaję i robię jeszcze dwa zdjęcia. Powtarzam sobie, że tak naprawdę, to wcale nie Dayiel. Zadziwiające, jak łatwo ulegamy złudzie cielesności i wierzymy, że to wszystko, czym jesteśmy. To przecież prawdziwa farsa. Zastanawiam się, czym dla kogoś w wieku Dayiel jest taka całkowita zmiana, przejście do innego świata. Zaraz jednak odpowiadam sobie, że pojęcie wieku ma źródło wyłącznie w naszych ludzkich ograniczeniach, w naszej „czasowej" koncepcji rzeczywistości. W najlepszym wypadku cała rzecz sprowadza się do określenia, jak długo przebywamy w konkretnym ciele.

Pocieszony tymi wnioskami odzyskuję równowagę. Wyglądam na korytarz. Steve i John siedzą w poczekalni. Podchodzę do nich. John obraca się do mnie.

— Steve twierdzi, że może już wrócić. Chce po raz ostatni zobaczyć swojego brata. Nie jestem pewny, czy to dobry pomysł.

Patrzę na Johna, a potem na Steve'a.

— Poczekaj tutaj, Steve, masz już dosyć. Wiem, że twoja rodzina to katolicy. Nie mam pojęcia, na ile w to wierzysz, ale jeżeli przyjmujesz istnienie duszy, to musisz się zgodzić, że to, co widzimy, to tylko puste ciała. Wiem, że to brzmi przerażająco, ale to już nie są o n i. Oni czują się dobrze. Wiem to od Berta.

Steve siedzi pochylony, ogląda swoje dłonie, bawi się aparatem. Powoli nabiera kolorów. Podnosi głowę.

— Dobra, masz rację. Jestem gotowy. Teraz wydaje mi się, że właśnie o to chodziło Bertowi, że to taki test.

Znowu zagłębiamy się w korytarz, John prowadzi. Sprawdzam, ile mam filmu na rolce. Okazuje się, że zostały już tylko dwie klatki i będę musiał założyć nowy film. Zapasową rolkę trzymam w kieszeni.

Wchodzimy do pokoju. Staram się nie oddychać zbyt głęboko. John ściąga przykrycie z pierwszego z dużych stołów. Zatyka mi dech w piersiach. To Bert! Wygląda jak rzeźba Zadkine'a w Rotterdamie. Głowa odchylona, plecy wygięte w łuk. Kikuty obu rąk wyrzucone nad głową, jakby sięgały ku niebu. Usta otwarte w niemym krzyku. Wstrząsający widok, jeśli uznać, że to właśnie jest rzeczywistość. Steve nie odzywa się. Patrzę na niego. Uśmiecha się smutno.

— Właśnie tak to sobie wyobrażałem, że krzyczał, próbował się stamtąd wydostać. Cieszę się, że to zobaczyłem. Teraz mi będzie łatwiej. Bert był moim wielkim, starszym bratem. Nigdy się nie poddawał. Jedną z najgorszych rzeczy w tym wszystkim było dla mnie to, że nic nie zrobił. Teraz już wiem, że starał się, jak mógł. Walczył do końca. To cały Bert, Nigdy-się-nie-poddawaj-Woodman. Jak zawsze, dał z siebie wszystko.

Zaczynamy pstrykać zdjęcia. Ciało jest spalone prawie do kości, ale widać, że Bert był potężnym mężczyzną. Nogi są w kawałkach, największy ma dziesięć centymetrów długości. Ręce trzyma wyciągnięte ponad głową, ale obie są wyrwane ze stawów. W jego otwartych ustach widać wszystkie zęby; skóra na twarzy spaliła się do szczętu.

Wszystko to odnotowuję w pamięci, robiąc dwa ostatnie zdjęcia. Zmieniam film. Mam stary aparat, bez automatycznego przewijania. Kręcę korbką, trzęsącymi się rękami zakładam nową rolkę, zamykam pokrywę i wracam do fotografowania. Steve nie ma już sił. Stoi tylko, patrzy na brata i płacze.

Pytam, czy możemy zrobić krótką przerwę, zanim zobaczę Kate. Wiem, że najtrudniejsze dopiero przede mną. Te wszystkie nasze zabawy, tysiące wspólnie przeczytanych książek, noce spędzone przy jej łóżku, kiedy była chora, popychanie huśtawki i karuzeli na placu zabaw, a czasami przejażdżki na prawdziwej karuzeli w wesołym miasteczku. Jak ona się przy tym śmiała! Zbyt wiele łączyło nas za życia, żeby teraz o tym zapomnieć.

Wracamy. John ściąga przykrycie z Kate. Żółto-czarny plastik przypomina mi o tych wszystkich wypadkach drogowych, które widziałem w ciągu swojej kilkudziesięcioletniej kariery kierowcy. Nigdy nie przypuszczałem, że kiedyś zobaczę swoje pierworodne dziecko zawinięte w jeden z nich.

Z całej czwórki Kate najtrudniej rozpoznać. Dolna część tułowia to masa nie spalonych, a tylko osmalonych wnętrzności. Za to jej nogi, jej śliczne, długie nogi, są potrzaskane na kawałki, i wyglądają jak puzzle albo jak wykopane z ziemi i poskładane razem kości dinozaura. Kiedy patrzę na jej twarz, zamknięte usta, puste oczodoły w poczerniałej kości, gdzie niegdyś były intensywnie zielone oczy — czuję, że dłużej tego nie wytrzymam. Staram się nie patrzeć poza wizjer. Póki nie odrywam oka od aparatu, wszystko wydaje się takie sztuczne, nieprawdziwe, jak w telewizji.

W końcu mam już dosyć. Wychodzę na korytarz, Steve za mną. John przykrywa Kate i też wychodzi. Obaj ze Steve'em jesteśmy mokrzy od potu. Nogi mam jak z waty. Krople potu na czole są zimne. John sadza nas w poczekalni i po paru minutach wraca z dwoma szklaneczkami whisky. Powoli sączę trunek. Steve wychyla swój jak prawdziwy Oregończyk. John stoi przed nami.

— Nie wierzyłem, że dacie radę. Straszna robota. Chciałbym, żebyście obaj wiedzieli, jak bardzo mi przykro, że doszło do tego wszystkiego. Taki piękny i cywilizowany stan jak Oregon nie ma nic na swoje usprawiedliwienie, zezwalając na ten proceder. Ta czwórka to nie są pierwsze ofiary wypalania pól, które trafiły do tego budynku. To hańba.

Wyjmujemy filmy z aparatów. John wraca do biura. Kiedy kończę przewijać film w swoim aparacie, czuję się nieco lepiej. W każdym razie już się nie pocę. Idę poszukać toalety. Jest mi tak gorąco, że chcę się trochę odświeżyć. Toaletę znajduję w którymś z bocznych korytarzy.

Zdejmuję koszulę i podkoszulek. Nadają się do wyżęcia. Zawsze miałem skłonność do pocenia. Napełniam małą umywalkę i wkładam rzeczy do wody. Starannie je wygniatam, żeby wypłukać drażniący fetor. Potem mocno wykręcam i wkładam z powrotem na siebie. Co za ulga. Właśnie kończę, kiedy do toalety wchodzi Steve. Mówię mu, co zrobiłem. Steve ma na sobie tylko koszulkę z krótkim rękawem. Ściąga ją przez głowę i robi to samo. Jest szczupły, ale ma mocne ręce i jest bardziej owłosiony niż myślałem, choć nie aż tak bardzo jak Bert czy ja.

— Boże, cuchnę jak ogier chory na szkorbut.

Wyciera się mokrą koszulką pod pachami i na brzuchu, potem raz jeszcze ją płucze, wyżyma, po czym wciąga z powrotem na siebie. Wychodzimy z toalety mokrzy i rześcy, przygotowani na skwar oregońskiego lata.

Sklep fotograficzny znajduje się niedaleko kostnicy. Prosimy tylko o wywołanie filmu, potem zdecydujemy, z których ujęć zamówimy odbitki. Okazuje się, że wszystko da się załatwić tego samego dnia.

Wychodzimy i jedziemy do Capitol Monuments. Na szczęście, zakład jest otwarty. Wyciągam z samochodu model nagrobka. Steve w tym czasie wchodzi do środka i zaczyna rozmawiać z pucołowatym mężczyzną. Otacza ich kamienny las nagrobków i marmurowe płyty. Wygląda to jak cmentarz pod dachem. Steve właśnie opowiada o śmierci Berta w kraksie na I-5. Kiedy podchodzę, przedstawia mnie. Pucołowaty mężczyzna jest niezwykle sympatyczny. Prawdopodobnie kamieniarze wliczają to w zakres swoich zawodowych obowiązków, podobnie jak właściciele zakładów pogrzebowych.

Pokazuję mu model i wyjaśniam, o co mi chodzi. Pucołowaty mężczyzna nie może zrozumieć, że nie ma to być normalny zegar słoneczny ani żaden symbol religijny. Chcę, żeby to był symbol wiekuistego życia, wiecznego jak wędrówka słońca na niebie, a przynajmniej jego pozorna wędrówka: to kolejny przykład iluzji czasu, którą ludzkość karmi się od tysiącleci.

Zaczynamy się zastanawiać, z jakiego kamienia ma być wykonany nagrobek. Mamy do wyboru ponad pięćdziesiąt możliwości. Podoba mi się ciemnoszary granit, ale pucołowaty twierdzi, że w tutejszych warunkach atmosferycznych lepiej spisuje się inny rodzaj granitu o nazwie sierra.

Różnica w odcieniu jest niewielka, więc zgadzam się na sierrę. Wtedy okazuje się, że w magazynie sierry nie mają, ale mogą zamówić. W moim przypadku to bez znaczenia. I tak nie będę już tego oglądał. Najprawdopodobniej nigdy też nie zobaczę gotowego nagrobka.

Steve spogląda na zegarek. Opuszczamy zakład kamieniarski i wychodzimy na rozpaloną ulicę. Wracamy do fotografa. W samochodzie Steve'a działa klimatyzacja, ale mimo to zatyka nas z gorąca.

Kiedy oglądamy negatywy, jesteśmy zawiedzeni. Właściwie żaden nie nadaje się do reprodukcji. Byliśmy tacy zdenerwowani i roztrzęsieni, że przy robieniu zdjęć popełniliśmy wszystkie możliwe błędy. Jest trzecia. Jutro niedziela, a pogrzeb we wtorek. Pytamy, do której musielibyśmy dostarczyć nowe filmy, żeby negatywy były gotowe na poniedziałek. Okazuje się, że zamykają o szóstej. Steve dzwoni ze sklepu do kostnicy. John mówi, że zwłok jeszcze nie odesłał, ale może je zatrzymać tylko do czwartej, ponieważ w soboty biuro koronera jest czynne tylko do piątej.

Kupujemy kolejne filmy. Pędzimy jak wariaci do zakładu pogrzebowego. W ciągu pięciu minut jesteśmy z powrotem w tym samym pokoju. John pokazuje nam kilka zdjęć, które jego syn zrobił polaroidem. Przydadzą nam się, jeśli i tym razem zmarnujemy nasze.

Jesteśmy teraz o wiele spokojniejsi i bardziej skupieni na pracy. Każdy swój ruch, każde ustawienie aparatu kontroluję pod kątem technicznej jakości zdjęć. Zadziwiające, jak szybko człowiek może się do wszystkiego przyzwyczaić. Kończymy w pół godziny. Podczas fotografowania obaj płaczemy, ale nie przeszkadza nam to w pracy. Dziękujemy Johnowi z całego serca.

Przewijamy filmy i jedziemy do fotografa. Docieramy tam ze sporym zapasem czasu, jeśli w ogóle istnieje coś takiego, jak zapas czasu. Oddaję Steve'owi jego aparat; wyjąłem film, kiedy on prowadził. Dowiadujemy się, że jeśli poczekamy, negatywy i próbne odbitki można będzie obejrzeć jeszcze przed zamknięciem sklepu. Odnoszę wrażenie, że oglądali poprzednie negatywy i że wiedzą, co zawierają. Sklep prowadzą dwie młode, bardzo uczynne kobiety. Umawiamy się, że wrócimy za dziesięć szósta i znowu zanurzamy się w rozedrgane, upalne powietrze. Śmierć w taką pogodę powinna być zakazana. Steve zawraca od samochodu.

— Muszę napić się piwa. Znam jedno takie miejsce, z pełną klimatyzacją. To kilka kroków stąd.

— Dobry pomysł, Steve. Mogę iść wszędzie, byle tylko było trochę chłodniej.

Wchodzimy do lokalu, w którym od strony ulicy znajduje się bar. Po drodze do stolika Steve zamawia dwa kufle piwa z beczki. Czuję, jak uchodzi ze mnie powietrze. Wyciągam się na krześle. Steve wychyla swoje piwo w dwóch wielkich haustach. Jest takie zimne, że aż bolą oczy.

— Steve, wiesz, co chciałbym zrobić, skoro i tak czekamy na te zdjęcia?

Pytanie jest naturalnie czysto retoryczne, ale Steve zdaje się niczego nie podejrzewać.

— Jak daleko jest stąd do miejsca wypadku? Myślisz, że zdążymy pojechać tam i wrócić przed zamknięciem sklepu?

Steve długo patrzy na zegarek, potem wysącza ze szklanki resztki piany.

— Moglibyśmy zdążyć, ale to byłoby na ostatnią chwilę. Wątpię zresztą, żebyśmy coś tam znaleźli. Dokładnie już posprzątali, pokazywali to nawet w telewizji.

— Chciałbym zobaczyć, na co patrzyli w swoich ostatnich chwilach. Myślę, że to mnie do nich zbliży.

Steve wstaje, zasuwa krzesło, kładzie pieniądze na stole.

Wychodzi z baru. Szybko dopijam piwo i wybiegam za nim na ulicę. Znowu zderzam się z falą gorąca.

Steve jedzie szybciej niż poprzednio, ale nie na tyle, żebym się denerwował. Prawie nie rozmawiamy. Steve stale zerka na zegarek.

— Zdążymy dojechać i wrócić, będziemy mieli jakieś dziesięć minut, żeby rozejrzeć się na miejscu. Sam jeszcze tam nie byłem, po prostu nie miałem już siły. Do wjazdu na I-5 mamy dwadzieścia kilometrów. Południowa nitka jest rozkopana. Powinniśmy zdążyć.

Kiedy wjeżdżamy na północną nitkę autostrady międzystanowej nr 5, wyglądam przez okno i zastanawiam się, co mogli wtedy widzieć Kate, Bert albo dzieci. Mam też nadzieję, że się ze mną jakoś skontaktują. Wprawdzie od wypadku minęły już cztery dni, ale po raz pierwszy jestem tak blisko miejsca, w którym odeszli z tego świata. Gazety podawały, że zdarzyło się to koło czwartej po południu. Właśnie zbliża się czwarta.

Nie dzieje się jednak nic niezwykłego poza tym, że krajobraz nosi na sobie piętno dziewiczości, jakby nigdy nie stanęła tutaj ludzka stopa. Po mojej prawej stronie, na zasadniczo płaskim terenie widzę samotny, zgrabny pagórek. Kate musiała zwrócić na to uwagę. Jako geolog z zamiłowania z pewnością potrafiłaby to wytłumaczyć.

Na tym odcinku autostrada jest dwukierunkowa. W obie strony pędzą olbrzymie ciężarówki i, biorąc pod uwagę tłok na drodze, jadą o wiele za szybko. Tutaj obowiązuje zakaz wyprzedzania. Chłopcy będą musieli nadrobić stracony czas. Wkrótce samochody jadące na południe wracają na swoją nitkę. Jeszcze pięć kilometrów i dojeżdżamy do miejsca wypadku. Steve zatrzymuje się na poboczu. Wychodzimy na drgające od skwaru powietrze i rozglądamy się. Nawierzchnia drogi jest czarna i popękana. Tylko pobieżnie przeglądałem gazety, które wczoraj wszyscy podtykali mi pod nos, ale pamiętam, że pożar trwał kilka godzin. Zdaje się, że z rozbitej ciężarówki wyciekła ropa, co w połączeniu z ładunkiem trocin, który przewoziła, dało niezły zapłon. Na drodze znajduję metalową płytkę. Czyszczę ją, to tabliczka firmowa Corvette. Musimy uważać; samochody i ciężarówki śmigają obok nas — nikt nie schodzi poniżej setki. Chyba niczego się nie nauczyli.

— Steve, lepiej się stąd zbierajmy. Mnie to wystarczy. Trudno przewidzieć, kiedy zrobi się korek i możemy nie zdążyć do fotografa.

Wskakujemy więc do samochodu i ruszamy na północ, kontynuując podróż, której Kate, Bert, Dayiel i Mia mieli już nie zakończyć.

Kiedy zatrzymujemy się przed sklepem fotograficznym, jest za dziesięć szósta. Dziewczyny przynoszą negatywy i odbitki kontaktowe. Dają nam także przeglądarkę i szkła powiększające. Tym razem nie popełniliśmy błędów. Steve chce, żebym ja zdecydował, z których zdjęć zamówimy duże odbitki. Nie jestem pewny, o co dokładnie chodziło Bertowi, poza tym że fotografie miały pomóc w walce z wypalaniem pól. Wybieram więc te, które najlepiej pokazują, jak straszliwie zostały okaleczone ich ciała. Zdaję sobie sprawę, że po pogrzebie fotografie będą jedynym dowodem. Za dwa dni odbędzie się kremacja i, z punktu widzenia zwykłych śmiertelników, ciała przestaną istnieć.

Wybieram dwadzieścia zdjęć. Resztę negatywów i próbnych odbitek pakuję do osobnej torebki.

— Czy to zdjęcia ofiar środowej katastrofy na I-5?

— Zgadza się.

Steve patrzy na mnie niepewny, czy powinniśmy im mówić.

— Jesteście z policji? Jak zdobyliście te zdjęcia? Nie mogłam się powstrzymać, żeby ich nie obejrzeć. Są makabryczne.

— Nie jesteśmy z policji. Jestem ojcem tej kobiety i dziadkiem dzieci. Mój przyjaciel jest bratem tego mężczyzny i wujkiem dzieci. Zrobiliśmy te zdjęcia, żeby mieć po nich jakąś pamiątkę.

Dziewczyna patrzy na mnie nieufnie, sprawdzając, czy sobie z niej nie żartuję. Kiedy widzi, że nie, unosi ręce do ust.

— Co za potworna pamiątka! Nie rozumiem, jak mogliście to zrobić. Właśnie mówiłam o tym koleżance, prawda, Diana?

— Cóż, nie było to łatwe, ale w końcu udało się. W pewnym sensie musieliśmy to zrobić. Ile jestem winien za wszystko razem? Świetna robota. Czy mógłbym prosić o jeden rachunek za powiększenia, wywołanie filmów i próbne odbitki? Zapłacę od razu. Po powiększenia mój przyjaciel zgłosi się, kiedy będą gotowe.

Dziewczyna notuje numery wybranych przeze mnie zdjęć. Wszystko razem będzie kosztowało prawie dwieście dolarów. Wyciągam z kieszeni dwa banknoty studolarowe. Zerka na nie podejrzliwie, jakby niepewna, czy są prawdziwe. Po chwili wydaje mi resztę.

— Bardzo nam przykro z powodu tego wypadku. Czy to nie straszne, to wypalanie pól?

— Wiem tylko, że to zabiło moją rodzinę. Tam gdzie mieszkamy, nie dopuszcza się do takich idiotyzmów.

Odwracamy się i wychodzimy. W samochodzie panuje skwar. Jest już szósta wieczorem, a ciągle jest niemiłosiernie gorąco. Bądź co bądź, to sierpień. Opieram głowę o zagłówek. Patrzę przed siebie, ale widzę tylko jakieś szare plamy, rozmazane kontury. Wszystko jednak załatwiliśmy: nagrobek, zdjęcia. Muszę dać Steve'owi pieniądze i mój adres w Paryżu, żeby mi wysłał odbitki. Dzisiaj nie mamy już nic do roboty. Wreszcie mogę odpocząć.

Mam nadzieję, że tej nocy uda mi się zasnąć. Potrzebuję snu. Jestem śmiertelnie zmęczony. Boję się pogrzebu. Mam tylko jeden garnitur, jedną białą koszulę, jeden krawat i jedną porządniejszą parę butów. Strojenie się na rozmaite okazje to nie w moim stylu.

Rozdział IX

Kiedy budzę się rano we wtorek, z dołu dobiegają odgłosy sugerujące, że odbywa się tam jakieś huczne przyjęcie. Czuję się wypoczęty. Obracam się i napotykam wzrok Rosemary.

— Uśmiechałeś się przez sen. Miło cię znowu widzieć w takiej formie.

— A ty dobrze spałaś?

— Jak zabita, ale nic mi się nie śniło, ani Kate, ani nikt inny. Ty wyglądałeś, jakbyś miał wspaniałe sny, jestem pewna, że o nich.

— W ogóle nie pamiętam, co mi się śniło.

Wstajemy z łóżka. Rosemary pierwsza bierze prysznic. Mój zegarek pokazuje dziewiątą — dawno już nie spałem tak długo.

Kiedy schodzę na dół, spostrzegam, że jak wczoraj żywnością, tak dziś cały dom zapełnił się kwiatami. Największy ruch panuje w kuchni. Nie jadłem nic od wczorajszego obiadu, więc jestem wyjątkowo głodny. Przyrządzam sobie jajecznicę z kilkoma plastrami bekonu. Wprawiam Claire w niepomierne zdziwienie, całując ją na dzień dobry. Stale zapominam, że jestem w Oregonie. Gdybym to samo zrobił na ulicy, pewnie zostałbym aresztowany za gwałt albo napastowanie kobiet.

Przy śniadaniu rozmawiamy o muzyce, która będzie towarzyszyć ceremonii. Rosemary chciałaby *Pawanę dla zmarłej infantki* Ravela — ulubioną melodię Kate — ale nikt z nas nie zna tego utworu. Matthew proponuje *Wpuśćcie klownów* — lubili ją oboje z Bertem, w pewnym sensie była to „ich" piosenka. Pamiętam ją z ich wesela.

Jest wśród gości młoda gitarzystka. Oprócz *Klownów* zagra muzykę, którą skomponowała specjalnie dla Berta i Kate. Zdaje się, że w ogólniaku była bliską przyjaciółką Berta. Claire i Jo Ellen chciałyby też coś religijnego, skoro nie będzie mszy pogrzebowej. Proponuję *Stabat Mater*, ale zwycięża *Ave Maria*.

Steve i ja będziemy głównymi mówcami; mamy przemawiać zaraz po przedstawicielu Międzynarodowej Szkoły w Monachium. Uczniowie, nauczyciele i pracownicy administracyjni złożyli się na bilet, żeby mógł wziąć udział w pogrzebie.

W orszaku pogrzebowym nie widzę żadnego z tutejszych dziwacznych samochodów, choć ich ogólna liczba jest zaskakująco duża, jak na takie małe miasteczko. Na czele kolumny jedzie policjant; przez całą drogę do Dallas nie przekraczamy sześćdziesięciu kilometrów na godzinę.

Za sprawą Johna pomieszczenie, w którym odbędzie się ceremonia, jest wspaniale udekorowane. Do wszystkich tych kwiatów dokładamy te, które przywieźliśmy ze sobą. Wchodzimy w milczeniu, parami, Rosemary u mojego boku.

Zajmujemy miejsca. Sala jest pełna, mnóstwo ludzi stoi pod ścianami i w drzwiach. Bert był tutaj bardzo lubiany, także z naszej strony przybyło wielu żałobników, a ponieważ sprawa stała się głośna, wielu przyjechało naprawdę z daleka.

Rozglądam się, wypatrując przedstawicieli władz stanowych czy farmerów, ale nie widzę nikogo takiego. John, właściciel zakładu pogrzebowego, obiecał, że da mi znać, jeśli kogoś rozpozna.

W odpowiednim momencie wchodzi na mównicę i krótko przemawia. Po nim wychodzi Steve i opowiada o swoim starszym bracie. W pewnej chwili prawie zaczyna płakać. Doug, najlepszy przyjaciel Berta, dwumetrowe chłopisko, siedzi w pierwszym rzędzie z twarzą skrytą w dłoniach i rozpaczliwie szlocha. Kiedy Steve kończy, John daje mi znak. Wchodzę na mównicę. Podobnie jak Steve nie mam żadnych notatek.

Zaczynam od tego, że przybywając po raz pierwszy w życiu do Oregonu, wiozę ze sobą wielki smutek. Chowaliśmy nasze dzieci z nadzieją, że nigdy im się nie przydarzy coś tak okropnego. A teraz, w kilka minut, wszystko przepadło. Chciałbym wiedzieć, dlaczego wciąż zezwala się na wypalanie pól. Czy ci, którzy podejmują decyzję, nie obawiają się, że pewnego dnia to oni albo ktoś z ich najbliższych może się znaleźć w jednej z tych trumien?

Oglądam się za siebie, zbierając siły. Jak zdusić w sobie taki żal?

— Dowiaduję się coraz więcej o tych oregońskich uprawach traw. Czytałem gazety, przysłuchiwałem się licznym rozmowom. Prawda jest okrutna. Pytam więc, czy jest na tej sali ktoś, kto mi wyjaśni, dlaczego wciąż się to robi; ktoś, kto stanie w obronie tego obrzydliwego procederu? Jeśli tak, niech powie to teraz albo niech spotka się ze mną po ceremonii.

Nie chcę przemawiać długo, ale chcę im uzmysłowić rozmiary straty, jaką ponieśliśmy. Mówię zwłaszcza o Kate i dzieciach. Opowiadam o jej życiu, potem o jakże krótkim życiu dziewczynek. Mówię też, że zawsze uważaliśmy Berta za członka naszej rodziny: wyglądał jak my, zachowywał się jak my, był po prostu jednym z nas, chociaż nigdy nie zapomniał o swoich oregońskich korzeniach. Szczyciliśmy się nim i oto jaka spotkała go nagroda: został zmasakrowany, spalony i wgnieciony w asfalt tej straszliwej I-5.

— Chociaż ja i moja rodzina, z wyjątkiem Berta, nie jesteśmy Oregończykami, prawie połowa z nas pozostanie tu już na zawsze. Ale nie z własnego wyboru. — Znowu odwracam się i patrzę na udekorowane trumny. — Nasi bliscy będą spoczywać w ziemi Oregonu aż po kres swej materialnej egzystencji. Mam nadzieję, że odpowiedzialni za ich straszną śmierć hodowcy traw, handlowcy i urzędnicy stanowi rozważą wszystko jeszcze raz i zakończą ten skandaliczny proceder. Muszą to zrobić! Coś takiego nie może mieć miejsca w żadnym cywilizowanym społeczeństwie.

Zdaję sobie sprawę, że to ostre słowa, ale przemawia przeze mnie niepohamowany gniew. Nie miałem zamiaru być aż tak bezwzględny.

Każde z naszych pozostałych dzieci, nawet Robert, podchodzi do mównicy, żeby powiedzieć parę słów. Przemawia też kilkoro

Woodmanów. Jo Ellen, chyba jedyna w ich rodzinie praktykująca katoliczka, czyta fragment z Nowego Testamentu. Claire jest zbyt zakłopotana, żeby powiedzieć coś od siebie. Spoglądam na Rosemary, sprawdzając czy nie chciałaby wystąpić, ale ona ma twarz mokrą od łez, uśmiecha się i kręci przecząco głową.

Trumny stoją zaraz za mównicą. Są drewniane, ze zdobieniami. Naturalnie, zamknięte. Mam wrażenie, że są mniejsze niż normalne; ostatecznie, do przechowania tych żałosnych szczątków do czasu kremacji nie potrzeba pełnowymiarowych trumien.

Później przechodzimy trzy ulice dalej, do miejsca, gdzie przygotowano bufet. Zjawia się tam nawet więcej osób niż widziałem na samej ceremonii. Pewnie stali na zewnątrz. John zamontował tam głośniki dla tych, którzy nie dostali się do środka. Po drodze pytam go, czy zauważył kogoś, z kim mógłbym pomówić o wypalaniu pól. Potrząsa głową, że nie.

Po pogrzebie zbieramy się w domu Claire Woodman. Niemal histeryczny nastrój dzisiejszego ranka gdzieś się ulotnił. Wszyscy pakują się, rezerwują miejsca w samolotach, korzystając z jedynego w domu telefonu, i żegnają się. Towarzyszy temu wiele emocji i, jak zawsze przy pożegnaniach, mnóstwo łez. Odnoszę nawet wrażenie, że większość dopiero teraz zdała sobie sprawę z nieodwołalności tego wszystkiego. Steve właściwie nie wysiada z samochodu, po kolei odwożąc gości na lotnisko. Camille i Sam wybierają się do stanu Waszyngton, na wyspę w pobliżu Seattle, gdzie mieszka siostra Sama. Matt i Juliette lecą do swoich przyjaciół, do Filadelfii. Domyślam się, że wszyscy oni szukają teraz jakichś bliskich sobie ludzi, spoza rodziny, z którymi mogliby dzielić swój ból.

Rosemary, Robert i ja wyjeżdżamy ostatni. Staramy się, jak możemy, usunąć ślady pobytu tylu osób w tak ograniczonej przestrzeni. Nie jest jednak aż tak źle, jak sądziłem. Claire chyba w ogóle nie kładła się spać, sprzątając po ostatnim wieczorze.

Pakuję moją torbę, po czym idę do koni. Zawsze zdumiewa mnie ich niesamowita siła i witalność. Nie wiem, na czym to polega, ale w ich łagodności jest równocześnie coś takiego, że znowu się rozklejam. Przytulony do Ginger, mniejszego z dwóch koników, płaczę z nieutulonego żalu. Nie mam pojęcia, ile to trwa, chyba niezbyt długo, ale wydaje mi się, że całą wieczność.

Wycieram twarz i oczy chusteczką, otrzepuję się z siana i końskiej sierści. Jestem gotów. Czuję, jak wzbiera we mnie fala gniewu — na daremność, bezużyteczność tego wszystkiego — i wypiera paraliżujące poczucie straty.

Kiedy wracam do domu, Rosemary, Robert i Steve już czekają. Wszystkie bagaże, również moje, są w samochodzie. Kiedyś powiedziałem, że mógłbym tu zostać, żeby walczyć z farmerami wypalającymi pola. Chyba nikt mi nie uwierzył.

Żegnam się z Claire, Jo Ellen i Dianą. Trzymam się całkiem nieźle, one zresztą też, chociaż pożegnanie odbywa się właściwie bez słów. Steve dzisiaj już po raz czwarty siada za kierownicą. Samolot do Los Angeles mamy o pierwszej. Moja siostra, Jean, i jej mąż, Leo, będą czekać na nas na lotnisku. Chcę podzielić się z nimi tym, co czuję, zwłaszcza z Jean. Sądzę, że Rosemary też tego potrzebuje. Ona i Jean przyjaźniły się jeszcze przed naszym ślubem. Wtłaczam się na tylne siedzenie. Rosemary ogląda oregońskie widoki przesuwające się za szybą. Robert śpi.

CZĘŚĆ TRZECIA

Ugoda

Rozdział X

Lot wydaje się nam bardzo długi, ale w rzeczywistości trwa tylko parę godzin. Rosemary siedzi obok mnie, przy oknie. Samolot jest wypełniony mniej więcej w trzech czwartych.

Przeglądam gazety, w których jest coś na temat wypadku. Wiele artykułów cytuje relacje naocznych świadków. Pierwsze, które czytam, pochodzą ze „Statesman Journal" i „Oregonian". Zawierają podsumowanie akcji ratowniczej: trzydziestu siedmiu rannych, dwadzieścia trzy samochody zniszczone lub uszkodzone, siedmioro zabitych, dwadzieścia osiem osób przewieziono do szpitala w Albany, a nie wymienioną liczbę osób do szpitala w Corvalis. Niewiele jest o stanie rannych. Wciąż jeszcze nie zidentyfikowano wszystkich ofiar śmiertelnych.

Jak się dowiadujemy, wypadek wydarzył się około czwartej po południu. Północną nitkę autostrady międzystanowej nr 5 na przestrzeni kilkuset metrów pokryły szczątki rozbitych i płonących samochodów. Dopiero po północy, osiem godzin później, autostrada znowu została otwarta dla ruchu.

Jestem wstrząśnięty, czytając oświadczenie niejakiego Briana Calligana, szefa Wydziału Środowiska, że wypalanie pól będzie dzisiaj kontynuowane, zgodnie z wcześniejszymi planami, i to zarówno w hrabstwie Linn, jak i wszędzie indziej. Wypadek wydarzył się właśnie w hrabstwie Linn. Stwierdził również, że „Tego dnia ogół warunków był sprzyjający. Wypadek na autostradzie to niewątpliwie godne pożałowania zdarzenie, ale w stanie Oregon farmerzy mają prawo wypalać swoje pola".

Patrzę w sufit, próbując to zrozumieć. Pan Calligan uważa to za „zdarzenie godne pożałowania", ale nie robi nic, aby zapobiec jego powtórzeniu się w przyszłości. Wypalanie pól ma być kontynuowane zgodnie z wcześniejszymi planami.

Earl Swegler, syn Paula Sweglera, który wzniecił pożar, informuje dziennikarzy, że jego ojciec nie będzie z nimi rozmawiał. „Nie sądzę, żeby w tej chwili ktokolwiek mógł się wypowiadać na ten temat".

Oto odpowiedź na moje pytanie, dlaczego nikt odpowiedzialny za ten wypadek nie skontaktował się z nami, żeby złożyć kondolencje. Jeden uważa, że to rzecz „godna pożałowania", drugi, ten, który wzniecił ogień, po prostu nie chce o tym rozmawiać. Dlaczego?

Relacje naocznych świadków.

Opowiada Dale Cronin, który pracuje w pobliskiej fabryce: „Kiedy wyszedłem na zewnątrz, już się paliło. Było tam jakieś dwadzieścia pięć, może trzydzieści osób. Wszyscy krzyczeli: »Z drogi! Z daleka od ognia! Cofnąć się!«"

Niektórych ciężko rannych przeniesiono w cień. Temperatura powietrza, niezależnie od pożaru, sięgała tego dnia czterdziestu pięciu stopni. Pracujący w fabryce przynieśli apteczki, wodę i koce. Kilku lżej rannych przetransportowano do klimatyzowanego biura.

Dowiaduję się także, że w środę, poprzedniego dnia, wybuchły trzy dzikie pożary, nad którymi farmerzy stracili kontrolę. Rzeczniczka biura do spraw wypalania pól w Wydziale Środowiska poinformowała, że hodowcy rajgrasu wypalili trzy tysiące akrów w hrabstwach Benton, Linn, Waszyngton i Yamhill — to wszystko w środę. Od początku tego roku wypalono już osiemnaście tysięcy akrów. Po wtorkowym pożarze pięciu tysięcy akrów w hrabstwie Linn i okolicach Salem do biura wpłynęło już pięćdziesiąt osiem skarg z powodu dymu.

„Wielu ludzi doprowadza to do rozpaczy" — powiedziała rzeczniczka z Wydziału Środowiska. Dodała, że dzikie pożary, często wybuchające podczas wypalania pól, powiększają skalę problemu. Ostatnio zdarzyło się to w hrabstwach Marion, Polk i Yamhill. Porucznik Dale McKinney ze straży pożarnej w McMinnville powiedział, że pożar stu czterdziestu akrów w okolicy Hill Road, na zachód od McMinnville, ubezpieczało pięćdziesięciu strażaków.

Odkładam gazetę. To wszystko wydaje mi się takie nieodpowiedzialne; o tych tragicznych „dzikich pożarach" mówi się jak o zawodach sportowych, z całą tą statystyką zdobytych i straconych punktów.

Biorę do ręki gazetę z następnego dnia. Pierwsze, co rzuca mi się w oczy, to zdjęcie rodziny Kate i Berta. Jakiś dziennikarz musiał je dostać od Woodmanów. Bert i Kate stoją blisko siebie, Bert trzyma Mię, prawie w ten sam sposób, jak wówczas, kiedy przyszedł do mnie na plażę. Dayiel, z tymi swoimi ślicznymi rudawymi loczkami, przyciska się do ich nóg. Wills stoi po drugiej stronie Kate, jej ręka spoczywa na jego ramionach.

Pierwszy raz widzę to zdjęcie. Chłonę je wzrokiem. Czy to możliwe, że ich już nie ma? Obok umieszczono wywiad z rodziną Woodmanów, w którym mowa o tym, że Kate, Bert i obie dziewczynki spłonęli uwięzieni w furgonetce. Dalej oficjalne potwierdzenie przebiegu wydarzeń przez funkcjonariusza policji stanowej w Albany.

Na samej górze olbrzymi nagłówek: TRAGICZNA KATASTROFA KŁADZIE KRES WYPALANIU PÓL!

Czyżby?

Gubernator Neil Silversides zarządził śledztwo; moratorium w tej sprawie ogłoszono na specjalnie zwołanej konferencji prasowej. Moratorium to odpowiednie słowo. Wypadek, w którym zginęli nasi najbliżsi, okazuje się piątą pod względem liczby ofiar katastrofą drogową w historii Oregonu. Policja stanowa przewiduje, że ustalanie przyczyn wypadku może potrwać nawet dwa tygodnie.

Mówi Tom Sims, lekarz: „To sprawa polityczna. To sprawa gospodarcza. Teraz rozumiem, że to również sprawa moralności. Kiedy o tym usłyszałem, pomyślałem, że najwyższy czas, żeby coś zrobić w sprawie wypalania pól. Jednak dla siedmiorga osób jest już za późno. Płakać się chce".

Współczucie tego człowieka sprawia, że mnie też chce się płakać. Odkładam gazetę. Tracę ochotę na dalszą lekturę. Zaczynałem już wierzyć, że w całym Oregonie nikogo to kompletnie nie wzrusza; okazuje się, że kogoś to jednak obchodzi.

Artykuł wstępny usiłuje głębiej zanalizować problem. Zawiera propozycję, żeby na razie, dopóki prawo nie zabrania wypalania pól, obowiązkowe było umieszczanie dużych znaków świetlnych wzdłuż odcinków autostrady, na których istnieje zagrożenie, że dym znad płonących pól spowoduje zmniejszenie widoczności. „Te spektakularne — i budzące powszechny sprzeciw — pożary traktuje się jako stosunkowo tani sposób ochrony pól przed chorobami roślin i owadami. Mają także zwiększać wysokość plonów". Autor artykułu wobec tego pyta, jaki będzie całkowity koszt usuwania skutków ostatniego wypadku; wartość zniszczonego mienia i koszty leczenia poszkodowanych wyniosą prawdopodobnie kilkadziesiąt milionów dolarów, nie licząc cierpienia rannych i zabitych.

Dlaczego ktoś inny miałby to doliczać do swojego rachunku? To rachunek naszej rodziny — teraz już zamknięty.

Co więcej, z powodu rutynowego wypalania pól sytuacja ludzi cierpiących na schorzenia dróg oddechowych od dziesięcioleci systematycznie się pogarsza; przesiąknięte dymem powietrze powoduje kłopoty z oddychaniem nawet u ludzi zdrowych. Ostatni wypadek jest tylko jednym z wielu tego typu. Autostrada zasnuta dymem znad płonącego ścierniska to nader częste zjawisko w Oregonie, a zarazem przyczyna kolejnych wypadków.

Potem autor artykułu przechodzi do sedna sprawy.

Nasiennictwo w Oregonie oznacza biznes. W 1987 roku wartość zbiorów nasion traw i warzyw wyniosła dwieście pięć-

137

dziesiąt milionów dolarów; w tym roku, jak się szacuje, sięgnie trzystu milionów. Pod względem wielkości produkcji nasiennictwo zajmuje w Oregonie piąte miejsce; nasiona są sprzedawane w całych Stanach i w przeszło sześćdziesięciu krajach całego świata. Zdaniem producentów, do stanowej kasy wpływają tym sposobem setki milionów dolarów rocznie. Według danych Uniwersytetu Stanowego w Oregonie sprzedaż nasion stanowi osiem procent handlu produktami rolnymi w tym stanie. W 1988 roku spodziewany dochód hodowców traw wyniesie prawie milion siedemset tysięcy dolarów. Ze względu na coraz wyższe ceny i większe zyski coraz większa liczba farmerów przestawia się na uprawę nasion.

Taki jest wielki biznes — najważniejszy jest zysk, mniejsza o koszty, które ponoszą zwykli ludzie.

Gazeta cytuje Billa Johnsona, od wielu lat zdeklarowanego przeciwnika wypalania pól: „Twierdzenie, że podpalanie ściernisk to jedyny sposób uchronienia pól przed szkodnikami, jest całkowicie fałszywe". Johnson jest prezesem i założycielem organizacji pod nazwą Stop Trującym Wyziewom. „Istnieje więcej niż sto innych sposobów ochrony pól. Jest ich tak wiele, że trzymanie się dawnych metod zakrawa na zwykły skandal. Jedyna możliwość uniknięcia takich potwornych wypadków to zakaz wypalania pól. Koniec i kropka!"

Składam gazety — nie wpływają na poprawę mojego nastroju. Trudno uwierzyć, że to wszystko prawda. A prawda jest taka, że Kate, Bert, Mia i Dayiel nie żyją, skremowani prawdopodobnie jeszcze za życia, w furgonetce. Wszystkie te statystyki, całe to żonglowanie setkami milionów dolarów, jakie przynosi uprawa nasion do obsiewania trawników i stadionów, są przygnębiające. Czy tyle właśnie było warte życie naszej rodziny? Postanawiam, że muszę coś zrobić w tej sprawie — jeszcze nie wiem co — po prostu coś.

Podchodzimy do lądowania. W sali przylotów dostrzegam Jean i Leo wymachujących do nas rękami. Padamy sobie w objęcia, ja z Jean, Rosemary z Leo. Stoimy tak i płaczemy. Robert trzyma się z boku. Leo pierwszy bierze się w garść.

— Zaparkowałem pod zakazem postoju. Chodźmy, bo na domiar wszystkiego będę musiał zapłacić pięćdziesiąt dolarów kary.

Rusza truchtem, nieco kulejąc, ponieważ od dawna ma kłopoty z kolanami. Jean bierze nas pod ręce. Torujemy sobie drogę do wyjścia z lotniska. Z głośników dobiegają informacje o zakazie parkowania. Leo przyprowadza samochód.

Wrzucamy nasze bagaże, po czym sami pakujemy się do środka. Mamy do przejechania spory kawałek drogi — przez góry Santa Monica do doliny San Fernando i dalej, do Canoga Park, gdzie mieszkają Jean i Leo. Rozmowa jakoś się nie klei, ale o czym tu rozmawiać. Zwykle, kiedy się spotykaliśmy, mieliśmy sobie mnóstwo do powiedzenia.

Leo obraca się do mnie.

— Co tak naprawdę stało się w Oregonie, Will? Oglądaliśmy telewizję, czytaliśmy gazety, ale zupełnie nie możemy się połapać, o co w tym wszystkim chodzi.

Oglądam się na Rosemary i widzę, że ona nie chce o tym mówić. Postanawiam spróbować.

— O ile się orientuję, Leo, tego w ogóle nie da się zrozumieć, chyba tylko zakładając, że kryje się za tym chęć zysku i, prawdopodobnie, jakieś polityczne machlojki. Prawie bym wolał, żeby zginęli na wojnie czy coś w tym rodzaju, wtedy miałoby to przynajmniej racjonalne wytłumaczenie.

Jean aż podskakuje.

— Chyba nie mówisz poważnie. Co kto może zyskać na ich śmierci?

Podaję jej gazety, które zabrałem z samolotu.

— Przeczytaj i zapłacz. Ja już dosyć płakałem. Więcej już nie mogę. Trudno ci będzie uwierzyć w to, co przeczytasz, ale przekonasz się, że mam rację.

Opowiadam im o wypalaniu pól i o ogromnych pieniądzach, jakie przynoszą tamtejsze uprawy. Kiedy o tym mówię, brzmi to równie idiotycznie jak wówczas, gdy czytałem o tym w gazetach.

Jean w tym czasie przegląda dzienniki. Widzę, jak robi się blada na twarzy.

— On ma rację, Leo. To nie do wiary, co tu wypisują.

Rosemary patrzy na nas prosząco.

— Zróbcie to dla mnie i zmieńmy temat. Ja już tego dłużej nie wytrzymam. Opowiedzcie mi o swojej rodzinie. Chciałabym wreszcie usłyszeć cokolwiek o żywych.

Zapada cisza, po czym Leo zaczyna opowiadać. A kiedy Leo zacznie opowiadać, nikt nie jest w stanie mu przerwać.

Wylewa z siebie istny potok słów, wszystko obraca się wokół ich dzieci: cała piątka ukończyła uniwersytety, założyła własne rodziny, ma dobrą pracę. Szczegółowo relacjonuje, na czym polega ta praca, jak ją zdobyły, ile zarabiają i czy są zadowolone. To wspaniałe. Rosemary miała rację. Właśnie tego powinniśmy teraz słuchać i o tym rozmawiać. To przynajmniej wprowadza jakiś ład w świecie, który dla nas, w ciągu kilku ostatnich dni, oszalał.

Siedzimy więc i słuchamy. Jesteśmy jak w transie. Patrzę przez okno na samochody poruszające się z rozsądną prędkością, prowadzone przez rozsądnych kierowców. Prawie przez cały czas jedziemy autostradą. Za szybą wszystko wydaje się takie mizerne, suche, wymęczone. Niebo, rośliny, domy, a nawet auta, wszystko tchnie jakąś beznadzieją jak stara kobieta z ufarbowanymi włosami, w pastelowym kostiumie i pstrokatych adidasach zapinanych na rzepy. Mniej więcej tak to właśnie wygląda.

Słyszę, że Jean i Rosemary cicho o czymś rozmawiają. Nie podsłuchuję. Nie słucham również Leo i tylko kiwam głową albo mruczę coś niewyraźnie, kiedy on milknie. Usiłuję odpowiadać na pytania, które mi zadaje. Myślami jednak jestem gdzie indziej.

Stajemy na ich podjeździe. Przez czterdzieści lat, odkąd tu mieszkają, niewiele się zmieniło. Rozrosły się tylko drzewa, trawniki i żywopłoty. Wszystkie te domy zbudowano po drugiej wojnie światowej, dzięki ustawie kombatanckiej. Jean i Leo kupili swój za mniej niż trzynaście tysięcy dolarów, które spłacali przez ponad trzydzieści lat, korzystając z czteroprocentowego kredytu dla kombatantów.

W ciągu tych lat odchowali dzieci i rozbudowali dom, który dzięki ich staraniom ciągle wygląda jak nowy, a nawet lepiej niż wtedy, kiedy go kupili. Ich sąsiedzi robili to samo. Ci ludzie są solą kalifornijskiej ziemi.

Wysiadamy z samochodu i wchodzimy do środka. Zasłony w mieszkaniu są zaciągnięte, niemal doskonałą ciszę mąci tylko szum klimatyzatora. Opadam na krzesło przy kominku.

W dawnym patio mieści się teraz pokój jadalny. Obiad jest już gotowy. Po pobycie w Oregonie mamy jedzenia po dziurki w nosie, ale Jean tak gotuje, że długo się nie opieramy.

Przy obiedzie Rosemary pyta, czy odwiedzimy Willsa. Właściwie nie zdążyliśmy z nim porozmawiać, prosto z Oregonu Danny zabrał go do swojego nowego domu. Chcemy się dowiedzieć, jak to wszystko znosi.

Rosemary dzwoni do Danny'ego i umawiamy się, że przyjedziemy jutro, o jedenastej. Danny i jego żona, Sally, prawdopodobnie będą w pracy, ale Wills ma być w domu. Oboje cieszymy się, mogąc zamienić z nim kilka słów, na razie przez telefon. Tym razem udaje nam się nie rozpłakać. Wills chyba też się cieszy, że zadzwoniliśmy. Później Rosemary opowiada mi, że gdy usłyszał jej głos, krzyknął „mama!" Ona i Kate miały podobne głosy i sposób mówienia. Rosemary potrzebuje kilku minut, żeby przyjść do siebie. Odbieram jej słuchawkę.

— Co słychać, Wills? Chcielibyśmy się z tobą zobaczyć.

— Gdzie jesteście, dziadku? W New Jersey czy w Oregonie?

— Jesteśmy bardzo niedaleko, w Kalifornii.

Rosemary tymczasem wzięła się w garść i przejmuje słuchawkę. Podchodzę do drugiego aparatu i słyszę, jak mu mówi, że chcemy do niego przyjechać. Wills jest zdziwiony, że znamy jego adres. Rosemary na wszelki wypadek jeszcze raz ustala wszystkie szczegóły. Wills zapewnia, że Danny i Sally nie mają nic przeciwko naszej wizycie. Opowiada nam o swoim psie, który wabi się Trooper. Trajkocze o tym, co Trooper potrafi, i o swoim nowym pokoju. Później żegnamy się i odkładamy słuchawki. Rosemary wciąż ma łzy w oczach.

Po obiedzie dzwonię do Woodmanów. Od Claire dowiaduję się, iż gubernator ogłosił, że zamierza wycofać moratorium, i że za kilka dni farmerzy znowu zaczną wypalać pola. Nie wierzę własnym uszom.

Chcę osobiście porozmawiać z gubernatorem, wiem jednak, że nie mogę zrobić tego przez telefon. Nie teraz. Jestem jeszcze zbyt wytrącony z równowagi. Poza tym zwykle komunikuję się z ludźmi pisząc. Przez dwa dni układam list. Już samo pisanie o tym, co przeżyliśmy, o naszych uczuciach, przynosi ulgę. Potem drę wszystko na strzępy. Wciąż za mało wiem o tym, co się właściwie wydarzyło. Wysyłanie tego listu tylko po to, żeby poprawić sobie samopoczucie, nie wydaje mi się rozsądnym posunięciem.

Następnego dnia Wills czeka na nas na schodach przed domem. Rosemary wyskakuje z samochodu, zanim na dobre się zatrzymaliśmy, i biegnie mu na spotkanie. Uściskom nie ma końca. Potem przychodzi moja kolej. Wills jest bardzo uczuciowym dzieckiem, mocno mnie obejmuje, tuląc twarz do mojego brzucha. W końcu wyzwalam się z jego objęć i wszyscy wchodzimy do środka. Po drodze Jean i Leo również go wyściskują. Chłopiec ociera oczy grzbietem dłoni.

Mimo to wspaniale wywiązuje się z roli gospodarza; prowadzi nas do saloniku, jadalni i kuchni, a później, z dumą, do swojego pokoju na piętrze, idealnego pokoju dla chłopca w jego wieku. Stąd przechodzimy do patio, żeby przywitać się z Trooperem, jego psem, który jest tak podekscytowany, że skacze między nami jak szalony. Wills pokazuje nam, jak Trooper na jego komendę siada, podaje łapę i służy. Po chwili znowu zaczyna płakać. Schodzimy z powrotem na dół.

Wills mówi, że jego tato i mama wrócą dzisiaj wcześniej, żeby się z nami zobaczyć. Robi mi się przykro, kiedy słyszę, że żonę Danny'ego nazywa swoją mamą. Ludzie bywają zazdrośni nawet o umarłych. Wiem, że powinienem cieszyć się, że Sally może zastąpić mu matkę, jednak nie umiem sobie z tym poradzić.

Rozmawiamy o wszystkim i wszystkich, tylko nie o Kate i dziewczynkach. Wills opowiada nam o Johnnym, swoim młodszym braciszku, który o tej porze jest ze swoją nianią. Chwali się swoimi rysunkami i pokazuje, jak pisze na komputerze. Co pewien czas podbiega do Rosemary, która siedzi na kanapie, i tuli się do niej. Rozglądam się po mieszkaniu. Jest zadbane. Ściany są pomalowane na biało lub kremowo i ożywione mnóstwem sztucznych i naturalnych kwiatów. Mam nadzieję, że Wills będzie tutaj szczęśliwy. Wszystko wygląda tu inaczej niż w domu Berta i Kate. Tam zawsze panował bałagan.

Wills wygląda na szczęśliwego. Ostatecznie już od kilku lat jest to jego drugi dom. Skoro więc musiało dojść do tej tragedii, nie mógł lepiej trafić. Wciąż przyłapuję się na myśli, jakby tu go wykraść i zabrać do siebie.

Akurat wtedy w drzwiach stają Danny i Sally. Wszyscy ściskamy się i płaczemy. Ile czasu upłynie, zanim spotkanie kogoś bliskiego przestanie być tak bolesne? Rozmawiamy o Willsie, o tym, jak się adaptuje w nowym środowisku. Uważają, że całkiem dobrze, chociaż wciąż budzi się w nocy z płaczem.

Sally częstuje nas ciastem, które sama upiekła, i lodami. Pytamy, czy Wills mógłby przyjeżdżać do nas na wakacje. Danny i Sally wymieniają szybkie spojrzenia. Okazuje się, że jeszcze nie zdecydowali, co zrobią w czasie wakacji — oboje pracują na pełnych etatach — i zastanawiali się nawet, czy w przyszłym tygodniu nie wysłać Willsa na obóz.

Zapewniamy, że chętnie weźmiemy go do siebie albo do Ocean Grove, albo do młyna. Rosemary dodaje, że koszty biletu w obie strony bierzemy na siebie. Danny i Sally porozumiewają się wzrokiem i wygląda na to, że nasze argumenty trafiają im do przekonania. Obiecują wkrótce nas powiadomić o ostatecznej decyzji.

Sally mówi, że jest jeszcze jedna sprawa, o której chciałaby z nami porozmawiać.

— Wiecie, że pracuję w firmie prawniczej. Opowiadałam znajomym o tym, co się stało. Bardzo nam współczują i w ogóle, ale martwią się, że możemy mieć poważne kłopoty. Wszyscy będą się teraz procesować na lewo i prawo.

Przez chwilę nikt nic nie mówi. Rosemary pochyla się do przodu.

— Dlatego, że Kate, Bert, Dayiel i Mia zginęli, ktoś ma nas teraz podać do sądu? Nie rozumiem.

— Wiem, że to brzmi okropnie, ale tak naprawdę nie wiadomo, kto na kogo wjechał w tym dymie, i na pewno wszyscy zaczną się nawzajem oskarżać. My z Dannym skorzystamy z usług firmy prawniczej z Oregonu, która nazywa się Baker, Ford. W mojej firmie uważa się, że to najlepsi tamtejsi specjaliści od takich spraw. Zgadzają się pracować na procent i biorą tylko jedną czwartą sumy określonej w ugodzie. Jeśli chcecie, możemy ich z wami skontaktować.

Słucham tego, co mówi Sally, i zastanawiam się, co to ma wspólnego z nami.

— Ależ, Sally, my nie zamierzamy nikogo podawać do sądu, więc nie będzie żadnej ugody. Naprawdę nie możemy bronić się sami tak, żeby nikogo innego nie oskarżać? Nie mam ochoty na użeranie się z prawnikami.

— Oczywiście możecie, ale to was będzie kosztować masę pieniędzy. Żadna firma nie zechce pracować na procent, jeśli nie będzie mogła na tym dobrze zarobić. Tak to już jest.

— Boże, niedobrze mi się robi, jak słucham takich rzeczy.

Patrzę na Rosemary, która tylko wzrusza ramionami. Obraca się do Sally.

— Mogłabyś poprosić tych ludzi, żeby się z nami skontaktowali? Masz nasz adres w New Jersey, prawda? Tam będziemy się nad tym zastanawiać. Może wspólnie to załatwimy.

— Mam wasz adres. Myślę, że to dobry pomysł, zapytajcie zresztą waszych znajomych prawników. Macie dostatecznie duży majątek, żebyście czuli się zagrożeni. Nie jesteście może bardzo nadziani, ale wystarczająco nadziani. A na takich się poluje.

Zbieram się do wyjścia; tego już dla mnie za wiele. Rosemary też wstaje. Żegnamy się z Dannym i Sally. Oboje mocno ściskamy Willsa. Mój spokój znowu wali się w gruzy.

Następnego dnia wracamy do naszego małego domku w Ocean Grove. Kiedy docieramy na miejsce, jest pora kolacji. Chociaż jedliśmy już w samolocie, trzymając się dawnych przyzwyczajeń, chcemy posiedzieć trochę na werandzie. W lodówce znajduję ser i butelkę wina. Z początku jemy w milczeniu, potem zaczynamy rozmawiać. Rosemary napełnia kieliszki.

— Wracamy do domu, do Francji — pytam — czy zostaniemy tutaj do końca miesiąca? Ja chyba już tutaj nie wytrzymam.

— Myślę, że powinniśmy zostać i spędzić tę resztę miesiąca, jak gdyby nic się nie wydarzyło. To będzie trudne i pewnie oboje ciągle będziemy płakać, ale to najlepsze rozwiązanie.

Milknie. Dochodzę do wniosku, że ma rację. To będzie niełatwe, ale gdzieś w końcu musimy uczynić ten pierwszy krok i najlepiej zrobić to w miejscu, w którym rozpoczął się dla nas ten koszmar. Rosemary pochyla się w moją stronę.

— Uważam, że jutro powinniśmy wziąć rowery i pojechać na promenadę.

Kiwam głową. Coś mnie dławi w gardle. Po chwili odzyskuję mowę.

— Masz rację. Tak będzie najlepiej. A co z Robertem?

— Da sobie radę, jak zawsze. Prędzej lub później będzie chciał porozmawiać z nami, czy też z jednym z nas. Przypuszczam, że to będziesz ty.

Znowu kiwam głowę i pakuję sobie do ust kawałek sera. Zaczyna się szarówka; słońce zdaje się zachodzić dokładnie na końcu naszej ulicy. Rosemary patrzy mi w oczy. Czuję, że powinienem coś powiedzieć, coś zrobić.

— Masz ochotę na spacer?

Resztkę sera i opróżnioną w połowie butelkę wina odnosimy do kuchni. Po drodze patrzę na miejsce, w którym tamtego dnia siedziałem na podłodze, z głową opartą o kanapę. Już nigdy nie będę oglądał meczu z tego miejsca. Możliwe, że w ogóle już nigdy nie będę oglądał żadnego meczu. Kate zawsze uważała, że to głupie przesiadywać przed telewizorem, kiedy wieczory są takie piękne.

Kiwam się na bujanym fotelu, póki nie słyszę, że Rosemary schodzi na dół. Wychodzi pierwsza, ja zatrzaskuję drzwi. Czy zawsze już wszystko będzie mi ich przypominać, nawet zwyczajne trzaśnięcie drzwi?

Prawie nie rozmawiamy. Omijamy z daleka Asbury Park, żeby nie spotkać kogoś ze znajomych. Oboje nie mamy na to ochoty. Zatrzymujemy się i patrzymy na ocean. Powierzchnia wody już się wygładza. Bierzemy się za ręce.

W drodze powrotnej Rosemary mówi, że, jej zdaniem, powinniśmy skorzystać z rady Sally. Zgadzam się, ale tylko kiwam głową. Kate byłaby wstrząśnięta wiedząc, że z jej powodu potrzebujemy prawnika. Zawsze starała się nie przysparzać nikomu kłopotów. Bert pewnie też by się zmartwił. Skoro jednak musimy to zrobić, to im prędzej, tym lepiej.

— Nie przejmuj się tym tak bardzo, kochanie. I tak mamy dosyć zmartwień. Zróbmy, co trzeba, a przede wszystkim spróbujmy jakoś żyć, mimo wszystko cieszyć się życiem. Co powiesz na partyjkę tenisa, jutro, powiedzmy, o siódmej rano, jak wtedy, kiedy po raz pierwszy uczyłeś mnie odbijać piłkę?

Patrzę na Rosemary — moją żonę. Jest w niej coś cudownego, a zarazem tajemniczego. Jest taka dzielna, za nas oboje. A przecież wiem, że w głębi ducha cierpi bardziej niż ja.

— Jak ty to robisz, Rosie? Skąd bierzesz tyle sił?

— Pomyślisz, że to niemądre, ale obliczyłam sobie, że w Oregonie mieszkaliby przynajmniej dwa lata, więc nie widzielibyśmy się z nimi przez te dwa lata, skończyłoby się na listach, paru telefonach. Poza tym nie zapominaj, że oboje chcieli uczyć gdzieś w południowo-wschodniej Azji. Wiesz, jak Bertowi się tam podobało. To byłyby kolejne trzy lata. Tak więc, przez najbliższe pięć lat mogę wmawiać sobie, że tam właśnie są. Mogę pisać do nich listy, nawet dzwonić. Po prostu będę mówiła do słuchawki, ale nie wykręcę żadnego numeru. Mogłabym też wysyłać im walentynki, kartki na Boże Narodzenie i jajka na Wielkanoc. Nie patrz tak na mnie. Przecież nie zwariowałam. Zapytałeś, to odpowiadam. Tak właśnie zrobię. W historii ludzkości listy odegrały ogromną rolę, również te, które pozostały bez odpowiedzi. Jakoś się z tym pogodzę. Pomyśl o Benjaminie Franklinie, twoim idolu.

Ryczę jak bóbr. Mocno przytulam Rosemary. Powinienem się domyślić. To jej wypróbowany sposób: niczemu nie zaprzeczać, a wszystko uczynić grą wyobraźni, dokonać prywatnej rekreacji. Szkoda, że ja tak nie potrafię. Wiem, że ja wybiorę inny sposób. Opiszę to, co się wydarzyło, i to, co czuję. Ale jeszcze nie teraz. Najpierw to wszystko musi się skończyć; zanim będę mógł z tym żyć, muszę poczuć, że otrzymałem zadośćuczynienie, że wynikło z tego coś trwałego, rzeczywistego i pozytywnego. W naszej rodzinie to ja, pisarz i malarz, trzymam klucze od sejfu wyobraźni, ale tym razem Rosemary przejęła moją rolę.

Znowu mam kłopoty z mówieniem. Czy to mi tak zostanie? Czuję się jak jakiś cholerny neurotyk. Odczekuję kilka minut. Idziemy obejmując się. Przyglądam się Rosemary.

— Okay, zgadzam się.

— O czym ty mówisz?

— Mówię, ża zgadzam się na partyjkę tenisa. I zgadzam się na to całe szaleństwo: na udawanie, że oni wcale nie odeszli i tylko czekają na okazję, żeby nas tu odwiedzić. Jakoś się do tego przyzwyczaję.

Znowu bierzemy się za ręce. Rozmawiamy o wszystkich rzeczach pod słońcem czy raczej księżycem, oprócz wypadku. Niezależnie od siebie podjęliśmy identyczne decyzje. Najgorsze już się stało. Gorzej będzie tylko wówczas, kiedy dopuścimy, żeby zrujnowało to nasze życie, życie naszych pozostałych dzieci i naszych przyjaciół.

Następnego ranka, o siódmej, gramy w tenisa. Rosemary wygrywa seta sześć do czterech. Gra jak szatan. Jej zazwyczaj słaby serwis dziś staje się niemal atomowy, a przynajmniej tak mi się wydaje. Później bierzemy rowery i jedziemy do Spring Lake, a potem jeszcze na drugi koniec Asbury i z powrotem — w sumie ponad piętnaście kilometrów. Podczas jazdy prawie nie rozmawiamy.

Pod strojami tenisowymi mamy kostiumy kąpielowe i zaraz po powrocie wskakujemy do oceanu. Ratownicy dopiero ustawiają platformy obserwacyjne. Jeden z nich, Dave, mąż Bobbie, podchodzi do nas. Bobbie to jedna z tych osób, które były z nami tamtego okropnego wieczoru.

Jest skrępowany tak samo jak my. Składa nam kondolencje. W oczach tego olbrzyma dostrzegam łzy. Ma co najmniej metr dziewięćdziesiąt wzrostu i musi ważyć ponad sto kilogramów. Wyduszamy z siebie kilka pocieszających słów. Wycieramy się, wsiadamy na rowery i wracamy do domu. Idę na górę, żeby się przebrać. Po drodze zaglądam do pokoju Roberta. Śpi. Nie mam zamiaru go budzić. Zastanawiam się, czy kiedykolwiek przyszło mu do głowy, jak bardzo sen jest podobny do śmierci. Może gdyby to wiedział, nie spałby tyle. A może właśnie dlatego to robi.

Rozdział XI

Mija dzień, potem następny i jeszcze następny, aż kończy się tydzień. Jak dotąd nie miałem żadnej wiadomości od gubernatora Silversidesa ani w ogóle od nikogo z władz stanowych Oregonu. Dzwonię do Woodmanów, żeby się dowiedzieć, czy może z nimi ktoś się skontaktował, ale okazuje się, że też nie; odnoszę przy tym wrażenie, że w ogóle na to nie liczyli.

Telefonuję do informacji i proszę o numer do biura gubernatora. Nie jestem pewny, czy dobrze robię. Tyle czasu mieszkałem za granicą, że mogę nie wiedzieć, jak się teraz w Ameryce załatwia takie sprawy.

Rozmawiam z sekretarką, która informuje mnie, że gubernator jest chwilowo nieobecny. Zapisuje moje nazwisko, adres i numer telefonu i obiecuje, że gubernator oddzwoni. Mówię, że pod tym adresem i numerem telefonu będę już tylko przez tydzień, potem wyjeżdżam do Francji. Podaję numer w Paryżu. Zapewnia, że gubernator skontaktuje się ze mną. Odkładam słuchawkę, po czym dzwonię pod prywatny numer gubernatora. Tutaj nikt się nie zgłasza, nawet automatyczna sekretarka. Rosemary patrzy na mnie jak na wariata. Nic nie mówię; doskonale wiem, co by mi powiedziała, gdybym odezwał się choć słowem.

Idę na poddasze, gdzie znajduje się mój warsztat pisarski. Mam notatki do listu, który napisałem w Kalifornii, i trochę dodatkowych informacji zebranych od tamtego czasu. Piszę nowy list do gubernatora Silversidesa. Jadę na rowerze na pocztę i nadaję go jako polecony. Zaczynam się czuć jak chłopiec wpychający zabazgrane kartki do butelki i rzucający je do morza.

Na dwa dni przed wyjazdem dostajemy telefon z firmy prawniczej Baker, Ford, którą poleciła nam żona Danny'ego. Dzwoni kobieta, nazywa się Mona Flores. Tłumaczę jej, że wyjeżdżamy z kraju. Odpowiada, że jeśli chcemy, prześle nam ekspresem kopię umowy, jaką Danny i Sally sporządzili na rzecz Willsa. Powinna dojść następnego dnia.

Nadal nie jestem pewny, czy chcę to zrobić. Nie mam zamiaru z nikim się procesować.

— A ty, Rosemary, chcesz kogoś pozwać do sądu?

Kręci głową, że nie.

W kącikach jej oczu błyszczą zaledwie dwie małe kropelki. Może wyczerpaliśmy już cały przysługujący nam zapas łez.

— Posłuchaj, Will. Słyszałam, gdzie dzwoniłeś. Wiem, że jesteś wściekły i że chciałbyś jakoś powstrzymać to głupie wypalanie pól. Wszystko to rozumiem. Znam ciebie. Ja też nie chcę się procesować, ale przychodzi mi do głowy taka rzecz. Jeśli będą musieli zapłacić wysokie odszkodowania, nam i rodzinom innych ofiar, wówczas wzrosną ich stawki ubezpieczeniowe. Może wtedy dwa razy pomyślą, zanim znowu podpalą ścierniska albo przynajmniej będą bardziej ostrożni.

— A co zrobimy z tymi pieniędzmi? Jeśli to będzie duża suma, możemy zmarnować życie naszym dzieciom. Podoba mi się tak, jak jest, nie chcę niczego zmieniać.

— A co z Willsem? Chyba są mu coś winni. Naturalnie nikt nie zdoła wyrównać poniesionych strat, mimo to są mu coś winni. Myślę też, że niepotrzebnie martwisz się o dzieci. Akurat pod tym względem wszystkie są całkiem rozsądne. I zawsze mogą zrezygnować.

Pomysł uczynienia czegoś, co sprawi, że farmerzy dobrze się zastanowią, zanim znowu podpalą ścierniska, trafia mi do przekonania.

Nazajutrz przychodzi list. Baker, Ford będzie nas reprezentować w sprawie o spowodowanie „niezawinionej śmierci" Kate,

Berta, Mii i Dayiel. Honorarium ma wynieść dwadzieścia pięć procent sumy określonej w ugodzie, plus koszty własne: opłaty sądowe, wynajęcie biegłych, podróże i tak dalej. Cały dokument stanowi misterną konstrukcję zbudowaną z podejrzeń, braku zaufania oraz przewidywania każdej ewentualnej korzyści i wszelkiej możliwej nieuczciwości. Ostatecznie jednak takie jest prawo, a oni są prawnikami.

Kłopoty to ich specjalność.

Podpisujemy umowę pod datą 24 sierpnia 1988; dokładnie w trzy tygodnie po wypadku i na dzień przed wyjazdem do Francji.

Kiedy z powrotem wprowadzamy się do naszego pływającego domu we Francji, proszę Bakera, Forda o wysłanie nam kopii raportu policyjnego z miejsca wypadku. Przesyłka nadchodzi w pierwszych dniach września. Raport został sporządzony przez sierżanta Richarda Corrigana z policji stanowej w Oregonie. Czytam go od deski do deski, targany na przemian przez żal i niedowierzanie.

Z raportu wynika, że 3 sierpnia, o godzinie 3.52 po południu posterunek w Albany otrzymał wiele zgłoszeń informujących o poważnej kolizji drogowej i towarzyszącym jej pożarze. Sierżant Corrigan, sierżant Steels i starszy szeregowy Tommy Nelson natychmiast wyjechali na miejsce wypadku i dotarli tam dwadzieścia osiem minut później. Północna nitka autostrady stała w ogniu. Płonęło sześć czy siedem samochodów osobowych i jedna duża ciężarówka. Na północ od miejsca, w którym doszło do kolizji, kilka innych samochodów i ciężarówek zatrzymało się albo wywróciło. W ich pobliżu siedziało lub leżało około dziesięciu rannych. Pierwszej pomocy udzielali przypadkowi świadkowie wypadku.

Sierżant Corrigan natychmiast poprosił o wysłanie na miejsce zdarzenia wszystkich dostępnych wozów strażackich i karetek pogotowia ratunkowego. Powiadomiono prokuratora okręgowego i inspektora sanitarnego hrabstwa Linn.

Następnie raport wylicza wszystkie samochody i osoby biorące udział w wypadku. Na skutek pożaru zniszczeniu uległo siedemnaście pojazdów.

Furgonetkę, w której znajdowali się Kate, Bert i dzieci, raport określa jako „obiekt 19". Została uszkodzona w trzech miejscach. Zgodnie z raportem, „pierwsze bardzo poważne uszkodzenie obejmuje przód pojazdu, prawy przedni błotnik i prawe drzwi". Tam siedziała Kate. Moje biedactwo. „To uszkodzenie — stwierdza się w raporcie — jest rezultatem zderzenia z obiektem 5, na który furgonetka została zepchnięta przez obiekt 18". Obiekt 18 to osiemnastokołowa ciężarówka, która uderzyła w samochód Kate i Berta od tyłu. Obiekt 5 to pojazd jadący po sąsiednim pasie, na który osiemnastokołowiec zepchnął furgonetkę.

Mniejsze uszkodzenie, powstałe na skutek zderzenia z innym pojazdem, obiektem 20, stwierdzono również w lewej przedniej części obiektu 19. Trzecie bardzo poważne uszkodzenie obiektu 19 obejmuje tył pojazdu oraz oba tylne koła. Powstało w wyniku najechania obiektu 18 na tył, a potem na dach obiektu 19.

Tam w specjalnych fotelikach, przypięte pasami, znajdowały się Mia i Dayiel. Żadne pasy bezpieczeństwa nie mogły ich uchronić przed impetem i masą osiemnastokołowej ciężarówki, która wjechała na nie, miażdżąc dach furgonetki.

Następnie raport stwierdza: „Wszyscy czterej (4) pasażerowie obiektu 19 zostali znalezieni martwi. Pojazd uległ rozległym uszkodzeniom na skutek pożaru i TA SAMA PRZYCZYNA SPOWODOWAŁA ŚMIERĆ CZWÓRKI PASAŻERÓW". Fragment, który specjalnie przepisałem dużymi literami, to informacja, której miałem nadzieję nigdy nie przeczytać. Zazwyczaj ludzi cieszy świadomość, że ktoś zginął na miejscu. W tym wypadku, jak wszystko wskazuje, Kate, Bert i dziewczynki zostali straszliwie okaleczeni i zmiażdżeni przez uderzenie, ale wciąż żyli i może nawet byli przytomni, kiedy palili się żywcem.

„Wskutek uderzenia w tył furgonetki, obiekt 19 najechał na dach tego pojazdu". Bert musiał być śmiertelnie przerażony, kiedy usiłował zjechać z prawego pasa na pobocze, nie widząc nic poza reflektorami wielkiej ciężarówki świecącymi tuż za nim poprzez ścianę żółtego dymu.

To uderzenie spowodowało natychmiastowe zapalenie się obu pojazdów. Obiekt 18 zepchnął obiekt 19 na obiekt 5... Obiekt 19 miażdżony i popychany przez obiekt 18 uderzył w tył obiektu 5, obracając go lekko w kierunku przeciwnym do ruchu wskazówek zegara...

Wszystkie następujące po sobie kolizje zostały spowodowane przez obiekt 18. Równocześnie ogień zaczął się rozprzestrzeniać tak gwałtownie, że zapaliły się kolejne pojazdy. Bardzo wysoka temperatura wytworzona przez pożar przyczyniła się do powstania głębokich i rozległych pęknięć w betonowej nawierzchni autostrady.

Raport policji dalej opisuje poszczególne fazy karambolu, do którego doszło w kompletnych ciemnościach spowodowanych gęstym dymem. To już przekracza moją wytrzymałość. Składam kartki i siedzę jak odrętwiały.

Może Rosemary ma rację i powinienem dać sobie z tym spokój: na razie i tak nie mogę nic zrobić. A jednak nie mogę zrezygnować — jestem to winien Bertowi. Bez względu na koszty muszę zrobić wszystko, co w mojej mocy, żeby coś podobnego nie przydarzyło się komuś innemu.

Przerzucam protokół z oględzin lekarskich dołączony do raportu policyjnego. Wykonano między innymi testy na zawartość alkoholu we krwi. W przypadku Kate (wtedy jeszcze nazywanej „nie zidentyfikowanym pasażerem płci żeńskiej") stwierdzono brak alkoholu we krwi i osiemnaście procent zawartości tlenku węgla. U Berta, „nie zidentyfikowanego kierowcy płci męskiej", zerowy poziom alkoholu i trzynaście procent zawartości tlenku węgla. Dayiel i Mia nie zostały poddane testowi. Podobnie jak żaden inny kierowca! Po prostu nie do wiary.

Kartkuję raport w poszukiwaniu personaliów kierowcy osiemnastokołowca, obiektu 18. Nazywa się Alex Chronsik. Nie zrobiono mu testu na zawartość alkoholu we krwi albo, jeśli taki test przeprowadzono, nie wspomina się o nim w raporcie.

Zgodnie z jego wstępnymi wyjaśnieniami złożonymi sierżantowi Carriganowi, Chronsik jechał na północ, po prawym pasie autostrady I-5. W momencie, kiedy wjechał w strefę dymu, szybkościomierz pokazywał, zeznał, sześćdziesiąt kilometrów na godzinę. Początkowo widoczność utrzymywała się w granicach stu do stu pięćdziesięciu metrów. Widział płonące ścierniska i był pewny, że szybko znajdzie się poza rejonem zagrożenia. Wkrótce jednak dym stał się taki gęsty, że Chronsik nie widział już nawet maski swojej ciężarówki, wtedy zwolnił do trzydziestki. Włączył reflektory i światła awaryjne. Uderzył w coś, ale nie widział w co, i wówczas pokazały się płomienie. Wyskoczył z kabiny. Nie był ranny. Uciekł, podczas gdy Kate, Bert i dzieci byli uwięzieni pod jego ciężarówką! Według świadków wrócił potem do wozu, żeby coś stamtąd zabrać. Chronsik z początku się do tego nie przyznawał. Później zeznał, że chciał wymontować wykrywacz radaru.

Ściągam z raportu spinacze i luźne kartki wieszam na ścianach pracowni. Kolejne dni spędzam, wędrując po pokoju, czytając zeznania naocznych świadków, przepisy regulujące wypalanie pól oraz wyjaśnienia Sweglera i jego syna w sprawie tego konkretnego pożaru, który wymknął się im spod kontroli. Wszystko wydaje mi się takie bezsensowne, lekkomyślne i niepotrzebne.

Uznaję, że najwyższy czas napisać nowy list do gubernatora.

Szanowny Panie Gubernatorze

Dzisiaj mijają dwa miesiące od dnia, kiedy pochowaliśmy naszą córkę, Kathleen, jej męża, Berta, i ich dwie córeczki, Dayiel i Mię, nasze jedyne wnuczki.

Za tydzień powinniśmy obchodzić trzydzieste szóste urodziny Kathleen. Chcieliśmy zrobić jej niespodziankę i polecieć tego dnia do Oregonu. Tymczasem polecieliśmy do Oregonu dwa miesiące wcześniej, żeby ją pochować.

Wstrzymywałem się z napisaniem tego listu, chcąc zebrać możliwie najwięcej informacji na temat tej straszliwej katastrofy, w której zginęli nasi bliscy.

Nasi prawnicy w Oregonie przestrzegali nas przed pisaniem do Pana czy do kogokolwiek innego w sprawie tego wypadku, czasem jednak nad wymogami procedur prawnych biorą górę zwyczajne ludzkie uczucia.

Wciąż czekam, że ktoś kompetentny wyjaśni nam, co się tak naprawdę wydarzyło i dlaczego. Spodziewałem się telefonu lub listu z wyrazami współczucia z Wydziału Środowiska, Wydziału Drogowego, z policji czy też od samego gubernatora. Miałem nadzieję, że skontaktuje się z nami Paul Swegler, który wzniecił ten pożar, albo przedstawiciel związku hodowców nasion. Nic takiego nie nastąpiło. Wspominałem już, że podczas samej ceremonii, o której w Dallas było głośno, prosiłem właściciela zakładu pogrzebowego, żeby powiadomił mnie, jeśli zobaczy reprezentanta którejkolwiek z wymienionych wyżej instytucji. Nikt jednak się nie pojawił.

Później dowiedziałem się, że najprawdopodobniej odradzili im to ich prawnicy.

Przecież, Panie Gubernatorze, wyrazy współczucia nie są równoznaczne z przyznaniem się do winy.

Niewątpliwym oskarżonym w tej sprawie jest proceder wypalania ściernisk. Fakt, że Paul Swegler spowodował śmierć siedmiu i obrażenia u trzydziestu pięciu innych osób, nie łamiąc przy tym żadnego z przepisów regulujących wypalanie pól, jest kompromitacją tychże przepisów. Nieważne, jakie obostrzenia wprowadzi teraz Wydział Środowiska. „Kontrolowane pożary" nie staną się przez to mniej niebezpieczne. Nawiasem mówiąc, Sąd Najwyższy stanu Oregon wydał orzeczenie, w którym wypalanie pól określił jako „nadzwyczaj niebezpieczne". A jednak wciąż to się robi.

Jest to plama na honorze całego Oregonu, skądinąd znanego ze swojej troski o środowisko.

Panie Gubernatorze, jak Pan wytłumaczy fakt, że nie zaprzestano jeszcze tej szkodliwej działalności? Wbrew twierdzeniom hodowców nasion powoduje to wyjałowienie gleby. Wypalanie ściernisk prowadzi do zachwiania proporcji między zawartymi w glebie związkami azotu i fosforu. Ziemia uprawna potrzebuje więcej azotanów niż fosforanów. Każdego lata dym znad wypalanych pól niczym smog wypełnia dolinę Willamette. Stanowi zagrożenie dla zdrowia i samopoczucia mieszkańców tych okolic. Zarówno dym, jak i wypalone połacie ziemi szpecą krajobraz. Ten piękny zakątek jest dewastowany przez nielicznych i w imię zysku nielicznych, za to z krzywdą dla wielu.

Pan, Panie Gubernatorze, może położyć temu kres. Wystarczyłoby jedno Pańskie słowo. Dlaczego Pan tego nie robi? Czy tych samych, ekonomicznych argumentów użyłby Pan w obronie producentów marihuany lub kokainy? Ich uprawy również przyniosłyby ogromne zyski, spowodowałyby tylko innego rodzaju zagrożenia. Niech Pan wypowie to słowo, Panie Gubernatorze!

Trzeba jedynie zakazać wypalania pól i pomóc hodowcom traw w znalezieniu jakiejś alternatywy dla tych bezmyślnych praktyk, które niszczą i profanują wasz piękny stan. Nie dopuśćmy, aby jakaś następna rodzina musiała doświadczyć tego smutku i żalu, które stały się naszym udziałem.

Załączam zdjęcia zwłok naszych dzieci wykonane w kostnicy w Dallas oraz fotografie pochodzące z lepszych czasów. Mam nadzieję, że dadzą Panu pewne wyobrażenie o tym, co straciliśmy. Sądzę, że lepiej niż jakiekolwiek statystyki pomogą Panu zrozumieć, o co toczy się gra.

Niecałe dwa tygodnie później, 15 października, zadzwonił do mnie Bill Buchs, Sekretarz Rolnictwa stanu Oregon. Telefonuje tylko po to, żeby nam złożyć, w imieniu własnym i gubernatora, kondolencje w związku ze śmiercią naszych bliskich. Nie zamierza występować w niczyjej obronie ani niczego tłumaczyć.

Zadaję mu jednak tyle pytań, że nasza rozmowa przeradza się w blisko dwugodzinną dyskusję. Na koniec Buchs mówi, że muszę brać pod uwagę mentalność oregońskich farmerów, którzy z zasady są przeciwni wszelkim zmianom, a przede wszystkim nie lubią, jak ktoś ich poucza, co mają robić. Pytam, czy to nie on, jako Sekretarz Rolnictwa, odpowiada za to, żeby farmerzy zmienili swoje przyzwyczajenia, jeśli szkodzą one dobru publicznemu. Buchs daje wymijającą odpowiedź. Stwierdza, że Oregończycy są po prostu uparci. Wtedy włącza się Matt, który przysłuchiwał się naszej rozmowie z drugiego telefonu.

— Panie Buchs, mówi Matt Wharton, brat Kate. Jestem biologiem, skończyłem Trinity College w Dublinie, doktoryzowałem się na Sorbonie, w Paryżu, w zakresie patologii roślin. Kontaktowałem się z przyjaciółmi z rozmaitych instytucji naukowych całego świata, w Nowej Zelandii, Australii, Anglii, kilku krajach Europy i północnej Afryki. Sporo zajmowałem się problematyką rekultywacji pól i chciałbym się z panem podzielić kilkoma odkryciami. Od lat czterdziestych, kiedy to w Oregonie rozpoczęto uprawę traw na nasiona, opatentowano mnóstwo nowych metod ochrony nasion przed chorobami i szkodnikami, których zagrożeniem oregońscy farmerzy tłumaczą konieczność wypalania ściernisk. Opłaty patentowe są bardzo niskie i dzięki temu kwestia bezpieczeństwa mieszkańców doliny Willamette zostałaby rozwiązana. Instytucją, która upiera się przy starych metodach i blokuje wprowadzanie nowych, lepszych, jest Oregoński Związek Hodowców Nasion. Metoda, którą mi szczególnie polecano, polega na wykorzystaniu skoszonej trawy jako kompostu; to znaczy, po ścięciu należy ją zostawić na polu i zaorać. To wzbogaci glebę i zahamuje wzrost chwastów. Nie będzie pustych nasion, pleśni ani innych chorób, które trapią oregońskich farmerów. To zdecydowanie lepsze niż wypalanie ściernisk.

Matt urywa, patrzy w sufit. Po chwili mówi dalej:

— To nie przywróci życia mojej siostrze, szwagrowi ani moim ślicznym siostrzenicom, ale przynajmniej da nam poczucie, że zrobiliśmy wszystko, aby nikt już nie musiał cierpieć tego, co my wycierpieliśmy.

Po twarzy Matta płyną łzy.

Sekretarz Rolnictwa Buchs zapewnia, że gubernator Silversides jest przeciwnikiem wypalania pól i że zrobi, co w jego mocy, aby położyć kres tym praktykom. To właśnie chciałem usłyszeć. Odkładamy z Mattem słuchawki i aby to uczcić, otwieramy butelkę burgunda.

Zbyt szybko świętowaliśmy zwycięstwo.

Kilka dni później przychodzi list od gubernatora Silversidesa, datowany na 19 października.

Szanowny Panie Wharton

Przepraszam, że dopiero teraz piszę do Pana, aby przekazać Państwu wyrazy ubolewania w związku z tragiczną śmiercią Pańskiej córki i jej rodziny. Ich śmierć napawa zarówno mnie, jak i wszystkich mieszkańców Oregonu głębokim smutkiem. Zapewniam Pana, że uczucie to podzielają także urzędnicy sprawujący nadzór nad realizacją stanowego programu wypalania pól, nawet jeśli oficjalnie nie przekazali Państwu wyrazów wspołczucia.

Pański list świadczy o szczerym wysiłku zrozumienia zjawiska wypalania pól i upraw nasion w naszym stanie. W minionej dekadzie Zgromadzenie Stanowe wielokrotnie debatowało nad tą kwestią. Ostatecznie uznało, że, biorąc pod uwagę brak alternatywnych metod, zakaz wypalania pól byłby sprzeczny z interesem publicznym. Zgromadzenie Stanowe zobowiązało Komisję ds. Środowiska do opracowania takich regulacji prawnych, które zredukują powstające podczas wypalania pól zanieczyszczenie powietrza, oraz do poszukiwania innych metod ochrony upraw. O ile mi wiadomo, jak dotąd, żadna z alternatywnych metod nie okazała się w pełni skuteczna.

W sezonie 1988 farmerzy zakończyli już wypalanie pól. Obecnie mój personel wraz z organizacjami ekologicznymi, hodowcami i hurtownikami nasion, agencjami stanowymi i członkami Zgromadzenia Stanowego przygotowuje projekt przepisów na rok 1989, który zostanie poddany pod dyskusję podczas styczniowej sesji

Zgromadzenia. Tragiczny wypadek, w którym zginęła Pańska ro-
dzina, zmusza do rewizji obowiązującego prawa.
Łączę się z Panem w bólu.

Szczerze oddany,
Neil Silversides
Gubernator

Cieszę się z tego listu, martwi mnie tylko jedno zdanie. Co gubernator miał na myśli pisząc, że „żadna z alternatywnych metod nie okazała się w pełni skuteczna"?

Wszystkie moje obawy spełniają się niemal jednocześnie. Zaczyna się dość niewinnie. Otrzymuję list od Bakera, Forda. Firma podejmuje się, czytam, reprezentowania nas w sprawie o spowodowanie „niezawinionej śmierci" Kate, Berta, Dayiel i Mii. Skarga zostaje wniesiona przeciwko stanowi Oregon, jego urzędnikom i instytucjom, a jej przedmiotem są zaniedbania prowadzące do śmierci. Stan Oregon również wnosi skargę. Pozywa do sądu wszystkich uczestników wypadku, oskarżając ich o nieostrożność i brawurową jazdę. Także Paul Swegler, farmer, który wzniecił pożar, skarży wszystkie ofiary katastrofy. Ciekawe o co? O tamowanie przepływu jego dymu?

Puszka Pandory została więc otwarta. Mam ochotę wycofać się ze wszystkiego, ale zdaję sobie sprawę, że Sally miała rację: musimy się bronić. Jednak żadna szanująca się firma prawnicza nie podejmie się naszej obrony, jeśli nie będzie mogła na tym zarobić. A to oznacza, że my również musimy wnieść skargę.

Tak właśnie wygląda początek obfitej, dwunastomiesięcznej korespondencji z firmą Baker, Ford. Później robi się jeszcze bardziej nieprzyjemnie. Chcą od nas życiorysu Kate; chcą wiedzieć, gdzie mieszkała, do jakich szkół uczęszczała, jakie miała stopnie na studiach, gdzie pracowała, a także jaki miała charakter i czy była dobrą matką i córką. Musimy odpowiedzieć na wiele dziwnych pytań: Jak często ją odwiedzaliśmy? Jak często się ze sobą komunikowaliśmy? Kiedy po raz ostatni? Czy mieliśmy jakieś wspólne plany?

Tego się zupełnie nie spodziewaliśmy. Pomimo to odpowiadamy. Płaczemy nad kartką z pytaniami, ale odpowiadamy, wyobrażając sobie, że chodzi o przekonanie sądu co do wartości Kate, tak aby jej stratę można było wyrazić w dolarach i centach.

Chcą również tych samych informacji o Dayiel i Mii.

— Chcą wiedzieć, jakie Mia miała stopnie na studiach? — pyta Rosemary. Trzeba się trochę pośmiać; powodów do płaczu i tak mamy pod dostatkiem.

Wymiana listów trwa, większość z nich dotyczy dwóch elementów procedury sądowej. Te elementy, w opinii pani Flores z firmy Baker, Ford, mają kolosalne znaczenie.

Pierwszy to miejsce, w którym toczyć się będzie rozprawa. Pani Flores chce, żeby sprawa trafiła do sądu federalnego, a nie stanowego czy okręgowego — zwłaszcza nie do sądu hrabstwa Linn, gdzie wydarzył się wypadek. To również oznacza, że nasza skarga byłaby rozpatrywana osobno, a nie w powiązaniu z innymi sprawami. Swoje stanowisko pani Flores uzasadnia licznymi argumentami: między innymi tym, że ofiary mieszkały za granicą i że zginęły na autostradzie międzystanowej. Po wielu przepychankach sędzia rozstrzyga tę kwestię na naszą korzyść.

Pani Flores chce również, aby śmierć każdego z członków naszej rodziny była rozpatrywana indywidualnie. W Oregonie, podobnie jak w większości stanów, istnieje ustawowa „czapka", to jest, maksymalna wysokość, do jakiej można skarżyć władze stanowe w sprawach o wypadek drogowy. W Oregonie suma ta wynosi tylko trzysta tysięcy dolarów, nawet jeśli skarżący o spowodowanie śmierci, uszkodzenia ciała lub zniszczenie własności zasadnie domaga się odszkodowania w wysokości dziesiątków milionów dolarów. Ustawowa „czapka" nie chroni reszty pozwanych: farmera, który wzniecił pożar, oraz firmy przewozowej, właściciela osiemnastokołowej ciężarówki, która staranowała furgonetkę — jednak owa reszta pozwanych zawsze może zbankrutować albo po prostu umrzeć. Stan Oregon nie może ani zbankrutować, ani umrzeć.

Ostatecznie, sędzia federalny, sędzia Moody, orzeka na naszą korzyść i wydaje postanowienie, że ustawowa „czapka" winna stosować się do każdej z czterech skarg oddzielnie.

Pani Flores jest zachwycona takim obrotem rzeczy, my zresztą także. Jesteśmy zdecydowani postawić władze stanu Oregon przed sądem, aby mógł się odbyć sprawiedliwy proces.

Kiedy skarga o spowodowanie niezawinionej śmierci naszych bliskich zostaje oficjalnie wniesiona do sądu, wymienia się w niej, oprócz władz stanowych, trzech innych pozwanych: farmera Paula Sweglera, firmę przewozową Cutter National Carriers, Inc., do której należała osiemnastokołowa ciężarówka, oraz kierowcę, Alexa Chronsika.

Pierwsza skarga o odszkodowanie dotyczy Paula Sweglera. Brzmi ona następująco:

W dniu 3 sierpnia 1988 roku, koło godziny trzeciej po południu, Paul Swegler rozpoczął wypalanie ścierniska na swoim polu, w odległości około dwustu metrów od autostrady międzystanowej nr 5, na północ od zjazdu na autostradę nr 34.

Pożar wzniecony przez Sweglera rozprzestrzenił się na sąsiednie pola, a dym przedostał się nad autostradę. Wkrótce gęsty, ciągnący się nisko przy ziemi dym spowił drogę, poważnie ograniczając widoczność.

Około 3.50 po południu, 3 sierpnia 1988 roku, denaci byli pasażerami samochodu poruszającego się autostradą międzystanową nr 5 w kierunku północnym. Samochód ten został uderzony z tyłu przez ciężarówkę prowadzoną przez Alexa Chronsika, w momencie, kiedy pojazd denatów zwolnił ze względu na tworzący się zator w ruchu spowodowany przez dym znad płonącego ścierniska Sweglera.

W wyniku kolizji, wymienione poniżej Kathleen Wharton Woodman i jej nieletnie córeczki, Mia Woodman i Dayiel Woodman, zginęły. [Bert Woodman nie został tu wymieniony, ponieważ jego rodzina wniosła osobną skargę do sądu stanowego.]

Wypalanie ściernisk jest wyjątkowo niebezpiecznym i nadzwyczaj ryzykownym przedsięwzięciem. Wytworzyło wysoki stopień zagrożenia o wyjątkowo dużej skali i prawdopodobieństwie zarówno dla denatów, jak i dla innych podróżujących autostradą międzystanową nr 5; nie jest możliwa bezpieczna jazda w tak gęstym dymie, nawet przy zachowaniu najwyższej ostrożności.

Wypalanie ściernisk stało się jedną z istotnych przyczyn śmierci Kathleen Wharton Woodman, Mii Woodman i Dayiel Woodman.

Na skutek kolizji, do której doszło w opisanych wyżej okolicznościach, wydarzyło się, co następuje:

a. Kathleen Wharton Woodman, Mia Woodman i Dayiel Woodman doznały bólu i cierpiały przez czas od chwili wypadku do momentu śmierci;

b. Poniesione zostały koszty pogrzebu Kathleen Wharton Woodman, Mii Woodman i Dayiel Woodman — w nie określonej jeszcze wysokości;

c. Wills Billing, żyjące dziecko Kathleen Wharton Woodman i przyrodni brat Mii Woodman oraz przyrodni brat Dayiel Woodman został pozbawiony towarzystwa i opieki denatów;

d. Masa spadkowa denatów doznała materialnego uszczerbku, w nie określonej jeszcze wysokości, odpowiadającego sumie, którą zaoszczędziliby przez resztę swojego życia, gdyby żyli.

Równie długa jest lista oskarżeń o zaniedbania: Swegler powinien był przewidzieć, że pożar może rozprzestrzenić się w kierunku autostrady; powinien był otoczyć cały teren zaporami z niepalnych materiałów; kiedy ogień już się rozprzestrzenił, powinien był natychmiast zaalarmować właściwe służby. W sumie, zarzuca mu się, że dopuścił do rozprzestrzenienia się „pożaru, który sam wzniecił", oraz że „obrażenia odniesione przez denatów oraz poniesione straty materialne były przewidywalnym skutkiem jego zaniedbań".

Pozostałe pozwy są skierowane przeciwko kierowcy i jego pracodawcy. Chronsikowi zarzuca się jazdę z nadmierną szybkością, nieuwagę i niepanowanie nad pojazdem. Jego pracodawcom, właścicielom ciężarówki, zarzuca się, iż wiedzieli, że Chronsik był wcześniej karany za przekraczanie dozwolonej prędkości i prowadzenie pod wpływem alkoholu. Od firmy przewozowej żąda się miliona dolarów odszkodowania. W przypadku farmera i kierowcy dochodzi się odszkodowania „w nie określonej jeszcze wysokości".

Skargę podpisali Charles Raven i Mona Flores z firmy prawniczej Baker, Ford.

Rozdział XII

Czytamy z Rosemary listę roszczeń. Z tego, co mi wiadomo, wszystkie są uzasadnione, ale niepokoi mnie tempo, w jakim toczący się proces wymyka się spod naszej kontroli.

Tymczasem wymiana korespondencji trwa. Ile Bert i Kate mieli na koncie? Ile kosztował pogrzeb? Ile kosztował zamówiony przeze mnie nagrobek?

Ponawiają się spory w kwestiach proceduralnych. Paul Swegler dwukrotnie usiłuje spowodować przeniesienie rozprawy do sądu stanowego lub okręgowego i dwukrotnie jego zażalenie zostaje oddalone. Później wnioskuje, aby wszystkie sprawy były rozpatrywane razem, a nie indywidualnie. Również i ten wniosek zostaje oddalony, ale w uzasadnieniu sędzia stwierdził, co następuje: „Jakkolwiek wątpię, aby doszło do rozprawy przed sądem przysięgłych, zmuszony jestem przyznać, że wszystkie postawione zarzuty są zgodne z prawdą".

Czytam to uzasadnienie kilka razy. Naszym głównym celem, dla którego zgodziliśmy się wdepnąć w to prawnicze bagno, jest doprowadzenie do publicznej rozprawy przed sądem przysięgłych, na oczach mieszkańców stanu Oregon. Czyżby, zdaniem sędziego, sprawa nie kwalifikowała się do postępowania przed sądem przysięgłych?

Między Portland a Paryżem krążą listy i faksy z kolejnymi zestawami pytań. Najgorsze jednak, że któregoś dnia przychodzi wezwanie do złożenia zeznań — dla Rosemary, Willsa i dla mnie. Dlaczego my mamy składać zeznania? Rosemary i mnie nawet nie było w Oregonie, kiedy wydarzył się wypadek. Nie chcę składać zeznań. Nie chcę jechać do Portland. Piszę, że nie możemy przyjechać, że taka podróż jest dla nas zbyt kosztowna i zbyt męcząca. Otrzymujemy odpowiedź, że to absolutnie konieczne i że odmowa przyjazdu narazi na szwank naszą sprawę. Poddajemy się, chociaż nie jestem przyzwyczajony do wydawania takiej masy pieniędzy na samolot tylko po to, żeby złożyć zeznania. Zeznanie — nigdy dotąd nie spotkałem się z tym słowem.

Z lotniska w Portland odbiera nas Robert Wilson, nasz wieloletni znajomy. Wills, po wakacjach we Francji, przyleciał razem z nami. Zamieszkamy u Wilsona. Cieszę się, że ten wieczór spędzimy w rodzinnej atmosferze i w gronie starych przyjaciół.

Następnego dnia odnajdujemy siedzibę firmy Baker, Ford — różowy budynek w centrum miasta — i jedziemy windą do biura Charlesa Ravena. Raven jest przystojnym, dobrze ubranym i starannie uczesanym mężczyzną po pięćdziesiątce. To właśnie on ma być naszym przedstawicielem na rozprawie.

Jego biurko stoi tyłem do wielkiego okna, dlatego patrząc pod światło, nie widzimy dokładnie jego twarzy. Za to on ma nas jak na talerzu. Ja mam na sobie spłowiałe, w miarę czyste dżinsy. Rosemary prezentuje swój zwykły, dystyngowany styl: niskie obcasy, starannie ułożone włosy. Wills ma na sobie rzeczy, jakie nosi większość chłopców w jego wieku.

Po kilku minutach rozmowy w biurze pojawiają się jeszcze dwie inne osoby. Starszy mężczyzna, nazwiskiem Clint Williams, okazuje się emerytowanym sędzią federalnym, a mniej więcej czterdziestoletnia kobieta to Mona Flores, z którą prowadziliśmy tak ożywioną korespondencję. Wymieniamy uśmiechy i siadamy.

Charles Raven wyjaśnia nam, na czym polega składanie zeznań, mówi, że to niejako przedłużenie tego wszystkiego, co się dzieje na sali sądowej. Radzi, żebyśmy odpowiadali wyłącznie na postawione pytania, i informuje, iż wśród osób zadających pytania będą przedstawiciele firm ubezpieczeniowych oraz prawnicy reprezentujący zarówno innych powodów, jak i pozwanych. Rosemary przygląda mu się równie badawczo jak on nam. Ja oglądam widoki za oknem. Wills wierci się z nudów. Clint Williams i Mona Flores od czasu do czasu uzupełniają informacje podawane przez Ravena.

Od razu widać, kto tu jest szefem: Raven nie pozwala, żeby jego pracownicy choć na chwilę przejęli inicjatywę. Oni z kolei sprawiają wrażenie lojalnych podwładnych, a w każdym razie dobrze odgrywają swoje role. Oddycham z ulgą, kiedy się żegnamy i umawiamy na następny dzień. Domyślam się, że dzisiaj chcieli nam się tylko z bliska przyjrzeć. Wszystko to wydaje mi się jedną wielką stratą czasu i pieniędzy. Dziękuję Bogu za Roberta i Karen, przyjaciół, u których mieszkamy.

Nazajutrz stroimy się na przedstawienie. Nawet Wills jest elegancki, głównie dzięki niestrudzonym zabiegom Rosemary. Ja mam na sobie garnitur za sześć dolarów, kupiony w sklepie Armii Zbawienia. To porządny garnitur, może tylko odrobinę staromodny, z kamizelką i w ogóle.

Na parkingu czeka na nas Mona Flores. Prosi, żebyśmy zwracali się do niej po imieniu. Udziela nam ostatnich przestróg.

— Nie śpieszcie się z odpowiedziami. Zawsze czekajcie, aż dam wam znać, czy macie odpowiedzieć „tak" czy „nie". Jeśli zapytają „Czy mógłby pan lub pani podać nam swoje nazwisko?", odpowiedzcie „Tak". Zmuście ich, aby wprost zapytali, jak się nazywacie. To jedna z głównych zasad podczas składania zeznań. Ani słowa ponad to, co konieczne.

Wchodzimy do długiego pokoju z wielkim stołem pośrodku. Rosemary ma zeznawać pierwsza. Wills i ja mamy czekać w pokoju obok. Zaczyna mi to pachnieć inkwizycją. Zastanawiam się, kto tu właściwie dla kogo pracuje? Pewne jest tylko to, że wszystko odbywa się za nasze pieniądze.

Rosemary znika w pokoju, w którym znajduje się około piętnastu osób, głównie mężczyzn. Sądząc po ubraniach, wszyscy są prawnikami. Mona Flores i Clint Williams idą razem z nią. Proszę którąś z sekretarek o papier i ołówek. Szkicuję widok za oknem,

Wills się przygląda. Biorę jeszcze jedną kartkę dla niego i obaj rysujemy. Willsowi nawet nieźle to wychodzi.

Wydaje nam się, że mija cała wieczność, zanim Rosemary pokazuje się w drzwiach. Towarzyszy jej Mona. Rosemary płacze. Jestem człowiekiem starej daty i nie lubię, jak moja żona płacze. Zrywam się z miejsca i biorę ją za rękę. Rosemary wyciera oczy chusteczką.

— Co z tobą, kochanie? Co się stało?

Przez dłuższą chwilę nie odpowiada, machnięciem ręki daje znać, żeby zostawić ją w spokoju. W końcu dochodzi do siebie.

— To nie ich wina. To tylko rozmowa o Kate i te wszystkie pytania tak mnie wytrąciły z równowagi. Zaraz mi przejdzie.

Mona Flores podchodzi do nas.

— Jeśli nie chcesz, nie musisz tam wracać. Ci przeklęci prawnicy nigdy nie znają umiaru.

— Nie, wszystko w porządku. To także moja wina.

Rosemary pierwsza rusza w kierunku pokoju przesłuchań. Spędza tam następne pół godziny. Wills i ja zaczynamy się nudzić rysowaniem. Szkicuję właśnie jego portret, kiedy drzwi się otwierają. Z Rosemary chyba wszystko w porządku. Jest blada, ale nie płacze. Mona nie odstępuje jej na krok.

— Była wspaniała. Broniła się przed tą zgrają wilków jak prawdziwa królowa. Oni rzadko mają do czynienia z kobietami z taką klasą jak twoja żona.

Rosemary siada i rozgląda się.

— Umieram z głodu. Możemy iść coś zjeść?

Znajdujemy dobrą meksykańską restaurację, a w niej nie jakieś tam podróbki, ale najprawdziwsze meksykańskie potrawy.

Mona wypytuje o nasze życie, o Francję i mieszkanie na barce. Odnoszę wrażenie, że to ją naprawdę interesuje. Jest ładna, ma ciemne włosy i zielone oczy. Ma niezłą figurę, ale ubrana jest w jeden z tych dziwnych uniformów, które nadają jej wygląd kulturystki albo uzbrojonego w komplet ochraniaczy futbolisty. Zawsze patrzy swojemu rozmówcy prosto w oczy i słucha, co się do niej mówi.

Rosemary chyba ją lubi, Wills również. Jest profesjonalistką. Mówi Rosemary, żeby nie rozmawiała ze mną o swoich zeznaniach.

Po obiedzie przychodzi kolej na Willsa. Mona stara się delikatnie przygotować go do tego, co ma nastąpić. Sama ma pięcioletniego synka, więc zna się na rzeczy. Wciąż tylko nie mogę sobie wyobrazić, czego ci wszyscy ludzie spodziewają się dowiedzieć od Willsa.

Rosemary ma jakąś książkę i zagłębia się w lekturze, ja wracam do rysowania. Co by się stało, gdyby opowiedziała mi o swoich zeznaniach? Rosemary nie należy do osób, które łatwo doprowadzić do płaczu, zwłaszcza w miejscu publicznym.

Po dziesięciu minutach Mona wyprowadza zapłakanego Willsa. To jeszcze bardziej przygnębiające niż w przypadku Rosemary. Ona jest przynajmniej dorosła i rozumie, o co w tym wszystkim chodzi. Oboje zrywamy się z krzeseł. Mona daje znak, żebyśmy zostali na miejscach. Przyprowadza Willsa i sadza go między nami. Przygląda się na zmianę jemu i nam.

— Był bardzo dzielny. Ale kiedy zaczęli pytać o matkę, rozpłakał się. Nie wydaje mi się, żeby właśnie o to im chodziło, ale brak współczucia to cecha zawodowa prawników. Kiedy bardzo im na czymś zależy, potrafią być okrutni, nawet nie zdając sobie z tego sprawy.

Wills patrzy na Rosemary.

— Już mi przeszło, babciu. Po prostu nie wiedziałem, że tylu ludzi będzie mi się przyglądać. Płakać mi się chce, kiedy tylko pomyślę o mamie, a co dopiero, kiedy muszę rozmawiać o niej z tymi wszystkimi obcymi ludźmi.

Mona pochyla się nisko nad nim i patrzy mu w oczy — zaczerwienione, ze spuchniętymi powiekami.

— Jeżeli nie chcesz, wcale nie musimy tam wracać.

— Przejechaliśmy taki kawał, to chyba trzeba to skończyć.

Wstaje. Mona prostuje się, wygładzając na biodrach czarną spódnicę. Patrzy na nas. Oboje przyzwalająco kiwamy głowami. Wills ma rację. Skoro już przebyliśmy taki szmat drogi, trzeba rzecz doprowadzić do końca.

Mona obraca się do Rosemary.

— Chyba byłoby lepiej, żebyś siedziała obok niego. Oczywiście, jeżeli nie masz jeszcze dosyć.

Rosemary wstaje i kładzie rękę na ramieniu Willsa.

— Okay, złotko, wracajmy. Im szybciej będziemy mieli to za sobą, tym lepiej.

Znikają za drzwiami. Tym razem jestem zbyt zdenerwowany, żeby rysować. Krążę po pokoju niczym kandydat na ojca po korytarzu porodówki.

Wychodzą po godzinie. Oczy Willsa są jeszcze zaczerwienione, ale nie bardziej niż poprzednio. Rosemary i Mona szepczą mu coś do ucha. Podnoszą głowy i uśmiechają się do mnie. Mona wysuwa się do przodu.

— Możesz być z niego dumny. Ja jestem. Był wspaniały. Pierwszy raz w życiu widziałam, żeby taki młody człowiek ośmieszył taką zgraję prawników. Warto to było zobaczyć.

Rosemary też się uśmiecha. Ogląda się na Monę.

— Czy mogę powiedzieć Willowi, co ustawiło całe to przesłuchanie?

— Pozwól, że ja opowiem. Wtedy to chyba nie będzie nielegalne. Jako wasz prawnik mogę z wami o tym rozmawiać. Tak czy owak, zatrzymajcie to dla siebie. — Odwraca się do mnie. — To był znowu Chuck Hurtz. Ni z tego, ni z owego zapytał Willsa, czy mama i tato często się kłócili. Zanim zdążyłam zareagować, Wills zaczął odpowiadać. Uznałam, że w tej sytuacji lepiej mu nie przerywać. Wills popatrzył mu w oczy i powiedział „Jasne, że się czasami kłócili, ale niezbyt często". Hurtz wyglądał, jakby zwęszył krew. „O co się kłócili?" Wills na to: „No więc, mama bardzo dobrze gotuje, a Bert zawsze wszystko pieprzył albo polewał ketchupem. Mamę okropnie to gniewało". Najpierw zrobiło się zupełnie cicho, a potem wszyscy zaczęli się śmiać. Nawet Hurtz nie mógł powstrzymać uśmiechu. Rosemary ma rację, to ustawiło resztę przesłuchania.

Rozmawiamy jeszcze przez chwilę. Jest za kwadrans czwarta.

— Teraz moja kolej?

— Nie, tobie dopiero chcą się naprawdę dobrać do skóry, więc będą potrzebowali więcej czasu. Rozpoczniemy jutro o dziewiątej rano. Odprowadzę was do samochodu. O tej porze zaczynają się korki. Jak się pośpieszycie, może uda wam się ich uniknąć.

Około piątej docieramy do domu. Ani Robert, ani Karen nie wrócili jeszcze z pracy, ale mamy klucz. Jesteśmy zmęczeni. Wskakujemy do łóżek i błyskawicznie zasypiamy.

Następnego dnia Karen i Robert pożyczają nam swój samochód. Teraz już znam drogę. Kieruję się na Hawthorne, a z mostu widać już różowy budynek, w którym mieszczą się biura Bakera, Forda. Wygląda bardzo złowieszczo. Trzęsę się na samą myśl o przesłuchaniu. Obiecuję sobie, że się nie rozpłaczę.

Kiedy wchodzimy na górę, Mona oraz Clint Williams już na nas czekają. Pozostali prawnicy stoją w małych grupkach i szepczą sobie coś do ucha. Wyglądają jak egzorcyści albo jak studenci przed trudnym egzaminem. Przedmiotem tego egzaminu mam być ja. Mona i Clint prowadzą mnie na bok. Clint udziela mi ostatnich wskazówek. Czuję się jak zawodnik słuchający rad trenera przed wejściem na boisko.

— Nie mów nic, co mogliby wykorzystać przeciw nam. Nie pozwól zajrzeć sobie w karty. Jeżeli będziesz miał jakieś wątpliwości co do pytania, wystarczy, że spojrzysz na mnie albo na Monę. Przede wszystkim po każdym pytaniu odczekaj trochę, żeby dać nam czas na zastanowienie i decyzję, czy powinieneś na nie odpowiadać. Sprawiasz wrażenie dosyć porywczej osoby. Musisz zachować zimną krew.

Wygląda na to, że nie mają do mnie zbyt wielkiego zaufania. Prawdopodobnie jestem za bardzo pewny siebie i tego właśnie się obawiają. To jest jak gra w szachy albo w brydża. Nie wolno zdradzić się ze swoimi myślami i uczuciami. Nigdy nie byłem w tym dobry. Powinienem więc zdać się na nich.

Wchodzimy do pokoju i idę prawie do końca stołu, pod okno. Po drugiej stronie siedzi jakiś mężczyzna obok bardzo staroświecko wyglądającego urządzenia; poznaję, że to maszyna do stenografowania — taka, jakie nieraz widziałem na filmach. Mona siada koło mnie, a Clint Williams koło Mony. To jedyne wolne krzesła w tym pomieszczeniu. Jeden z prawników wstaje i zamyka drzwi.

Kiedy protokolant chce mnie zaprzysiąc, powstrzymuję go ruchem dłoni.

— Zanim zacznę składać zeznania, chciałbym przypomnieć wszystkim tu obecnym, że to nie inkwizycja. Moja żona i wnuk wychodzili stąd płacząc. To nie było konieczne.

Robię pauzę.

— Wszyscy jesteśmy wytrąceni z równowagi. Czasami zapewne trudno mi będzie mówić. Jeśli tak się zdarzy, proszę uzbroić się w cierpliwość i po prostu poczekać. Odkryłem, że nie potrafię równocześnie mówić i płakać. Rozumiemy się?

Siedzący wokół stołu kiwają głowami i uśmiechają się. Pochylam się do przodu i przyglądam się każdemu z nich po kolei.

— Jeśli uznam, że pytanie albo sugestia jest obraźliwa czy też niestosowna, skonsultuję się z moimi prawnikami i jeżeli oni stwierdzą, że możemy to zaskarżyć, to chociaż nie jestem pieniaczem, zrobię to. Czy wyrażam się jasno?

Odwracam się do Mony i Clinta. Widać, że nie są zachwyceni obrotem sprawy, ale oboje gorliwie kiwają głowami.

— W takim razie, wszystko wiadomo. Możemy zaczynać.

Mężczyzna siedzący naprzeciwko ma na sobie beżowy garnitur. Domyślam się, że to właśnie ma być mój inkwizytor, ponieważ tak nie może wyglądać ten straszliwy Hurtz. Ma lekką nadwagę, nienagannie skrojone ubranie i starannie uczesane, gładko przylegające do głowy włosy. Ma około pięćdziesiątki. Z tym swoim wiecznym obłudnie-spokojnym uśmieszkiem przypomina posążek Buddy.

Protokolant prosi wszystkich obecnych, żeby się przedstawili, po czym przepuszcza każde nazwisko przez swoją rozklekotaną maszynkę. Jesteśmy gotowi. Budda, czyli pan Forcher, pochyla się do przodu i przez jakieś piętnaście sekund milczy, jakby wahając się, od czego ma zacząć.

— Panie Wharton, nie chcemy pana do siebie zrażać ani przysparzać panu dodatkowych cierpień. Próbujemy tylko zebrać informacje, które pomogą nam zrozumieć tę sprawę i doprowadzić do jej polubownego rozstrzygnięcia.

— Ale ja nie zamierzam zawierać żadnej ugody, panie Forcher, wyjaśnijmy to sobie od razu. Powiedziałem o tym moim prawnikom, domyślam się jednak, że nie przekazali państwu tej informacji, choć to kluczowa sprawa.

Utykamy w martwym punkcie. Forcher szepcze coś do ucha chudemu, żylastemu, brodatemu mężczyźnie, który siedzi obok niego. Jestem prawie pewny, że to jest ten osławiony Hurtz.

Hurtz uśmiecha się, po czym zadaje mi całą serię opryskliwych, niemal obraźliwych pytań dotyczących mojego życia. Chce wiedzieć, ile zarabiam na swoich książkach.

Co to ma wspólnego ze śmiercią Kate?

Potem pałeczkę przejmuje Forcher. Jego z kolei interesuje, ile n i e zarobiłem przez większą część swojego życia.

Odkąd skończyłem trzydzieści pięć lat, pracowałem wyłącznie na własny rachunek. Utrzymywałem się z malowania obrazów. Zrozumienie tego zdaje się przekraczać możliwości pana Forchera. Usiłuje zrobić ze mnie jakiegoś włóczęgę. Z jego punktu widzenia tym właśnie jestem, włóczęgą. To nas prowadzi donikąd.

Forcher odchyla się do tyłu, rozciągając usta w tym swoim cienkim uśmieszku.

— No to może sam pan nam o sobie opowie?

Patrzę na Monę. Wzrusza ramionami.

— Co chcecie wiedzieć?

— Po prostu chcemy pana bliżej poznać.

— A co to ma wspólnego ze śmiercią mojej córki, zięcia i wnuczek?

— O tym my zdecydujemy. Proszę mówić.

— Pamiętajcie, że jestem zawodowym powieściopisarzem. Na takie ogólne pytanie mogę udzielić trzygodzinnej, trzydniowej albo trzytomowej odpowiedzi.

— Proszę zacząć. Powiemy panu, jeśli to nie będzie to, o co nam chodzi. Jeśli będziemy mieli jakieś pytania, przerwiemy panu.

Znowu patrzę na Monę. Pochyla się do mnie i szepce:

— Nie poruszaj tematu Kate, Berta ani dzieci, dopóki wprost o to nie zapytają, a wtedy najpierw uzgodnij to ze mną.

Rozsiadam się wygodnie na krześle i kiedy mówię, patrzę w sufit albo na Monę. Uwielbiam wcielać się w rolę gawędziarza, a tutaj mam liczną i ochoczą publiczność oraz protokolanta, który zapisuje każde moje słowo. Wtedy nie zdawałem sobie z tego sprawy, ale opłaciła mi się ta zabawa.

— No cóż, urodziłem się w Filadelfii, stan Pensylwania, w szpitalu Świętego Wincentego, 7 listopada 1925 roku, o godzinie piątej po południu. Ważyłem ponad cztery i pół kilograma. Kiedy się urodziłem, moja matka miała dwadzieścia, a ojciec dwadzieścia trzy lata. Przez pierwsze trzy miesiące miałem kolkę.

Robię pauzę i patrzę na Monę, potem na Forchera i po kolei na wszystkich siedzących przy stole. Żadnej reakcji. Myślałem, że już teraz mi przerwą.

Wbijam wzrok w sufit i jadę dalej, starając się nie pominąć niczego, co zapamiętałem z tych pierwszych kilku lat, i dodając to, czego dowiedziałem się z opowieści mojej mamy. Opowiadam więc, jaka była dumna, kiedy mając ledwo trzynaście miesięcy nauczyłem się korzystać z toalety, i o tym, jak mnie ubrała, żeby pojechać ze mną do swojej siostry na drugi koniec Filadelfii. Włożyła mi białe ubranko, w które od razu nawaliłem kupę. Wyjęła mi wtedy pieluchę, okręciła wokół głowy i w takim stroju zamknęła w szafie.

Pan Forcher wzdrygnął się ze wstrętem. Przynajmniej wiem, że mnie słucha.

— Naprawdę to zrobiła?

— Nie wiem. Twierdziła, że tak. Byłem za mały, żeby to zapamiętać. Ale nadal nie lubię, jak ktoś zamyka mnie w szafie.

Pierwsze śmiechy i chichoty. Już myślałem, że to tylko żywe trupy.

Nawijam w tym stylu przez trzy godziny. Czasami przerywa mi protokolant, prosząc o przeliterowanie jakiegoś słowa, czasem ktoś zadaje pytanie, ale w zasadzie brnę przez własne życie bez większych przeszkód. Przychodzi mi do głowy, że byłaby z tego wspaniała autobiografia — pod przysięgą. Zatytułuję ją *Przesłuchanie*. Będę musiał poprosić o kopię protokołu. Chyba nie mogą mi odmówić.

Około 12.15, kiedy dochodzę do tego, jak w pierwszej klasie szkoły średniej rzuciłem nauczycielowi matematyki na głowę zbuka, i to z trzeciego piętra, Mona podtyka mi pod nos swój zegarek. Przerywam. Czas na obiad. Wszyscy szurają krzesłami i nie zaszczycając mnie nawet spojrzeniem, bez słowa wychodzą z pokoju. Chyba trochę przesadziłem z tym zbukiem. A może oni po prostu nie wiedzą, co to jest zbuk?

Mona, Clint i ja czekamy w pokoju, aż wszyscy wyjdą. Clint z trudem się powstrzymuje, żeby się nie roześmiać.

— Jezu, z początku bałem się, że to chorobliwe, ten twój słowotok, ale niech mnie cholera, jeśli im się to na coś przyda.

Mona zamyka drzwi.

— Myślałam, że się posiusiam w majtki, jak im opowiadałeś o tej końskiej nodze, którą podrzuciłeś pod werandę sąsiada.

Wychodzimy. Rosemary i Wills siedzą w poczekalni. Byli w muzeum przyrodniczym. Po południu wybierają się do zoo.

Po obiedzie wracamy na drugą turę przesłuchania. Zaczyna się nie najgorzej. Przerwa musiała im dobrze zrobić, ponieważ zadają kilka uzasadnionych i trudnych pytań. Za każdym razem, kiedy mam wątpliwości, oglądam się na Monę. Zazwyczaj kiwa przyzwalająco głową, ale czasami zgłasza sprzeciw i wtedy wszyscy zaczynają się kłócić. Dochodzi do paru naprawdę ostrych starć.

Około piątej znajduję się w roku 1963. Zadają tyle pytań, że musiałem zwolnić tempo. Zastanawiam się, czy w ogóle będzie mi dane dobrnąć do końca mojej biografii. Kiedy wybija piąta, wszyscy zaczynają wiercić się na krzesłach. Któryś z prawników wstaje, manifestacyjnie patrząc na zegarek.

— Sądzę, że powinniśmy już dzisiaj skończyć i kontynuować przesłuchanie jutro rano.

Po tym, ile czasu zmarnowali, to już naprawdę przesada. Ja także wstaję.

— Moja żona i ja jesteśmy bardzo zapracowanymi ludźmi. Nie możemy tu zostać ani dnia dłużej. Zapewniano nas, że dwa dni wystarczą. Nasz samolot odlatuje jutro o dziesiątej trzydzieści rano.

Ten, który zaproponował przerwę, siada z powrotem na swoim miejscu. Wszyscy coś mruczą pod nosem i spoglądają na zegarki. Podnosi się Forcher.

— Ależ przesłuchanie jeszcze się nie skończyło.

Odpowiada Mona.

— Mieliście więcej czasu niż było potrzeba. Panie Wharton, czy gotów jest pan zostać jeszcze dzisiaj, do czasu zakończenia przesłuchania?

— Jasne, jeśli o szóstej zejdzie pani na dół, żeby powiadomić o tym moją żonę.

— Naturalnie. W tym czasie będzie mnie zastępował Clint. Panowie, przesłuchanie wciąż trwa. Jeśli macie jeszcze jakieś pytania, zadajcie je teraz. Jeżeli to będzie konieczne, pan Wharton zostanie tu do północy. — Siada na swoim miejscu.

Szum w pokoju się wzmaga, po czym uczestnicy przesłuchania, po kolei, zaczynają wychodzić.

Mona znowu wstaje.

— Uprzedzam panów, że jeśli opuścicie ten pokój, przesłuchanie zostanie formalnie zakończone. Wciąż jeszcze możecie zadawać pytania.

Nic już nie może powstrzymać tego adwokackiego exodusu. Robi mi się przykro. Miałem nadzieję, że skończę autobiografię. Protokolant zaczyna zbierać swoje taśmy, jakby to były noworoczne serpentyny. On, Mona i ja wychodzimy z pokoju ostatni. Przesłuchanie zostało zakończone.

Jest dopiero kwadrans po piątej. Idę z Moną do jej biura, gdzie zostawiła swoją torebkę. Mona mówi, że pokaże mi drzwi, przy których będzie czekać Rosemary. Jedziemy windą na dół.

W windzie Mona pyta:

— Piłeś kiedyś piwo Northwest Macrobrewery? Mamy jeszcze trochę czasu do powrotu Rosemary, więc możemy wpaść do baru na parterze.

— Świetny pomysł. Zaschło mi w gardle od tego pytlowania. Siadamy przy stoliku, Mona zamawia piwo. Upijam mały łyk. Jest ciemne i smakuje jak niemieckie, jest tylko nieco słodsze i bardziej gorzkie. Mona przygląda mi się badawczo.

— Nie powinnam ci tego mówić, ale... — Upija spory łyk piwa i podnosi wzrok znad szklanki. — No więc, kiedy słuchałam zeznań Rosemary, a potem Willsa, miałam dziwne wrażenie, że znam czy też znałam Kate, może w innym życiu. To było takie niesamowite. Nigdy mi się nie przydarzyło coś podobnego. Potem, kiedy ty składałeś zeznania, nie mogłam się skoncentrować. Znasz takie uczucie?

— Jeszcze ci nie mówiłem i na pewno nie opowiedziałbym tego nikomu z tych ludzi, ale zaraz po wypadku przeżyłem coś... niewiarygodnego, tak, niewiarygodnego w najbardziej dosłownym znaczeniu tego słowa. Czasem zdarzają mi się takie niespodziewane przerwy, jakby okna w normalnym biegu rzeczy. Mam to od dzieciństwa. Kate też to miała. Powiedz mi, Mona, co wtedy dokładnie czułaś?

— To było tak, jakby ona zajmowała moje miejsce, a może to ja zajmowałam jej miejsce. Nie wiem, to wszystko brzmi tak absurdalnie, zwłaszcza w ustach prawnika. Rozumiesz, co mam na myśli?

— Nie tylko rozumiem, ale nawet wiem, co to było. To była Kate. Tak jak Bert i ona nie chciała zostawić nas samych. Wiesz, powoli przestaję wierzyć w zbiegi okoliczności. To tylko wymówka, której używamy, kiedy nie umiemy czegoś wytłumaczyć. Może to raczej zbiegi z inną rzeczywistością. Przekonanie, że oni wciąż są tutaj i w jakiś niepojęty sposób opiekują się nami, ma dla mnie ogromne znaczenie. Dzięki temu mogę sobie jakoś poradzić z tym wszystkim, co mi się przydarzyło w tak zwanym rzeczywistym świecie, a czego żadną miarą nie potrafię zaakceptować. Nie wiem, czy mi uwierzysz, ale jestem tutaj, walcząc z wypalaniem ściernisk, wyłącznie dlatego, że poprosił mnie o to Bert, już po tym, jak żywcem spłonął w samochodzie.

Dopijam piwo i spoglądam na zegarek. Jest za pięć szósta.

— Muszę poszukać Rosemary i Willsa. Pokaż mi, które to drzwi. Pozwól jednak, że najpierw zapłacę.

Mona nakrywa ręką moją dłoń.

— Nie, to ja cię zaprosiłam. Zresztą, wrzucę to w koszty.

Nazajutrz, wcześnie rano, Robert odwozi nas na lotnisko. Wszystko przebiega zgodnie z planem. Samoloty startują o czasie — Willsa do Los Angeles, nasz do New Jersey. Kiedy zajmujemy nasze miejsca w kabinie, Rosemary momentalnie zasypia. Ja nie mogę zasnąć. Tysiące myśli tłuką mi się po głowie. Przelecieliśmy taki kawał świata, wyrzuciliśmy w błoto tyle pieniędzy. Tylko po co?

Rozdział XIII

Po trzech tygodniach jesteśmy z powrotem we Francji, a nasze życie powoli wraca do normy. Wkrótce jednak znowu muszę wyjechać.

Przystałem na propozycję mojego wydawcy, żebym wyruszył na objazd promocyjny ze swoją nową książką, *Franky Furbo*, książką, której pomysł napisania poddała mi Kate, i nad którą pracowałem w przerwach między pisaniem listów do gubernatorów i zgromadzeń stanowych a malowaniem.

Zawsze dotąd odmawiałem udziału w podobnych imprezach. Szkoda mi na to czasu. Nie mam już trzydziestu lat i nie gonię za sławą. Chcę tylko spokojnie przeżyć resztę życia. Zgadzam się jednak na ten wyjazd pod warunkiem, że na trasie znajdzie się zarówno Portland, jak i Eugene. Zawiadamiam Monę. Ustalam z wydawcą, że do Portland wyśle dwieście dodatkowych egzemplarzy mojej książki, a do Eugene jeszcze sto. Potem dzwonię do Billa Johnsona z organizacji Stop Trującym Wyziewom i pytam, czy pod lokalami, w których będę przemawiał, mógłby postawić swoich ludzi z petycjami. Bill Johnson, który ma prawie tyle lat co ja, jest najbardziej aktywnym działaczem na rzecz zakazu wypalania ściernisk, jakiego spotkałem w Oregonie. Traktuje to jako swoje powołanie. Mówię mu, że ofiaruję darmowy egzemplarz swojej książki każdemu, kto zbierze przynajmniej dwadzieścia pięć podpisów.

Objazd zaczyna się w październiku w Nowym Jorku. Potem podróżuję po całym kraju, przemawiając na uniwersytetach, udzielając wywiadów gazetom i stacjom radiowym, podpisując książki w księgarniach. Przy każdej okazji odczytuję na głos dedykację dla Kate, Berta i dziewczynek. Kiedy docieram do Portland, rozpoczynam operację „STOP WYPALANIU ŚCIERNISK". Przemawiam wszędzie, gdzie tylko uda mi się zgromadzić trochę osób, w bibliotekach, szkołach, księgarniach. Rozdaję autografy i sprzedaję książki, przez cały czas dając ludziom do zrozumienia, jak bardzo mnie irytuje obojętność towarzysząca wypalaniu pól. Bill Johnson sprowadza swoich ludzi i razem zbieramy tysiące podpisów. Jednak, żeby rozpisać referendum, potrzeba ich sześćdziesiąt pięć tysięcy. Sprawa wygląda beznadziejnie.

W samym środku tego zamieszania dzwoni do mnie Mona i pyta, czy znalazłbym trochę czasu, żeby kontynuować składanie zeznań. Tym palantom nie spodobało się pierwsze przesłuchanie.

Zgadzam się poświęcić im trzy godziny przed dzisiejszym wieczorem autorskim. Tym razem prawnicy są przygotowani i zadają wiele, mniej lub bardziej stosownych, szczegółowych pytań. Między innymi są zaniepokojeni, że próbowałem umieścić tablicę pamiątkową przy autostradzie, w miejscu wypadku.

Podobno w pierwszą rocznicę tragedii grupa młodych ludzi bez pozwolenia ustawiła wzdłuż autostrady białe krzyże. Słyszałem o tym, ale nie miałem z tym nic wspólnego. Wyjaśniam, że starałem się o zgodę na postawienie w tym miejscu tablicy pamiątkowej, ale moja prośba została odrzucona.

Chcą wiedzieć, dlaczego sfotografowałem zwłoki i po co pojechałem na miejsce wypadku. Mówię prawdę; bądź co bądź zeznaję pod przysięgą. To dość proste: chciałem zobaczyć, co zostało po moich bliskich, zanim do końca obrócą się w popiół, chciałem też zobaczyć na własne oczy to wszystko, na co oni patrzyli, nim, jak się może wydawać, pogrążyli się w wiecznych ciemnościach. Przyznaję, że to, co robię, ma związek z pewnym snem. Celowo używam słowa „sen" — prawda zapewne przekracza ich wyobraźnię.

Nazajutrz biorę samochód z wypożyczalni i jadę do Eugene. Tutaj spotykam się z jeszcze bardziej entuzjastycznym przyjęciem. To urocze uniwersyteckie miasteczko często zasnuwa dym znad wypalanych pól. Przemawiam w miejskiej bibliotece i rozdaję na prawo i lewo petycje. Robię, co mogę, aby przekonać Oregończyków, że wypalanie ściernisk zagraża im wszystkim. Wykład i dyskusja są filmowane przez lokalną stację telewizyjną. Kilka innych spotkań transmitują miejscowe rozgłośnie radiowe. Następnego dnia lecę do Nowego Jorku, a stamtąd do Paryża. Jestem śmiertelnie zmęczony. Czuję, jak uchodzi ze mnie para, i tracę wiarę, że coś jeszcze zdziałam: mamy dopiero niecałe dwadzieścia tysięcy podpisów pod petycją w sprawie referendum.

Czterdzieści pięć procent mieszkańców Oregonu mieszka poza miastami i trudno do nich dotrzeć z naszą petycją. Oprócz tego większa część stanu nie odczuwa skutków wypalania ściernisk, dotyczy to tylko mieszkańców doliny Willamette. Tymczasem farmerzy robią coraz więcej szumu wokół tego, o ile zmniejszą się wpływy do stanowego budżetu, jeśli zakaże się uprawy traw. Wyliczają instytucje użyteczności publicznej, które, ich zdaniem, będą musiały zostać zlikwidowane. A ludzie w to wierzą.

Wracam do domu i zapowiadam Rosemary, że już nigdy więcej nie pojadę do Oregonu. Ci ludzie są po prostu otumanieni i cholernie uparci, a mnie brak energii i sił, żeby ich zmieniać. Zaczynam w ogóle odnosić wrażenie, że naruszam ekosystem tego terenu, próbując zmusić ich do myślenia.

Nadal otrzymujemy solidną porcję korespondencji od Mony Flores, która stara się na bieżąco informować nas o rozwoju sytuacji. Okazuje się, że przesłuchiwany jest każdy, kto miał cokolwiek wspólnego z wypadkiem lub tylko o nim słyszał. A to wszystko kosztuje. Za nasze przesłuchania musieliśmy zapłacić dwieście trzydzieści dwa dolary i osiemdziesiąt centów, a do tego doszły koszty przelotu. Nawet przesłuchanie, które odbyło się w czasie promocji mojej książki, kosztowało ponad pięćdziesiąt dolarów.

Wygląda to tak, że firma pokrywa koszty procesu tylko wówczas, gdy sprawę prowadzą jej prawnicy, natomiast zawsze, kiedy uzna to za konieczne, może wynająć innych prawników, detektywów albo tak zwanych biegłych sądowych: wszystko za nasze pieniądze. W przypadku biegłych płacimy nawet za ich podróże, wyżywienie, rachunki telefoniczne i zakwaterowanie. Teraz rozumiem, dlaczego wszystkim tak bardzo zależy, żeby doszło do ugody. Wtedy każdy coś zarobi. Jesteśmy w pułapce.

Przychodzi kolejny list od Mony: Rosemary, jako przedstawiciel rodziny, ma stawić się na posiedzeniu pojednawczym w Portland. Dzwonię do Mony przypominając, że nie chcemy ugody, a zatem nie widzimy powodu, żeby brać udział w posiedzeniu pojednawczym. Podkreślam raz jeszcze, że zgodziliśmy się przejść przez to wszystko wyłącznie dlatego, iż chcemy doprowadzić do publicznego procesu, który wyciągnie na światło dzienne cały ten przerażający skandal. Poza tym posiedzenie ma się odbyć w Portland w czasie, kiedy Rosemary nie może wziąć urlopu z przedszkola, a ja pracuję nad nową książką. Mówię, że nie przyjedziemy. Mona odpowiada, że skonsultuje się z sędzią Josephem Murphym, który ma przewodniczyć posiedzeniu.

Następnego dnia ona dzwoni do nas. Sędzia Murphy stanowczo domaga się, aby jedno z nas przyjechało. Jeżeli odmówimy, pozwie nas za obrazę sądu. Mona twierdzi, że Murphy nie rzuca słów na wiatr. Martwi się, żeby nie zażądał mojej ekstradycji. Rzucam słuchawką.

Umawiam się ze znajomym prawnikiem, Francuzem, który ma doświadczenie w kontaktach z amerykańskim wymiarem sprawiedliwości. Przedstawiam mu sytuację. Chcę wiedzieć, co mogą mi zrobić, jeżeli nie pojadę.

— Oskarżą cię o obrazę sądu i wystąpią o ekstradycję.

— A co zrobią Francuzi, gdyby doszło do ekstradycji?

— Na pewno długo się będą zastanawiać, zanim pozwolą ci wrócić. Trudno im się dziwić: jeśli trafisz na surowego sędziego, możesz zostać skazany za przestępstwo kryminalne.

— Nie mogę w to uwierzyć!

— Lepiej, żebyś uwierzył.

Mój francuski znajomy pozbawia mnie złudzeń w iście amerykańskim stylu.

Wracam do domu i opowiadam o wszystkim Rosemary. Mówi, że chyba powinienem pojechać. Martwi się, że mógłbym zaszkodzić Willsowi, że nie dostałby wtedy odszkodowania za utratę matki, ojczyma i dwóch przyrodnich siostrzyczek.

Pakuję jedyny ciemny garnitur, jaki posiadam, ten, który miałem na pogrzebie, oczywiście wytarte dżinsy, koszulki z krótkim rękawem i bieliznę. Wrzucam do torby również trzy, mniej lub bardziej wyjściowe koszule oraz krawat. Przez całe życie nie stroiłem się tyle co teraz. W ostatniej chwili dokładam jeszcze mój stary neseser.

Lot nie jest specjalnie męczący, tylko okropnie nudny, z długim postojem w Minneapolis. Na lotnisku w Portland czeka na mnie Mona Flores. To dla mnie prawdziwa niespodzianka. Podałem jej numer lotu, ale nie spodziewałem się, że wyjdzie po mnie. Macham do niej. Ma na sobie tradycyjny ciemny kostium: spodnie plus żakiet z poszerzanymi ramionami.

— Zaskoczony?

— Mile zaskoczony. Co cię skłoniło do takiej wyprawy?

— Mogłabym powiedzieć, że chciałam ci zrobić niespodziankę, ale był inny powód.

— Jeżeli mi teraz powiesz, że posiedzenie zostało przełożone na inny termin, wskakuję do pierwszego samolotu do Paryża i zobaczycie mnie dopiero na procesie.

— Nie jest aż tak źle, ale i nie najlepiej.

Zachowuje się jak rasowy prawnik, trzymając mnie w niepewności, aż sam nie zapytam.

— Okay, no więc, co się stało?

— Sędzia Murphy przeniósł posiedzenie do Eugene.

— Dlaczego to zrobił?

— Myślę, że chce nas wszystkich zebrać w tym samym miejscu: rozprawy stanowe i federalne. Murphy szczyci się dużą liczbą spraw, które dzięki niemu zakończyły się ugodą, nie trafiając nigdy do sądu. Twierdzi, że ma dziewięćdziesiąt pięć procent skuteczności i chyba wiele nie przesadza. Wydaje się, że to główna rzecz, na której mu teraz zależy. Obawiam się, że poznamy go z jak najgorszej strony.

— Dla mnie to bez znaczenia, bo jak wiesz, nie zamierzam zawierać żadnej ugody. Za to wszystkim innym, prawnikom, skarżącym, pozwanym, to tylko utrudni życie. Ciekawe po co?

— Sędzia federalny jest nieomylny. Nie warto nawet próbować nakłaniać go, żeby zmienił zdanie. Nie można usunąć go z urzędu, swoją funkcję sprawuje dożywotnio. Nie można też postawić go przed sądem.

Mona ma nową hondę, brązowy metalik. Wrzucam swój bagaż na tylne siedzenie.

— Jeszcze jakieś niespodzianki?

— Charles Raven uważa, że Murphy szykuje się na wielkie łowy: chce za jednym zamachem doprowadzić do ugody wszystkich ze wszystkimi. To największe posiedzenie pojednawcze w dziejach Oregonu. Murphy postanowił nikomu nie popuścić. Jeżeli dopnie swego, jego skuteczność podskoczy co najmniej o trzy punkty.

Wyjeżdżając z podziemnego parkingu, Mona rzuca mi krótkie spojrzenie.

— Ma opinię sędziego, który trzyma stronę pozwanych.

— Wszystko ładnie, tylko, jak już powiedziałem, dla mnie to bez znaczenia. Chyba nie może mnie zmusić do ugody, prawda?

— Będzie próbował.

— Cóż, życzę powodzenia, sędzio Murphy. Nawet Bóg nie ma takiej władzy.

— Gdzie będziesz mieszkał?

— Tam, gdzie ostatnio, u Karen i Roberta. Dzwoniłem do nich, że przylatuję, ale nie podałem numeru lotu, bo nie chciałem, żeby wyjeżdżali po mnie taki kawał drogi. Skoro o tym mowa, jeszcze raz dziękuję.

Kiedy stajemy przed domem Karen i Roberta, nie widzę ich samochodów, ale wiem, gdzie chowają klucz.

— Jeżeli chcesz, możesz zatrzymać się u nas. Właśnie kupiliśmy z Tomem wielkie, stare domisko, zbudowane jeszcze w latach dwudziestych. Mamy mnóstwo wolnych pokoi.

Dziękuję Monie mówiąc, że wiem, gdzie jest klucz.

— Mam nadzieję, że nie aresztują cię za włamanie.

— Zawiadomisz policję?

— Oczywiście, że nie.

— Pytam, bo z wami prawnikami nigdy nic nie wiadomo. Nieźle mnie już wytresowałaś. Wkrótce stanę się klientem doskonałym.

— Nigdy nie będziesz dobrym klientem.

— A to dlaczego?

— Po pierwsze, zawsze chcesz zbyt dużo wiedzieć, po drugie, wydaje ci się, że dużo wiesz.

Zostawiam swój bagaż na chodniku, okrążam dom i idąc za wskazówkami Karen, na tylnej werandzie znajduję klucz. Wracam, żeby wziąć swoje torby i pożegnać się z Moną.

Mona czeka w samochodzie z włączonym silnikiem.

— Podjadę tu jutro i zabiorę cię do Eugene. To mniej więcej dwie godziny drogi stąd. Sędzia chce nas wszystkich widzieć w sądzie o pierwszej. Po drodze wyjaśnię ci, co to takiego to posiedzenie pojednawcze.

Zaczynamy rozmawiać dopiero po wyjeździe z Portland na autostradę I-5. Będziemy mijać miejsce wypadku, ale jadąc w przeciwnym kierunku. Wyglądam przez okno. Kilka razy czuję, że Mona zerka na mnie, jakby chciała mi coś powiedzieć.

— Mona, obiecałaś, że porozmawiamy o tym posiedzeniu pojednawczym. Sama coś powiesz, czy to ja, biorąc przykład z prawników, mam wszystko z ciebie wyciągnąć, za pomocą dziesięciu tysięcy pytań, jak na przesłuchaniu?

— Jesteś niedobrym klientem, Will. Nie ma w tobie za grosz szacunku dla prawa.

— Uważam, że prawa należy przestrzegać, jeżeli o to ci chodzi. Ale kiedy widzę, w jaki sposób robi się to w Oregonie, istotnie, nie mam o nim dobrego mniemania.

— Za kilka dni będziesz miał jeszcze gorsze. Mam pewne podejrzenia, co tam się może wydarzyć, ale nie wiem, czy powinnam o tym z tobą rozmawiać. Jestem pewna, że to ci się nie spodoba.

— Nie rozumiem, Mona. To mój proces. To ja płacę tobie, Ravenowi i Williamsowi za to, żebyście za mnie paprali się w tych brudach. Dlaczego i w ogóle jakim prawem robisz z tego sekret? Dam głowę, że to całe posiedzenie pojednawcze to taki sam idiotyzm jak składanie zeznań.

— Większy.

— O Boże! Mona, nie zmuszaj mnie, żebym cię stale ciągnął za język.

— No dobrze. Na pewno chcesz wiedzieć, dlaczego musimy jechać aż do Eugene, skoro pierwotnie posiedzenie miało się odbyć w Portland?

— Zgadza się. Większość zainteresowanych z pewnością ma bliżej do Portland.

— Nie pomyślałam o tym, ale chyba masz rację.

— No więc, dlaczego?

— Pamiętasz, ile wysiłku nas kosztowało, żeby oddzielić naszą sprawę od spraw, które trafiły do sądów stanowych?

Kiwam głową.

— I zgodnie z tym, co pisałaś, to się nam udało.

— Cóż, Murphy znalazł sposób, żeby to obejść. Przenosi wszystkie sprawy do Eugene na posiedzenie pojednawcze. Nieważne, gdzie wyznaczono miejsce poszczególnych rozpraw, wszyscy spotkają się dzisiaj w Eugene, czy to się komuś podoba, czy nie.

— Ale to nie będzie proces, prawda?

— Jak już ci mówiłam, sędzia Murphy chce za jednym zamachem doprowadzić do ugody wszystkich ze wszystkimi. Jeżeli tak się stanie, w ogóle nie będzie żadnych procesów, nieważne, czy sprawa miała trafić do sądu stanowego czy federalnego. Jeśli Murphy'emu się powiedzie, po kolei zmusi każdego do ugody. Wszystkich zaskoczył, a nas w szczególności. Tylko nasza sprawa miała być rozpatrywana przez sąd federalny. Teraz rozumiesz?

— Jasne, przechytrzył was. Jak mogliście do tego dopuścić? Czy to zgodne z prawem?

— Zgodne z prawem, choć nietypowe. Prawdę mówiąc, podważa tym samym orzeczenie innego sędziego federalnego, wyznaczającego miejsce rozprawy.

— I nie możecie nic z tym zrobić?

— Ależ z ciebie ciekawski klient. Nie zapominaj, że nam też nie jest łatwo. Wyprułam z siebie flaki, żeby rozprawa odbyła się na bardziej neutralnym gruncie, a teraz to wszystko, ot tak, ląduje w koszu.

— Nie odpowiedziałaś na moje pytanie. Nic już nie możemy zrobić?

— Nie, nie sądzę. A nawet gdybyśmy mogli, też byśmy nic nie zrobili.

To brzmi coraz ciekawiej.

— Powiedz mi coś więcej.

— Mówiłam ci już o sędziach federalnych. To są polityczne nominacje. Raz mianowani sprawują tę funkcję dożywotnio pod warunkiem, że nie zrobią jakiegoś strasznego głupstwa lub nie zostaną uznani za niezdolnych do wypełniania swoich obowiązków. Ale nawet wtedy właściwie nie ma sposobu, żeby się ich pozbyć, chyba że wykopując gdzieś do góry. Na tym nie koniec, jak już mówiłam, sędziego federalnego nie można pozwać do sądu. Teraz to sobie przemyśl.

Mona patrzy na mnie ze złością. Przez chwilę gapię się przez okno.

— Czy taki sędzia jak Murphy sądzi również sprawy cywilne i kryminalne, tak jak zwyczajny sędzia?

— On nie jest zwykłym sędzią, to sędzia federalny, nie możesz tego pojąć?

— Aha, rozumiem. Murphy może w przyszłości sądzić sprawy, w których ty lub Raven czy ktokolwiek z firmy Baker, Ford możecie występować jako oskarżyciele albo obrońcy. Dlatego płaszczycie się przed nim i robicie wszystko, co wam każe.

— Mocne słowa, ale w gruncie rzeczy tak to właśnie wygląda. Zobaczysz, że podczas tego posiedzenia nikt nie będzie darł kotów z Murphym, choć będzie wiele okazji, żeby zgłosić sprzeciw.

— Ty również będziesz na tym posiedzeniu. Za co ci właściwie płacę?

Mona przez dłuższą chwilę się nie odzywa i tylko rzuca mi mordercze spojrzenia.

— Jeszcze mi nie zapłaciłeś. Jesteś na procencie. Ponosimy ryzyko.

— Cholera, jakie ryzyko? Dopiero co powiedziałaś, że nie wejdziecie w paradę temu sukinsynowi. I zapamiętaj, to wy jesteście na procencie, nie ja. Ja wam płacę. Jeśli zostanie zasądzone odszkodowanie, to nie tobie, nie firmie Baker, Ford, ale Billingsowi i Whartonom.

Mona zjeżdża na pobocze i zatrzymuje samochód.

— Co w takim razie proponujesz? Mamy wypiąć się na posiedzenie pojednawcze? Z takim nastawieniem lepiej tam w ogóle nie jechać. Danny Billings chyba da sobie radę bez nas. Ty nie miałbyś żadnych szans. W świetle prawa to byłaby ucieczka. Bądź rozsądny, Will.

— Powtarzasz moje słowa. Nie chcę ugody, więc nie wiadomo, po co ciągniesz mnie na posiedzenie pojednawcze. To brzmi rozsądnie, tylko że, o ile się orientuję, jeśli tam nie pojadę, wsadzą mnie do więzienia i może nawet wyrzucą z kraju, w którym chcę mieszkać razem z resztą mojej rodziny. Pomyśl sama, ja, pełnomocnik mojej córki, zięcia i wnuczek, wyląduję w pudle i zostanę skazany na wygnanie, ponieważ oni zginęli. Powiedz mi, Mona, ale szczerze, widzisz w tym jakiś sens?

— Nie, ale takie jest prawo. Poza tym, mocno przesadzasz i dobrze o tym wiesz. Jako twój prawnik próbuję ci wyjaśnić reguły gry. To nie ja ustanawiałam prawo. Jestem tylko twoim doradcą. Robię, co mogę, żeby ci pomóc, a ty wszystko utrudniasz.

— Wszystko polega na tym, żeby w tym generalnie wadliwym systemie wyszperać jakieś z grubsza rozsądne rozwiązanie?

— Możliwe. Nie bronię całego amerykańskiego systemu prawnego.

— Poddaję się. Jak powiedział Wills na przesłuchaniu, skoro zabrnęliśmy już tak daleko, nie ma sensu zawracać. Jedźmy, mój doradco.

— Jesteś pewny, że tego właśnie chcesz?

— Nie, wcale tego nie chcę, ale znalazłem się w pułapce i nie widzę innego wyjścia. Chcę tylko doprowadzić do procesu, podczas którego jeszcze raz będziemy mogli przedstawić sprawę wypalania ściernisk i, być może, uzyskać odszkodowanie, co może skłoni farmerów do myślenia. O nic więcej mi nie chodzi.

Mona wrzuca bieg i czeka na jakąś przerwę w sznurze samochodów. Milczymy.

Kiedy jedziemy, rozglądam się wypatrując miejsca, w którym umarli moi bliscy. Mijając je, poznaję budynek fabryki po drugiej stronie drogi oraz słupek kilometrowy. Takie to wszystko smutne, a prowadzi do tak niepoważnych historii jak ta nasza wyprawa do Eugene.

— Mogłabyś mi wyjaśnić, czego się spodziewasz po tym posiedzeniu? Powiedz mi tyle, ile, twoim zdaniem, potrafię zrozumieć. Obiecuję, że się nie odezwę, aż nie skończysz.

Mona zastanawia się przez chwilę.

— Trzeba zacząć od tego, że jest za mało sędziów i sal rozpraw, żeby na bieżąco sądzić wszystkie sprawy cywilne i kryminalne. Samych spraw o narkotyki jest tyle, że większość sądów mogłaby nie zajmować się niczym innym. Sporą część spraw kryminalnych rozstrzyga się poza sądem w taki sposób, że oskarżony zgadza się przyznać do winy w zamian za obietnicę mniejszego wyroku.

Mona zerka na mnie. Kiwam głową, próbując się uśmiechnąć.

— W przypadku spraw cywilnych większość kończy się ugodą, co oznacza, że pozwany składa wniosek o zawarcie ugody, deklarując zapłacenie pewnej sumy powodowi, i potem negocjują. To olbrzymia oszczędność zarówno dla przegranej strony, jak i dla kasy stanowej, ponieważ koszty procesu są bardzo wysokie. Taki jest właśnie cel posiedzeń pojednawczych, również dzisiejszego, tyle że my mamy do czynienia z postępowaniem pojednawczym na wielką skalę. W dodatku władze stanowe mają zamiar przeznaczyć jedynie trzysta tysięcy dolarów na łączne odszkodowanie dla wszystkich ofiar wypadku. Likwidacja tej ustawowej „czapki", ze względu na rodzaj i wysokość poniesionych strat, to była pierwsza rzecz, o którą walczyła nasza firma.

— Ale w tym wypadku wygraliśmy, prawda? W każdym razie tak pisałaś. Tylko mi nie mów, że to „zwycięstwo" jest takim samym „zwycięstwem" jak to w kwestii naszego prawa do procesu przed sądem federalnym.

Mona bierze głęboki wdech i rzuca mi szybkie spojrzenie. Jedziemy ponad sto kilometrów na godzinę. Zaciskam palce na uchwycie nad drzwiami auta.

— Myśleliśmy, że to ostateczna decyzja, ale teraz okazuje się, że w sądzie apelacyjnym, w hrabstwie Linn, niedaleko miejsca wypadku, sędzia stanowy uchylił postanowienie sędziego federalnego. To poważny problem dla wszystkich skarżących. Stało się to niedawno, ale sędzia Murphy już zaakceptował orzeczenie sądu apelacyjnego i nawet nie było czasu, żeby poinformować o tym wszystkich zainteresowanych. Rozumiesz?

— Czy sąd niższego szczebla może tak po prostu uchylić postanowienie sędziego federalnego?

— Tego właśnie nie jesteśmy pewni. Teraz jednak to kwestia czasu: zanim zdążymy odwołać się od postanowienia sądu apelacyjnego, Murphy wykorzysta je podczas posiedzenia pojednawczego. Ja uważam, że powinniśmy złożyć wniosek o odroczenie posiedzenia do czasu rozpatrzenia zażalenia na decyzję sądu apelacyjnego. Przyjęcie tej decyzji przez sędziego Murphy'ego jest działaniem na niekorzyść skarżących.

— Dlaczego adwokaci powodów nie mogą zwyczajnie odmówić udziału w tym posiedzeniu?

— Słyszałeś, co mówiłam o powiązaniach między adwokatami i sędziami. Nikt nie ma ochoty nadstawiać karku.

— Okay, mów dalej. Obiecałem, że nie będę przerywać.

— Cóż, to właściwie wszystko, co mogę teraz powiedzieć. Będziemy musieli poczekać i przekonać się, do czego zmierza Murphy. Nic innego na razie nie wymyślimy. Aha, jest jeszcze coś, co powinieneś wiedzieć. Sędzia Murphy jest świeżo nawróconym chrześcijaninem. Ślubował Chrystusowi. Są jeszcze inne sprawy, które sam zrozumiesz, kiedy wszystko się zacznie. Dzisiaj tylko pamiętaj, że na razie, czy to nam się podoba czy nie, Murphy ma nas w garści. Kiedyś pracował dla Bakera, Forda, ale nie zaproponowano mu pozostania w firmie. To też nie poprawia naszej sytuacji.

Potrzebuję czasu, żeby to wszystko przemyśleć. Mam straszny mętlik w głowie. Czego innego uczono mnie na lekcjach wychowania obywatelskiego w szkole podstawowej i średniej oraz na zajęciach z nauk politycznych na studiach. Nikt tam nie wspominał o żadnych ugodach ani układach z przestępcami. Może wtedy tego jeszcze nie wynaleziono, ostatecznie było to ponad czterdzieści lat temu.

Zagłębiam się w fotelu i oglądam wspaniałe widoki za oknem. Za kilka miesięcy, jak co roku, znikną za grubą zasłoną dymu. Trudno w to teraz uwierzyć.

Dojeżdżamy do Eugene.

Witamy się ze wszystkimi, po czym wchodzimy przez wysokie drzwi, jakby zbudowane dla olbrzyma. Wewnątrz unosi się typowy zapach budynków państwowych, nagromadzona przez lata woń ludzkich zmagań i strachu. Zaraz za drzwiami znajduje się wykrywacz metali, taki sam, jakich używa się na lotniskach. Czuję się, jakby prowadzono mnie do więzienia.

Mam ze sobą neseser. W środku są kanapki z masłem orzechowym, mały magnetofon i taśmy. Kiedy przechodzę przez „bramkę", wykrywacz zaczyna buczeć, więc cofam się do wyjścia. Strażnik przetrząsa torbę i wyciąga magnetofon. Obrzuca mnie surowym spojrzeniem.

— Po co to panu?

— Jestem pełnomocnikiem mojej rodziny. Chcę nagrać przebieg posiedzenia, żeby wiedzieli, jak to się odbyło.

— Nie może pan tego wnieść do budynku sądu federalnego. Nagrywanie przebiegu jakiegokolwiek postępowania sądowego jest zabronione. To sprzeczne z prawem.

Oglądam się na Monę.

— To prawda?

— Prawda. Nie miałam pojęcia, że chcesz wziąć magnetofon, inaczej bym ci powiedziała.

Obracam się z powrotem do strażnika.

— Nie miałem zamiaru nagrywać przebiegu posiedzenia. Chciałem tylko nagrywać swoje uwagi o tym, co się dzieje.

— Tego też nie wolno.

— To może zostawię tylko taśmy?

Patrzę na Charlesa Ravena, który nerwowo zerka na zegarek. Strażnik otwiera magnetofon i wyjmuje kasetę. Uważnie ogląda kanapki. Potem zabiera zapasowe taśmy i oddaje mi neseser.

— Okay. Nie powinienem tego robić, ale sam magnetofon może pan zatrzymać. Proszę go nie wyjmować z neseseru. Taśmy odbierze pan przy wyjściu.

Uśmiecha się. Ja także się uśmiecham. Ciekawe, czy taki strażnik zdaje sobie sprawę, jakie to wszystko zabawne. Uśmiecham się do Mony, Clinta i Ravena. Oni nie wyglądają na rozbawionych. Na schodach Mona łapie mnie za rękaw.

— Uprzedzam, jeżeli włączysz magnetofon i to zauważą, ja cię nie będę bronić.

Stajemy przed drzwiami ogromnej sali. Najwyraźniej to tutaj ma się odbyć posiedzenie. Na korytarzu spostrzegam Claire Woodman. Robi na drutach. Kiedy podchodzę, patrzy na mnie, jakby nie wiedziała, kim jestem, a potem ociągając się, podaje mi rękę.

— Co się dzieje, Claire? Jak twoja rodzina?

— Dobrze, chociaż...

— Chociaż co?

Claire wzrusza ramionami i wraca do swojej robótki. Gdzieś tu krąży widmo Madame Defarge. A może Claire zaraziła się

„prawem" — to naprawdę niebezpieczna choroba. Podchodzi Mona i mówi, że czas na nas. Wchodzimy do sali. Wszyscy zajmują miejsca. Zebrał się całkiem spory tłumek.

Na prawo od rzędów krzeseł dla publiczności stoi trzynaście wyściełanych pluszem, obrotowych foteli. To na pewno dla sędziów przysięgłych. Z przodu są jeszcze jakieś stoły i krzesła, a za nimi, na podwyższeniu, stół sędziowski. Wygląda to jak zwykła sala sądowa z filmu, tylko większa.

Jest trzecia. Przypominam sobie o kanapkach z masłem orzechowym. Czuję ich zapach przez papier i skórę neseseru. W tym samym momencie drzwi za stołem sędziowskim otwierają się. Domyślam się, że to Murphy, chociaż ubrany jest po cywilnemu: ma na sobie spodnie w kratkę, rozpiętą pod szyją koszulę i luźny sweter. Wygląda, jakby wybierał się na golfa. Jego włosy są zaczesane do przodu, w taką niby-grzywkę. Zdaje się, że całość trzyma się dzięki lakierowi do włosów.

Murphy siada — noga na nogę, ręce założone za głowę, palce splecione. Zaczyna mówić. Mówi takim cichym, śpiewnym głosem, że wszyscy wyciągają szyję, żeby w ogóle coś usłyszeć.

— Jestem sędzia Murphy i to ja przewodniczę temu posiedzeniu pojednawczemu. Zamierzam doprowadzić do zawarcia ugody we wszystkich sprawach związanych z tragedią na I-5. Nikt nie opuści tego budynku, dopóki pozostanie choćby jedna nie załatwiona sprawa. Chciałbym, żeby to było jasne.

Nie słychać żadnych głosów sprzeciwu.

— Aby dopiąć celu, gotów jestem pracować dwadzieścia cztery godziny na dobę, co i was dotyczy. Jestem pewny, że godząc się na kompromis, zdołamy osiągnąć porozumienie. Dla nikogo to nie będzie łatwe. Ale ostrzegam: jeżeli kogoś zawezwę do mojego gabinetu, nieważne, o jakiej porze dnia lub nocy, ma zgłosić się w ciągu pięciu minut albo wsadzę go za obrazę sądu.

To mówiąc, rozgląda się po sali jakby w nadziei, że znajdzie kogoś, kogo mógłby już wsadzić za obrazę sądu.

— To będzie długie posiedzenie, ale tylko od was zależy jak długie. Jeśli to będzie konieczne, spędzimy tu nawet parę dni.

A teraz, proszę, aby każdy po kolei wstał, podał swoje nazwisko, powód, dla którego tu się znalazł, oraz, ewentualnie, kogo reprezentuje.

Znowu odpowiada mu cisza. Zaczynam rozumieć, co czują chorzy na klaustrofobię. To nie do wiary, ale staliśmy się więźniami tego człowieka. Jak to możliwe, że ci wszyscy wykształceni i doświadczeni ludzie w ogóle na to nie reagują?

— Zaczniemy od pana, panie Stears.

Pan Stears siedzi na samym końcu, po lewej stronie sali. Wstaje, przedstawia się i mówi, że reprezentuje firmę ubezpieczeniową. Sędzia Murphy dziękuje panu Stearsowi i pokazuje ręką na następną osobę z tego rzędu.

Wlecze się to w nieskończoność; jest tu co najmniej pięćdziesiąt osób. Ja siedzę między Moną i Charlesem. Po drugiej stronie Ravena siedzi Clint, a obok Clinta Danny. Obserwując sędziego Murphy'ego, nawet nie zauważyłem, kiedy Danny pojawił się na sali.

Tymczasem wszyscy adwokaci zachowują się tak, jakby już byli zmęczeni całą tą historią. Skarżący i pozwani są z reguły zdenerwowani. Kiedy sędzia zaczyna wywoływać osoby z mojego rzędu, ze zdziwieniem stwierdzam, że też jestem dziwnie spięty. Kiedy przychodzi moja kolej, podnoszę się z krzesła.

— Nazywam się William Wharton, jestem ojcem Kathleen Wharton Woodman, dziadkiem Dayiel i Mii Wharton Woodman oraz teściem Berta Woodmana, którzy zginęli w wypadku na autostradzie I-5. Występuję jako pełnomocnik rodziny, w zastępstwie mojej żony. Stawiłem się tutaj, odbywając daleką podróż z Francji, pod groźbą oskarżenia o obrazę sądu. Nie mam zamiaru zawierać żadnej ugody przed rozprawą sądową i jestem oburzony faktem, iż wbrew mojej woli zmuszono mnie do udziału w tym posiedzeniu.

Teraz wszyscy już wiedzą. Siadam na miejsce. Po mnie wstaje Charles Raven i przedstawia się jako adwokat dwóch skarżących rodzin, Billingsów i Whartonów. Nie wygląda na uszczęśliwionego.

Po tej wstępnej ceremonii sędzia Murphy przywołuje grubego mężczyznę w okularach — zastępcę prokuratora okręgowego stanu Oregon.

— Jako zastępca prokuratora okręgowego stanu Oregon zostałem upoważniony do poinformowania państwa, że sędzia Murphy jako przewodniczący tego posiedzenia pojednawczego zwrócił się do mnie, reprezentującego tu władze stanowe, z propozycją, aby łączna kwota odszkodowań dla wszyskich ofiar wypadku nie przekroczyła trzystu tysięcy dolarów, zgodnie z obowiązującym w tym stanie prawem.

Nie słyszę żadnych sprzeciwów. To niewiarygodne. Oglądam się na Monę: kładzie palec na ustach i psyka, żebym się nie odzywał. Głos zabiera sędzia Murphy.

— Oprócz tego dysponować będziemy różnej wysokości kwotami pochodzącymi od pozostałych pozwanych. Wszystkie złożą się na jeden fundusz, który następnie zostanie rozdzielony zgodnie z waszymi propozycjami i moim uznaniem. Proponuję, aby pełnomocnicy powodów i pozwanych zajęli się teraz ustaleniem wysokości poszczególnych roszczeń, wysokości proporcjonalnej do całości funduszu. Co jakiś czas będę wzywał was i waszych klientów do mojego gabinetu i sprawdzał, jak sobie radzicie z tym niełatwym zadaniem. Nikomu nie wolno ujawnić ogólnej kwoty funduszu ani sum określonych w zawartych ugodach. To oficjalny zakaz, a jego pogwałcenie traktowane będzie z pełną surowością.

To powiedziawszy, Murphy wstaje i wychodzi tymi samymi drzwiami, którymi przedtem wszedł na salę.

Przez chwilę wszyscy siedzą w milczeniu. Później, stopniowo, jak ptaki szukające miejsca na założenie gniazda, adwokaci, powodowie i pozwani rozchodzą się na wszystkie strony, kryjąc się w rozmaitych kątach i zakamarkach albo wewnątrz barykady z krzeseł, a następnie, Bóg mi świadkiem, wyciągają te swoje niewinnie wyglądające prawnicze, żółte notatniki. Raven, Mona i Clint trzymają się razem. Mona daje mi znak, żebym został na swoim miejscu: chyba chodzi o to, żeby klienci nie przeszkadzali zawodowcom. Danny przez chwilę nie wie, co ze sobą zrobić, po czym na stole przy drzwiach dostrzega gazetę i rusza w tamtą stronę.

Siedzę jak odrętwiały. Nie mogę uwierzyć, że to się naprawdę dzieje. Przecież to przypomina obrady tajnego stowarzyszenia, a nie normalny sąd. Ogarnia mnie wściekłość.

Po jakichś dziesięciu minutach samotnych medytacji biorę neseser i ruszam do drzwi znajdujących się po przeciwnej stronie sali niż te, którymi wyszedł sędzia. Szukam miejsca, gdzie nikt mi nie będzie przeszkadzał. Mam przy sobie dwie kasety magnetofonowe, które „przypadkiem" zawieruszyły się w wewnętrznej kieszeni mojej marynarki. Jeśli Mona chce, żeby mnie aresztowano, może skorzystać z okazji. Mam zamiar nagrać choćby część swoich przemyśleń.

Drzwi prowadzą do jakiegoś dużego pokoju. W środku znajduje się spory stół i wygodne krzesła. Na drugim końcu też są drzwi, być może do gabinetu sędziego. Siadam tyłem do okna. Neseser kładę na stole. Wsuwam kasetę do magnetofonu, po czym wyciągam kartkę papieru i ołówek, żeby wyglądało, że robię jakieś notatki. Neseser zostawiam uchylony, wduszam odpowiedni przycisk i zaczynam nagrywać. Opowiadam o wszystkim, co się tu wydarzyło, i dodaję własne komentarze. Zabiera mi to niecałe dziesięć minut.

Potem wracam na salę. Muszę znaleźć swoich adwokatów. Jak oni mogą podejmować decyzje, nie pytając o zdanie klienta?

Odszukanie ich zabiera mi prawie pół godziny, a właściwie to oni mnie znajdują. Ściślej mówiąc, znajduje mnie Charles Raven. Macha ręką, żebym usiadł obok niego.

— Przemyśleliśmy to wszystko i wydaje nam się, że w pierwszej kolejności powinniśmy wnieść skargę przeciwko firmie przewozowej Cuttera.

— Dlaczego nie przeciwko władzom stanu Oregon? One ponoszą największą odpowiedzialność.

— Słyszał pan, co się stało. Od władz stanowych nie uzyskamy wysokiego odszkodowania. Sędzia Murphy prawdopodobnie nie dopuściłby nawet do wniesienia pozwu.

— A co ze Sweglerem? To on wzniecił pożar.

— Ogłosił upadłość, a z ubezpieczenia można wyciągnąć najwyżej sto tysięcy dolarów. Wszystko powyżej tej sumy stanowi jego zabezpieczenie na wypadek bankructwa; to takie specjalne prawo chroniące farmerów. Wszyscy skarżą Sweglera i przypadłaby nam tylko mała część tej kwoty. Szkoda zachodu. Cutter stanowczo powinien być naszym celem numer jeden.

— Nie chcę ugody. Nie słyszał pan?

Raven przez chwilę milczy.

— Wiem o tym, ale kiedy sędzia Murphy wezwie nas do siebie, zrobi wszystko, żeby nas do tego nakłonić. Ja uważam, że sprawa jest warta blisko miliona dolarów.

— Ale nie zawrzemy ugody.

Raven nie odpowiada.

Mijają kolejne godziny. Nieliczne dostępne toalety są stale zajęte. Na całym piętrze jest tylko jeden aparat telefoniczny. Sędzia Murphy wzywa do siebie kolejnych uczestników posiedzenia. Małe grupki wchodzą i wychodzą z gabinetu sędziego, nie przestając się kłócić.

Tymczasem moi adwokaci usiłują wypróbować na mnie jedną ze swoich paskudnych prawniczych sztuczek.

Furgonetka, którą Bert pożyczył od swojego najlepszego przyjaciela, Douga, była ubezpieczona na pół miliona dolarów. Stało się tak dlatego, że Doug ma komis samochodowy i chyba wszystkie auta są objęte jedną polisą. Czyjś adwokat wpadł na pomysł, żebyśmy z Dannym wnieśli pozew przeciwko Bertowi, naszemu Bertowi jako uczestnikowi wypadku, co pozwoliłoby dorzucić te pół miliona do ogólnej „puli". Mona twierdzi, że Danny nie ma nic przeciwko tej propozycji.

Ja mam skarżyć Berta, który zginął, próbując ratować naszą rodzinę? I do tego mam skarżyć Douga, który był tak uprzejmy, że pożyczył Bertowi swoją furgonetkę?

Moi adwokaci zapewniają mnie, że straci na tym wyłącznie firma ubezpieczeniowa, a nie Doug czy Bert, który przecież nie żyje. Nic mnie to nie obchodzi. Ostatecznie, musi być jakaś granica między dobrem i złem. Przez godzinę osaczają mnie jak sfora wściekłych psów: dla nich to niepojęte, że nie chcę zwiększyć „puli". Zachowują się, jakbym ich okradał.

Teraz rozumiem, dlaczego Claire Woodman była taka małomówna: myśli, że chcę oskarżyć jej syna. Prawdopodobnie usłyszała to od swojego adwokata.

Wychodzę z sali i szukam kobiety, która jest adwokatem Claire. Tłumaczę jej, co się stało, i zapewniam, że nie wniosę pozwu, nawet jeżeli wszyscy mieliby na tym stracić. Z początku mi nie wierzy, ale potem ucieszona prowadzi mnie do Claire. Informuje ją o mojej decyzji. Claire opuszcza robótkę na kolana i wyciąga do mnie ręce. Ściskamy się. Od razu lepiej się czuję. Claire płacze. Siedziała tutaj, myśląc o mnie jak najgorzej, ale słowa nie powiedziała. Bardzo po oregońsku, bardzo po prawniczemu.

Spaceruję po korytarzu, gapiąc się przez okna na dziedziniec. Zaczyna się ściemniać, a mnie burczy w brzuchu. Charles i Clint podejmują się stać na straży, kiedy Mona i ja pójdziemy coś zjeść. W Hiltonie na końcu ulicy jest restauracja. Niewiele rozmawiamy: ja klnę na czym świat stoi, ona próbuje mi coś wyjaśniać. Mam zamiar walczyć o proces przed sądem przysięgłych, o nagłośnienie całej sprawy.

Jedzenie jest drogie i niezbyt dobre. Przypuszczam, że sędzia nie wezwie nas już dzisiaj do siebie. Nie mam zamiaru spać na podłodze w sądzie, więc, wychodząc z restauracji, idę do recepcji i rezerwuję sobie pokój. Będę się kręcił po sądzie do jakiejś dziesiątej, potem znikam. Jestem wyczerpany. Poproszę któregoś z moich adwokatów, żeby zadzwonił do mnie, jeśli Murphy zapragnie widzieć nas w swoim gabinecie. Monie niezbyt się podoba mój pomysł. Przekonuję ją, że dotarcie do sądu nie zajmie mi nawet dziesięciu minut. Murphy nie może skazać mnie za obrazę sądu z powodu kilku minut spóźnienia.

Kiedy wracamy, Charlesa Ravena i Clinta Williamsa nie ma w sali. Mona wyrusza na poszukiwanie. Podchodzę do Danny'ego i mówię, co postanowiłem w sprawie wniesienia pozwu przeciw Bertowi. Przyjmuje to, jak wszyscy, z kwaśną miną. Mówię mu, że jeżeli chciałby coś zjeść, to mogę stanąć na czujce. Mam numer telefonu restauracji w Hiltonie.

Rośnie we mnie upór. Coraz jaśniej widzę, że nasi adwokaci

chcą zawrzeć ugodę tak szybko jak to tylko możliwe. Proces oznacza dla nich wyższe koszty, a wynik postępowania przed sądem przysięgłych jest zawsze wielką niewiadomą.

Do jedynego telefonu ustawiła się długa kolejka wykształconych ludzi, którzy normalnie w godzinę zarabiają po sto, dwieście dolarów. Facet, który rozmawia przez telefon, wydziera się do słuchawki, zapewne na swoją żonę:

— Muszę mieć przynajmniej świeżą koszulę. Zaczynam już cuchnąć jak stary kozioł.

O dziesiątej wychodzę z sądu. Podaję Monie numer pokoju i proszę, żeby zadzwoniła, gdyby Murphy nas wezwał. Jestem śmiertelnie zmęczony. Nie rozumiem, co skłania tych ludzi do pracy w tym zawodzie. Kiedy w pokoju hotelowym zamykam drzwi, szybko ściągam buty, koszulę i spodnie, po czym natychmiast zasypiam.

Budzi mnie dzwonek telefonu. W pierwszej chwili w ogóle nie wiem, gdzie jestem. Potem dociera do mnie, że pewnie sędzia nas wzywa. Podnoszę słuchawkę. To Mona. Dzwoni ze swojego pokoju i pyta, czy nie wypiłbym z nią drinka w hotelowym barze.

Spotykamy się na dole. Mona siedzi przy stoliku i pije piwo. Opadam na krzesło obok niej. Przygląda mi się badawczo jak na prawnika przystało. Pali papierosa. Przed nią stoi szklanka, ale Mona pije z butelki.

— Co sądzisz o dzisiejszym dniu?

— Naprawdę cię to interesuje, czy to tylko takie prawnicze „naprowadzające" pytanie?

— Naprawdę. Jestem ciekawa twojego zdania. Obserwowałam cię. Wiem, że nie jesteś tym wszystkim zachwycony.

— A ty, Mona, byłabyś zachwycona, gdyby oderwano cię od pracy, w najważniejszym momencie, i zmuszono do wydania ośmiuset dolarów na przelot do miejsca, w którym wcale nie chcesz się znaleźć; gdybyś musiała spędzić ponad dziesięć godzin w samolocie i jeszcze dwie na lotnisku, a wszystko dlatego, że chcesz nadal mieszkać tam, gdzie mieszkasz, i nie chcesz trafić do więzienia? No więc zjawiam się tutaj, a wtedy okazuje się, że jestem w niewłaściwym mieście, jakieś trzysta kilometrów od miejsca, w którym tak naprawdę powinienem się znaleźć. Następnie dowiaduję się, że sędzia okpił moich adwokatów, i że nie mogę zrobić tego, co planowałem, czyli postawić przed sądem władze stanu Oregon i wszystkich odpowiedzialnych za śmierć mojej córki i jej rodziny. W dodatku te dupki liczą, że wniosę pozew przeciwko mojemu zięciowi, żeby zgarnąć ubezpieczenie jego najlepszego przyjaciela.

Nie wytrzymuję, opieram głowę o stolik, łzy kapią na blat. Właśnie wtedy zjawia się kelner z nową butelką piwa dla Mony. Kiedy odchodzi, podnoszę głowę. Pewnie myśli, że to sprzeczka kochanków — młoda, ładna kobieta porzuca starego, łysego mężczyznę. Te łzy bezsilnej złości sprowadzają wspomnienia z dzieciństwa, kiedy nieraz zdarzyło mi się oberwać w szkolnych bójkach. Młóciłem wtedy rękami, robiłem uniki, krwawiłem, walczyłem i płakałem — wszystko naraz.

— Później ten cały sędzia Murphy stwierdza, że nie możemy wnieść skargi, i zaczynam rozumieć, że nikt, nawet moi adwokaci, nie chce, aby sprawa trafiła do sądu. Boją się tego sędziego i nie mają zaufania do ławy przysięgłych, ostoi naszego wymiaru sprawiedliwości. Sędzia Murphy robi z nami, co chce, a ja nie pojmuję, dlaczego, i nikt nie potrafi mi tego wytłumaczyć. Zamyka nas w sali sądowej i nie wolno nam jej opuszczać na dłużej niż pięć minut. W pięć minut to ja nawet nie zdążę się wysrać. W dodatku w tym cholernym sądzie jest za mało sraczy. A ty pytasz, dlaczego wyglądam na niezadowolonego. Zastanów się, o czym ty mówisz, Mona! Ty jesteś zadowolona?

Opieram ręce na stoliku i sięgam po jedną z papierowych serwetek, które przynieśli nam razem z piwem. Wycieram twarz, a potem mokry ślad po butelce na stoliku. Mona pochyla się i bierze moje ręce w swoje dłonie.

— Nie, nie jestem zadowolona. Myślę, że w zasadzie masz rację, również w tym, co powiedziałeś o mnie. Zrozum, zależy mi na tej pracy. Wreszcie zaczynam coś znaczyć. Pracuję dla dużej firmy. Charles Raven jest już wspólnikiem. Ja też chciałabym nim zostać. I myślę, że w tym roku mi się to uda, jeżeli czegoś nie zawalę.

Puszcza moje ręce. Patrzę jej prosto w oczy.

— Skoro uważasz, że to takie okropne, dlaczego nie rzucisz tego w cholerę? Ja bym się chwili nie zastanawiał.

Mona również patrzy mi w oczy.

— W kilku rzeczach czuję się winna, chociaż myślę, że żaden z adwokatów strony skarżącej nie spodziewał się takiego obrotu sprawy. Masz rację, wszyscy nas wykiwali: sędzia Murphy, władze stanowe, adwokat Sweglera, adwokat Cuttera i diabli wiedzą, kto jeszcze. Przykro mi, że pamięć twojej córki i jej rodziny została zbrukana przez tę parodię. Może to brzmi jak banał, ale chyba taka jest prawda.

Zapala następnego papierosa, upija łyk piwa. Wbija we mnie te swoje zielone oczy.

— Poprosiłam cię o spotkanie, ponieważ Charles Raven jest przekonany, że jutro Murphy wezwie nas do siebie, i nawet wie już mniej więcej, ile nam zaproponuje. Uważa, że to za mało. Chce, żebyś się nie zgodził. Prawdopodobnie to samo powie Danny'emu. Powinieneś omówić to z Dannym, zanim pójdziemy do sędziego.

Robi pauzę.

— Proszę, nie mów nikomu, że ci o tym powiedziałam. Nie powinnam tego robić. Teraz idź się położyć. My będziemy czuwać na wypadek, gdyby Murphy zdecydował się wypróbować swoją moc w środku nocy. Znasz prawo Murphy'ego?

— Tak, jeżeli coś może się nie udać, na pewno się nie uda.

— Stale o tym pamiętaj. I jeśli mogę cię prosić, jutro buzia na kłódkę.

— Niestety, nie mogę niczego obiecać. Pozwól, że zapłacę za twoje piwo.

— Nie, dzięki. Wrzucę to w koszty.

Nie pytam już w czyje koszty. Może właśnie udzielono mi oficjalnej porady prawnej i dwa piwa należą do rachunku?

— Ty też się połóż, Mona. Jutro musisz być w formie; w końcu za to ci płacę. Przy okazji, co się dzieje z Charlesem Ravenem? Odnoszę wrażenie, że jego myśli błądzą gdzieś daleko stąd.

— To jedna z tych rzeczy, o których nie wolno mi rozmawiać. Mogę ci tylko powiedzieć, że w Oregonie Charles ma opinię jednego z najlepszych adwokatów.

Podaję jej rękę i odchodzę od stolika. Czekając na windę, oglądam się i widzę, że zapala kolejnego papierosa. Może ma jeszcze jedno spotkanie, na przykład z Dannym?

Wjeżdżam na górę, idę do pokoju, rozbieram się, wkładam piżamę i pogrążam się w czerwonych oparach snu.

Rozdział XIV

Przed położeniem się zaciągnąłem zasłony, więc budzę się dopiero o wpół do dziewiątej. Biorę prysznic, ubieram się i spacerkiem idę do sądu, sprawdzić, co się dzieje. Mam wrażenie, że wszyscy są na miejscu, nie widzę tylko Mony, Clinta i Charlesa. Przez kilka minut kręcę się po sali i korytarzu, po czym wracam do hotelu na śniadanie. Połykam je w pośpiechu — z takim facetem jak sędzia Murphy nie ma żartów. Kiedy znowu pojawiam się w sądzie, podbiega do mnie Mona, a za nią Charles Raven.

— Gdzie byłeś? Wszędzie cię szukaliśmy.

— W hotelu, jadłem śniadanie. A gdzie mógłbym być?

— Dzwoniliśmy do twojego pokoju, ale cię nie było.

Jest zdenerwowana. Raven też jest podekscytowany. Uśmiecham się do niego i siadamy. Dopiero teraz spostrzegam, że jest z nimi Danny.

— Sędzia Murphy chce się z nami spotkać. Powiedziałem, że wyszedłeś, więc wziął jakąś inną grupę, ale ostrzegł, że jak z nimi skończy, mamy być w komplecie.

Głos Ravena drży z podniecenia.

— Piętnaście minut temu Murphy wezwał tylko mnie i powiedział, że Cutter proponuje nam sześćset pięćdziesiąt tysięcy.

Patrzy na mnie w napięciu. Staram się nie okazywać żadnych uczuć. Czekam.

— Odpowiedziałem, że, moim zdaniem, to za mało, ale muszę naradzić się z moimi klientami.

Znowu robi pauzę — taką prawniczą, wyczekującą pauzę. Tym razem wchodzę mu w słowo.

— Jeśli mówił o ugodzie poza sądem, to rzeczywiście za mało. Ale wiecie, że ja nie zamierzam zawierać żadnej ugody. Chcę rozprawy przed sądem przysięgłych. Nie przyjechałem tu dla pieniędzy. Wiecie, co o tym wszystkim myślę.

Patrzę na Monę. Kiwa głową, ale jest bardzo blada.

— Poza tym, że chciałem chronić moją żonę i siebie przed ewentualnymi procesami, które ktoś mógłby nam wytoczyć, jedynym powodem, dla którego zdecydowałem się wdepnąć w całe to prawnicze bagno, była chęć ponownego uświadomienia opinii publicznej niebezpieczeństw związanych z wypalaniem ściernisk.

Raven zwraca się do Danny'ego.

— A ty co sądzisz o tej propozycji, Danny?

— To mnóstwo pieniędzy. Ile, twoim zdaniem, powinniśmy żądać?

— Myślę, że co najmniej osiemset tysięcy. Will, zostało już niewiele czasu, ale może byłoby dobrze, gdybyście omówili to z Dannym na osobności.

— Okay. Dan, chodźmy gdzieś na świeże powietrze.

Wychodzimy na dziedziniec i siadamy na kamiennej ławce. Wystawiam twarz do słońca. Pierwszy odzywa się Danny.

— Dlaczego nie chcesz ugody, Will?

— To drastyczny przypadek, Dan, każda ugoda będzie na naszą niekorzyść. Ale to nie jedyny powód. Chcę rozprawy przed sądem przysięgłych. Chcę wywlec cały ten skandal na światło dzienne. Jeśli zmusimy Cuttera, żeby bronił się w sądzie, z pewnością zacznie zrzucać winę na władze stanowe i Sweglera. To nam ułatwi zadanie, kiedy później także im dobierzemy się do skóry.

— Tak, ale sędzia ściągnął wszystkie pieniądze do „puli". Nie wygramy ich potem w sądzie.

— A ty, Danny, zgodziłeś się, żeby to zrobił? Czy ktoś cię w ogóle pytał o zdanie? Czy Charles, Clint albo Mona zapytali, czy tego właśnie chcesz?

— No, nie, ale to oni są prawnikami. Poza tym podoba mi się pomysł, żeby za jednym zamachem mieć to wszystko z głowy. Nigdy nie można być pewnym, co zrobi ława przysięgłych. Każdy wyrok jest możliwy. Możemy się obudzić z ręką w nocniku.

— Czyli wolisz ugodę niż normalny proces?

— Nie chcę ryzykować. Nie mam do tego prawa ze względu na Willsa.

— Okay, w takim razie zawrzyjmy kompromis. Ryzykuję, że może nie dojść do procesu, ale wobec tego przyciśnijmy trochę Cuttera i Murphy'ego. Co powiesz na równy milion? Słyszałem, jak Mona i Clint rozmawiali o takiej sumie. Właśnie taką kwotę wymieniono w pozwie podpisanym przez Charlesa Ravena i Monę Flores: milion odszkodowania od Cuttera i milion od Sweglera. Podarujemy im ten drugi milion.

— Poważnie? Żądali miliona od każdego? Nic o tym nie wiedziałem.

— No to jak? Mona już idzie, żeby nas zagnać z powrotem do zagrody.

— Niech będzie. Milion i ani centa mniej.

Wyciągam rękę i przybijamy piątkę. Mona podchodzi uśmiechnięta.

— Załatwiliście to między sobą?

— Tak jest. Osiągnęliśmy całkowite porozumienie.

Wygląda na zaskoczoną i trochę zaniepokojoną.

Wracamy na salę sądową. W tym samym momencie trzy osoby wychodzą z gabinetu, a za nimi sędzia Murphy. Rozgląda się dookoła i widząc Ravena, macha ręką, żebyśmy podeszli.

Kiedy przechodzimy przez drzwi, wita się ze wszystkimi, najpierw z Ravenem, potem z Moną, z Dannym i wreszcie ze mną. Pod jedną ścianą stoi rząd krzeseł. Murphy zamyka drzwi i z uśmiechem zasiada naprzeciwko nas na obrotowym, skórzanym fotelu. Przygląda nam się kolejno, zacierając ręce.

— Tak więc w końcu udało się zebrać wszystkich razem.

— Rzuca mi szybkie spojrzenie. — Mam nadzieję, że Nasz Pan pomoże nam dojść do jakiegoś porozumienia w tej trudnej i złożonej sprawie. Chciałbym, żeby każdy z was podzielił się ze mną swoimi odczuciami i szczerze powiedział, jaką sumę uważałby za sprawiedliwe odszkodowanie za straty poniesione przez was czy też waszych klientów. Jak zapewne wiecie, w rozmowie z panem Charlesem Ravenem złożyłem propozycję, która, moim zdaniem, wystarczy do zawarcia ugody. Czy wszyscy wiedzą, jaka to kwota?

Kiwamy głowami, że tak.

— Kto chciałby pierwszy zabrać głos? Chciałbym, żeby wszyscy szczerze powiedzieli, co myślą o proponowanej ugodzie.

Czeka. Nikt się nie odzywa. Zapada długa cisza. Rozglądam się po gabinecie. O wiele bardziej tu elegancko niż w tej naszej stajni. Są tu jeszcze inne drzwi, za którymi z pewnością znajduje się przyzwoita łazienka i sypialnia.

Przez cały czas Murphy bacznie nam się przygląda. Postanowiłem tym razem nie wyrywać się do przodu; co nieco już rozumiem z tych prawniczych zagrywek. Danny ogląda swoje kciuki. Sędzia zatrzymuje wzrok na mnie.

— Cóż, panie Wharton. Z pańską opinią mieliśmy już okazję zapoznać się na początku naszego posiedzenia. Czy nie zechciałby pan zabrać głos pierwszy i powiedzieć nam, co pan sądzi o tym teraz?

Poprawiam się na krześle.

— Po pierwsze, panie sędzio, chciałbym powiedzieć, że ten cały cyrk nie przypomina żadnej z procedur sądowych, o których uczyłem się w szkole. Jeśli w ogóle coś przypomina, to raczej pokera. Po drugie, nie zamierzam zawierać żadnej ugody. Pan o tym wie. Moi adwokaci też o tym wiedzą. Jeśli pyta pan o moje odczucia, to czuję się jak ktoś, kto został tutaj sprowadzony wbrew swej woli, pod groźbą oskarżenia o obrazę sądu. Uważam to za rodzaj szantażu.

Murphy kiwa głową, ale kąciki jego ust opadają ku dołowi. Zastanawiam się, kiedy mi przerwie. Pora na cięższy kaliber.

— Panie sędzio, jeśli dobrze się orientuję, jest pan chrześcijaninem, praktykującym chrześcijaninem. Czyż nie tak?

— Tak, panie Wharton. Jestem chrześcijaninem, wierzę w Pana Naszego Jezusa Chrystusa. Ale co to ma wspólnego z naszą sprawą?

— Czy pan czytuje Biblię, panie sędzio?

Murphy prostuje się gwałtownie w fotelu, prawie siadając na baczność.

— Tak, codziennie.

— Nowy i Stary Testament?

— Zgadza się.

— Czy wymierzanie sprawiedliwości traktuje pan jako służbę Bogu Wszechmogącemu?

Za chwilę zerwie się i zasalutuje. Boję się spojrzeć na Monę i Ravena.

— Zawsze to powtarzam moim kolegom prawnikom. Jako adwokaci i sędziowie jesteśmy funkcjonariuszami Boga Wszechmogącego i nie wolno nam o tym zapominać, kiedy wypełniamy nasze obowiązki.

Robię pauzę, niemal klasyczną, prawniczą, wyczekującą pauzę.

— Panie sędzio, czy pamięta pan, co Chrystus powiedział faryzeuszom o płaceniu podatków? Jeśli się nie mylę, w rozdziale dwudziestym pierwszym ewangelii świętego Mateusza.

Nie daję mu dojść do słowa. Chcę powiedzieć wszystko, zanim odbierze mi głos.

— Odświeżę pańską pamięć, słowa te brzmią: „Oddajcie Cezarowi to, co należy do Cezara, a Bogu to, co należy do Boga". Panie sędzio, mam wrażenie, że za tamtymi drzwiami — pokazuję za siebie — nie żyjemy podług słów Chrystusa. Mamona sieje zgorszenie, panie sędzio. Czuć tam siarkę. Nikt tam nie mówi o tym, co sprawiedliwe i niesprawiedliwe, słuszne i niesłuszne, dobre i złe. Wszystko zostało sprowadzone do pieniędzy, do liczb zapisanych w tych żółtych notatnikach. Cała ta sala cuchnie zepsuciem. Jak czytamy u świętego Mateusza w rozdziale szóstym, wers dwudziesty czwarty: „Nie możecie służyć Bogu i Mamonie". Nie chcę mieć nic wspólnego z tym świętokradztwem, panie sędzio. Jedyne, co tam można usłyszeć, to bluźnierstwa.

Urywam, póki mam nad nim przewagę. Zapada długa cisza. Patrzę prosto w bladoniebieskie oczy sędziego Murphy'ego. Odwraca głowę.

— A zatem znamy już pańskie stanowisko, panie Wharton. Świadczy ono niezbicie o braku szacunku dla prawa oraz niewielkiej wiedzy o jego zasadach i funkcjonowaniu. Posłuchajmy teraz, co ma nam do powiedzenia pan Billings.

Danny podnosi głowę, ale nie patrzy na sędziego.

— Nie do końca zgadzam się z panem Whartonem, ale wydaje mi się, że suma, którą pan zaproponował, jest zbyt niska.

— Mam przez to rozumieć, że chce pan, aby sprawę rozstrzygał sąd przysięgłych?

— Nie, ale uważam, że mojemu synowi należy się więcej niż część z sześciuset tysięcy.

Cisza. Ciekawe, co musi się stać, żeby adwokaci zaczęli doradzać swojemu klientowi.

— Niech pan to przemyśli, panie Billings. Niech pan pomyśli o swoim synu, słuchającym w sądzie, jak zupełnie obcy ludzie rozmawiają o jego matce i mówią rzeczy, które zapamięta na całe życie. Być może i takie, o których wcale nie chciałby pamiętać.

W tym momencie Danny zaczyna się łamać. Z początku wydaje mi się, że tylko żartuje, ale gdybym mu się lepiej przyjrzał, wiedziałbym, na co się zanosi. Danny kryje twarz w dłoniach i szlocha. Patrzę na Ravena, potem na Monę. Siedzą niemi i nieporuszeni, niczym posągi w Abu Simbel. Tymczasem na naszych oczach Murphy znęca się nad Dannym, kreśląc scenariusz żywcem wzięty z jakiegoś głupawego serialu, z Willsem w roli świadka nie wiadomo jakich to niegodziwych czynów; i wszystko to opowiada tym swoim cichym, śpiewnym głosem.

W końcu Danny daje za wygraną.

— Nie chcę, żeby Willsa ciągano po sądach. Nie chcę, żeby przechodził przez to wszystko. Panie sędzio, w każdej chwili gotów jestem zawrzeć ugodę.

Otóż to. Patrzę na Ravena i Monę. Zdaje się, że nadal nie

zamierzają choćby kiwnąć palcem. Sprawa się wali, a oni ani drgną. Nie ze mną takie numery.

— Panie Raven, proszę pana jako szefa zespołu naszych adwokatów, aby wyjaśnił pan Danny'emu, co rzeczywiście wydarzy się w sądzie, jeżeli dojdzie do rozprawy.

Raven odchrząkuje, patrzy na Monę, a potem na mnie. Zwraca się wprost do Danny'ego, unikając wzroku sędziego.

— W razie procesu, jeśli nie zechcesz, Wills w ogóle nie musi pokazywać się w sądzie. Nie był świadkiem wypadku, poza tym złożył już wyczerpujące zeznania. Odradzałbym więc powoływanie go na świadka. Gdyby jednak tak się stało, jedyną osobą, która zadawałaby pytania, byłbym ja. Nie zgodzilibyśmy się na kolejne przesłuchanie. Jest jeszcze na to za mały.

Tak właśnie myślałem, ale musiałem się upewnić. Idę za ciosem.

— Widzisz, Danny, niepotrzebnie się martwisz. Pan Raven jest naszym adwokatem. Nigdy nie dopuści do tego, o czym mówi sędzia Murphy.

Danny jednak nie słucha. Nie odsłaniając twarzy, wolno potrząsa głową i w kółko powtarza, że nigdy nie pozwoli, aby Wills słuchał w sądzie, jak jacyś obcy ludzie mówią źle o jego matce. Nie wiem, co robić. Liczę na pomoc Charlesa Ravena i Mony Flores. Unikają mojego wzroku. Próbuję jeszcze raz.

— Danny, jesteś ojcem Willsa i musisz podjąć decyzję. Ja już nic nie mogę zrobić. Myślę, że popełniasz błąd, ale jeżeli po tym, co powiedział pan Raven, nadal uważasz, że tak będzie lepiej dla Willsa, masz do tego pełne prawo.

Żadnej reakcji. Patrzę na sędziego Murphy'ego, który szczerzy zęby w najbardziej obleśnym uśmiechu, jaki widziałem od lat.

— Pan, panie Wharton, jest jeszcze z tych dawnych „twardzieli", ale młodzi niech sami poznają życie, inaczej nie dadzą sobie rady. Nie mam racji?

— Bardzo się pan myli, panie sędzio. Kocham swoje dzieci, a jestem tutaj, ponieważ jeden z tych „twardzieli" w pańskim stanie staranował ciężarówką samochód, którym jechała moja córka, jej mąż i ich dwójka uroczych dzieci, moich wnuczek. Proszę uważać na słowa, bo właśnie znalazł się pan o krok od oszczerstwa.

Obracam się do Charlesa Ravena.

— Panie Raven, pan i pani Flores traktowaliście obie nasze sprawy jak jedną, w rzeczywistości jednak są dwie różne sprawy, prawda? Jestem waszym klientem, ponieważ tak poradziła mi żona Danny'ego. Obawiała się, że ktoś może chcieć wytoczyć nam proces. My nie chcieliśmy nikogo skarżyć. Okazało się, że jej obawy nie były bezpodstawne. W sądzie leży kilka pozwów przeciwko nam.

Raven i Mona patrzą po sobie. Wymieniają szeptem jakieś uwagi, po czym Raven obraca się do mnie.

— Z formalnego punktu widzenia taka interpretacja wydaje się dopuszczalna.

Patrzy na sędziego. Murphy kiwa głową. Brnę więc dalej.

— Cóż, jeśli w sprawie Willsa Danny chce zawrzeć ugodę, mniejsza już, na jakich warunkach, ja, w imieniu własnym i mojej żony, domagam się rozdzielenia obu tych spraw.

Zapada długa cisza. Sędzia wstaje.

— Panie Wharton, pana i pani Flores nie zatrzymuję dłużej. Razem z panami Ravenem i Billingsem przedyskutujemy nowo powstałą sytuację.

Wstajemy i wychodzimy. Nadal nie tracę resztek nadziei, że Danny oprzytomnieje. Gra toczy się o jakieś dwieście, może trzysta tysięcy. To pieniądze mojego wnuka, a jego syna.

Mona idzie przodem, nie oglądając się na mnie. Musi być na mnie wściekła, ale przede wszystkim chce jak najszybciej wyjść na korytarz, żeby zapalić. Wszystko ma swoją kolej.

Stoimy obok siebie w milczeniu, podczas gdy Mona chciwie zaciąga się papierosem.

— Jezu, Will! Nie mogłeś nas uprzedzić, co zamierzasz?

— Byłaś tam, Mona. Nie miałem pojęcia, że to się tak skończy. Danny zwyczajnie się załamał po tym, co mu powiedział Murphy. Z was też nie było żadnego pożytku. No to co miałem robić? Nie jestem prawnikiem, liczyłem na waszą pomoc. A wy chcieliście pozwolić, żeby wszystko odbyło się na warunkach Murphy'ego. Prawo Murphy'ego! Chyba raczej prawo sędziego Murphy'ego. Musiało się tak skończyć i ty o tym dobrze wiesz. Jak, według ciebie, miałem się zachować?

Mona patrzy na mnie zza dymu.

— Mogliśmy poprosić o przerwę i porozmawiać.

— Ja miałem to zrobić? Wydawało mi się, że właśnie po to zatrudnia się adwokatów. Ale wystarczyłoby, żebyś mi szepnęła, że mam do tego prawo, a poprosiłbym. Nie zrobiłaś nawet tego.

— Trudno dojść z tobą do ładu.

— To ty jesteś adwokatem. Chciałbym nareszcie usłyszeć, co powinienem był zrobić wtedy i co mogę zrobić teraz.

— Teraz to mamy cholerny bajzel. Nawet nie jestem pewna, czy rzeczywiście można rozdzielić te sprawy. Nigdy nie słyszałam o takim przypadku. Sędzia Murphy niby nie miał nic przeciwko temu, ale czy jemu można wierzyć?

— Oczywiście, że nie. Masz jeszcze jakieś wątpliwości?

— Trochę to potrwa, zanim skończy z Charlesem i Dannym. Chodźmy na piwo.

Kiedy wracamy na salę, Charles Raven już na nas czeka. Macha, żebyśmy podeszli. Nigdzie nie widzę Danny'ego.

— Sędzia Murphy zaproponował Danny'emu ugodę.

Robi pauzę i patrzy najpierw na Monę, potem na mnie.

— Wills miałby dostać pięćset pięćdziesiąt tysięcy. Danny się zgodził.

Usiłuję czytać z jego twarzy. Odnoszę wrażenie, że jest zadowolony. Szybko obliczam: Baker, Ford kasuje dwadzieścia pięć procent, czyli sto trzydzieści siedem tysięcy siedemset pięćdziesiąt. Pozostają trzysta siedemdziesiąt dwa tysiące, minus reszta wydatków. Jestem przekonany, że sąd przysięgłych przyznałby Willsowi dwieście, a może trzysta tysięcy więcej.

Jestem zawiedziony.

— Co to za pieniądze? Ile w tym pieniędzy Cuttera, a ile z „puli"?

Po raz pierwszy widzę Ravena zmieszanego.

— Chodzi mi o to, czy Murphy wliczył do odszkodowania Willsa także moją część „puli"? Wiesz przecież, że ta ugoda mnie nie dotyczy. Nie zawieram ugody ani z Cutterem, ani z władzami stanowymi, ani ze Sweglerem. Jestem przekonany, że od wielu decyzji Murphy'ego można by się odwołać. Z pewnością jednak nie ma prawa dysponować tą częścią pieniędzy z „puli", która była przeznaczona dla Rosemary i dla mnie. Nigdy nie deklarowaliśmy chęci ugody, przeciwnie, prywatnie i publicznie wielokrotnie powtarzałem, że nie chcemy się z nikim układać.

Raven stoi jak wmurowany. W oczach Mony widzę znajomy błysk pod tytułem „Muszę zapalić". W końcu ona się odzywa.

— Przecież zależy ci, żeby Wills dostał jak najwięcej, prawda? Biorąc pod uwagę to, co się stało w czasie naszego spotkania z Murphym i rezygnację Danny'ego z rozprawy przed sądem przysięgłych, to wszystko, co można uzyskać. Poza tym, to wcale nie tak mało.

— Na czysto jakieś trzysta pięćdziesiąt tysięcy. Dobrze wiesz, że mógłby dostać przynajmniej półtora raza więcej.

Znowu zapada cisza.

Wygląda na to, że jeśli dojdzie do rozprawy, Rosemary i ja z góry będziemy na straconych pozycjach. Ale nie zamierzam robić afery o pieniądze, które Murphy przyznał Willsowi z naszego udziału w „puli". Przede wszystkim, nie przyjmuję do wiadomości, że w ogóle istnieje jakaś „pula".

Rozdział XV

Nazajutrz sędzia Murphy ogłasza, że powodowie i pozwani mogą opuścić sąd, natomiast ich adwokaci muszą zostać na zakończeniu posiedzenia pojednawczego. Wymeldowuję się z hotelu. Bagaże przenoszę do samochodu Mony, która zaofiarowała się, że odwiezie mnie do Portland.

Przebieram się w swój „prawniczy strój", nie zapominając o neseserze, tym razem bez magnetofonu. Zresztą, i tak skończyły mi się taśmy. Kiedy wszyscy zaczynają wchodzić na salę, wciskam się między Ravena i Monę. Raven jest zaskoczony i niezadowolony. Nie widzę Danny'ego ani w ogóle nikogo poza adwokatami. Obracam się do Mony.

— To nie jest zamknięte spotkanie, prawda? Sędzia Murphy powiedział, że powodowie i pozwani mogą wracać do domów, ale nie powiedział, że muszą wracać. Jeśli moja obecność będzie mu przeszkadzać, wystarczy, że mi o tym powie. Obiecuję nie robić żadnych scen.

— Po co to robisz, Will? Wciąż wszystko utrudniasz.

— Przyleciałem z daleka, żeby wziąć udział w tym posiedzeniu, i wciąż nie rozumiem, co tu się właściwie dzieje. Czuję się, jakby bawiono się ze mną w ciuciubabkę. Po prostu chcę wiedzieć. Co w tym złego?

Mona tylko potrząsa głową. Depczę jej po piętach. Raven i Mona siadają w środkowym rzędzie. Zajmuję miejsce obok Mony. Kilku adwokatów odwraca głowy, ale ich prawnicze maski, jak zawsze, nie zdradzają żadnych uczuć.

Sędzia Murphy wkracza na salę, dzisiaj nie ma nawet togi. Za nim podąża protokolant. Murphy wygląda na bardzo zdenerwowanego. Siada, zakłada nogę na nogę, lewą na prawą, potem prawą na lewą, wciskając dłonie między uda. Twarz ma ściągniętą. Jasne, że swoje przeszedł, ale jakoś nie mogę zdobyć się na współczucie. Mam nadzieję, że mnie nie zauważy.

Krótko streszcza wydarzenia ostatnich kilku dni. Jest zmęczony i nie zagłębia się w szczegóły. Gratuluje uczestnikom posiedzenia i ma przyjemność ogłosić, że ku zadowoleniu ogółu, we wszystkich sprawach zawarto ugodę.

Patrzę na Monę i Ravena. Raven niechętnie podnosi rękę.

— Panie sędzio, jest jeden wyjątek. W sprawie państwa Whartonów przeciwko firmie przewozowej Cuttera nie doszło do zawarcia ugody.

Zapada długa cisza. Murphy podnosi złożone dłonie do ust, jakby się modlił.

— Dziękuję, że mnie pan poprawił, panie Raven. Ale idźmy dalej, żeby całą sprawę odłożyć wreszcie ad acta. — Daje znak protokolantowi i ogłasza, że od tej chwili każde słowo będzie rejestrowane.

Potem rozpoczyna się następna wyliczanka. Murphy prosi kolejno wszystkich adwokatów, żeby poinformowali o aktualnej sytuacji prawnej ich klientów. Każdy wstaje i mówi mniej więcej to samo, to znaczy, nazwisko, nazwę firmy, dla której pracuje, nazwisko klienta, i na końcu składa krótkie oświadczenie, że w sprawie ich klienta została zawarta ugoda; żadnych liczb. Czekam, co powie Raven. Jeśli oświadczy, że wszystkie nasze sprawy zakończyły się ugodą, publicznie zaprzeczę; stało się tak tylko w sprawie Danny'ego przeciw Cutterowi i nie dotyczy to ani mnie, ani Rosemary. Poza tym zostały wniesione jeszcze dwa pozwy: przeciwko władzom stanowym i przeciwko Sweglerowi. Nie wydaje mi się, żeby w tych dwóch wypadkach można było mówić o ugodzie; tak naprawdę, w ogóle ich nie dyskutowano.

W końcu sędzia Murphy dochodzi do naszej grupy. Wstaje nie Raven, lecz Mona. Zamieniam się w słuch. Mona informuje, że we wszystkich przypadkach, z wyjątkiem spraw państwa Whartonów, zawarto satysfakcjonującą obie strony ugodę. Właśnie na to słówko czekałem: „sprawy". Teraz mamy to w aktach. Jest przecież więcej niż jedna sprawa, nie chodzi tylko o Cuttera.

Po wysłuchaniu ostatniego adwokata Murphy poprawia się w swoim fotelu. Upewnia się, czy protokolant w dalszym ciągu wszystko rejestruje, i oświadcza:

— Pod groźbą złamania prawa nikomu nie wolno ujawnić żadnych szczegółów tego posiedzenia.

Sala cichnie. Po chwili odzywa się jakiś starszy adwokat z ostatniego rzędu.

— Panie sędzio, tego raczej nie da się uniknąć. W moim biurze już teraz czeka cała chmara dziennikarzy, urywają się telefony. Nie możemy udawać, że nic się nie stało.

Murphy osuwa się niżej w swoim fotelu.

— W porządku, można powiedzieć, że posiedzenie się odbyło, ale nie wolno podawać żadnych szczegółów ani ujawniać sum składających się na ogólny fundusz czy też kwot uzgodnionych w poszczególnych ugodach.

Głos zabiera Forcher, adwokat Sweglera.

— Panie sędzio, wydaje mi się, że nie jesteśmy w stanie utrzymać tego w tajemnicy. Zwolnił pan już wszystkich powodów i pozwanych, którzy przecież znają te liczby, a nie sądzę, aby im również mógł pan zabronić ich ujawniania. Tych informacji po prostu nie da się zataić przed opinią publiczną.

Sędzia Murphy zsuwa się jeszcze niżej — jeszcze chwila, a wyląduje na podłodze. Złożone w modlitewnym geście dłonie wciąż trzyma przy ustach.

— Rozumiem. Nic na to nie poradzimy. Wydamy wobec tego oficjalny komunikat.

Prostuje się na fotelu.

— W gmachu sądu federalnego w Eugene, w stanie Oregon, odbyło się posiedzenie pojednawcze poświęcone pozwom wniesionym w związku z wypadkiem drogowym na autostradzie I-5, z trzeciego sierpnia ubiegłego roku, w którym zginęło siedem osób, a wiele zostało rannych. Posiedzenie trwało nieprzerwanie przez trzy dni. Przewodniczył sędzia federalny, Joseph Murphy. Wszystkie sprawy załatwiono polubownie poprzez zawarcie satysfakcjonującej zainteresowane strony ugody. Było to jedno z największych posiedzeń pojednawczych w historii Oregonu.

Oglądam się na Ravena i Monę i widzę, że Raven trzyma rękę w górze.

— Panie sędzio, moi klienci, państwo Whartonowie, nie zawarli ugody.

Po raz kolejny zapada cisza, a sędzia Murphy znowu zaczyna zjeżdżać ze swojego fotela. Oczy wznosi ku sufitowi, a może ku niebu. Któż to może wiedzieć?

— Dobrze. Zmienimy to na: N i e m a l wszystkie sprawy zostały załatwione polubownie poprzez zawarcie satysfakcjonującej zainteresowane strony ugody.

Raven wydaje się zadowolony z takiego rozwiązania. Jest to wystarczająco bliskie prawdy, więc postanawiam się nie odzywać. Murphy prostuje się na fotelu i podnosi palec.

— Przypominam, że pod groźbą złamania prawa nikomu z tu obecnych nie wolno ujawniać szczegółów tego posiedzenia.

Odpowiada mu głuche milczenie. Sędzia Murphy wstaje i wraca do swojego gabinetu. A więc to koniec? Czuję się bardzo rozczarowany. Wychodzimy na korytarz. Mona zapala papierosa. Mówi Ravenowi, że odwiezie mnie do Portland. Raven kiwa głową. On już stąd dawno wyjechał.

Rozdział XVI

Idziemy do samochodu. Mona mówi, że mamy jeszcze szansę wyjechać z Eugene przed porą największych korków, kiedy wszyscy wracają z pracy do swoich domów.

— Widzisz, Will, wychowałam się w Tacoma, ale kiedyś pracowałam w tutejszym sądzie apelacyjnym. Znam dobrze to miasto. Zresztą studiowałam w Corvalis. To ładne miasteczko, niecałe czterdzieści tysięcy mieszkańców, piękna okolica. Myślę, że zmienisz zdanie o Oregonie, jeśli pojedziemy inną drogą zamiast I-5.

I ma rację. Krajobraz wkrótce się zmienia, jest więcej zieleni, dużo drzew owocowych, część z nich obsypana kwiatami. Droga wije się między pagórkami, czasem lekko się wznosząc, to znów opadając.

Nadal jednak jestem przybity tym, co się stało w sądzie. Tyle pytań ciśnie mi się na usta. Sędzia-magik zaprezentował swoje sztuczki, a ja nie rozgryzłem ani jednej z nich. Jestem bardzo zawiedziony. Mona musi wyczuwać mój nastrój, ponieważ prawie się nie odzywa i czasem tylko zwraca mi uwagę na jakiś ładny widok za oknem.

W Corvalis zatrzymujemy się przy barze, jednym z jej ulubionych z czasów, kiedy była studentką. Właściwie to raczej kawiarnia niż bar, wypełniona młodzieżą, głośnymi rozmowami i głośną muzyką. Znajdujemy stolik pod ścianą, daleko od źródła muzyki, po czym Mona wyrusza po piwo.

Wraca z dwoma wielkimi kuflami, podobnymi do tych, które widziałem w Monachium, tylko zrobionymi ze szlifowanego szkła.

— Proszę, może to ci poprawi humor.

Śmieje się na głos.

— Mona, możesz mi wytłumaczyć, co się właściwie stało? Nie jestem idiotą, ale nic z tego nie rozumiem. Mam wrażenie, że wszystko rozegrało się za kulisami.

— Murphy od początku tak to ustawił. Prawdopodobnie nie było innego sposobu przy takiej liczbie pozwów. Sama nie lubię czegoś takiego, ale prawie wszyscy są zadowoleni. Danny chyba dostał to, na co liczył, tak samo Claire Woodman.

— A Wills? Czuję się naprawdę podle, że nie umiałem go uchronić przed czymś takim. Danny'ego znam jeszcze z czasów, kiedy chodził do szkoły średniej i umawiał się na randki z Kate. Myślenie abstrakcyjne nigdy nie było jego mocną stroną. Obawiałem się tego i moje obawy sprawdziły się co do joty. Ale, na litość boską, sam nie mogłem więcej zdziałać, a ty i Raven nie śpieszyliście się z pomocą.

— Postaraj się mnie zrozumieć. Robię to, co mi każe Charles Raven. W tej sprawie powierzał mi tylko niektóre prace przygotowawcze. Wszystkie ważniejsze decyzje podejmował sam. Zmieńmy już temat, dobrze?

Zaczyna szukać czegoś w torebce. Z początku myślę, że papierosów, ale okazuje się, że portfela. Wyciągam swój.

— Ja zapłacę. Tego nie musisz wrzucać w koszty, chociaż, jak widzisz, nadal korzystam z twoich porad.

— Niech cię diabli wezmą, Will. Nieraz słyszałam o trudnych klientach, ale dopiero teraz wiem, co to oznacza.

Sprawdzam rachunek i kładę pieniądze na stole. Podnoszę się z krzesła.

— O ile zdążyłem się zorientować, wszyscy prawnicy uważają się za bogów, a dobry klient powinien zachowywać się jak obłoczek na niebie, czyli płynąć tam, gdzie oni dmuchną.

Wracamy do samochodu. Słońce szybko się zniża. Niebo na zachodzie zaczyna mienić się kolorami. Chciałbym uwolnić się od tych wszystkich złych myśli i cieszyć się, że żyję, że nie jestem garstką popiołu jak Kate, że właśnie jadę samochodem z inteligentną, przystojną kobietą, podziwiając piękne pejzaże. Powinienem docenić wysiłki Mony, która robi, co może, żeby podnieść mnie na duchu. Kiedy wsiadamy do auta i Mona wkłada kluczyk do stacyjki, obracam się tak, że musi na mnie spojrzeć. Na jej twarzy nie dostrzegam cienia emocji, tylko tę nieruchomą prawniczą maskę.

— Posłuchaj, Mona. Przepraszam, że jestem taki upierdliwy, ale nie mogę dojść do siebie. Zawiodłem swoją zmarłą córkę, zawiodłem Willsa. Wszystkie moje plany wzięły w łeb. Wiem, że robisz, co potrafisz, żeby mnie jakoś z tego wyciągnąć i doceniam to. Proszę cię tylko o więcej cierpliwości. To twój świat, nie mój. Trudno mi się przyzwyczaić. Nienawidzę uczucia, że ktoś mną kieruje, nawet jeśli to dla mojego dobra; a może zwłaszcza wtedy. Rozumiesz?

— Mało to przypomina rozmowę adwokata z klientem. Ale jeżeli nadal będziesz mi mówił takie rzeczy, jest szansa, że dowiozę cię cało i zdrowo do Portland.

Reszta podróży upływa w przyjemnym nastroju. Opowiadam jej o swoich książkach i obrazach. Mona wie o mnie więcej niż myślałem. Niedawno przeczytała *Ptaśka* i *Tatę*, obie jej się podobały. Próbuje mi wyjaśnić, dlaczego tyle razy wychodziła za mąż — to jej już trzecie małżeństwo — i opowiada, jak bardzo kocha swojego synka, Jonaha. Martwi się, że jej obecny mąż ma wyrzuty sumienia, ponieważ to ona utrzymuje rodzinę. Przyznaje, że nie lubi oszczędzać, zawsze przekracza saldo swoich kart kredytowych.

Opowiadam jej, jaki ze mnie straszny kutwa, jak nie znoszę wydawać pieniędzy na coś, co nie jest trwałe. Staram się jej wytłumaczyć, dlaczego mieszkam we Francji i dlaczego nie chciałem, żeby moje dzieci wychowywały się w Ameryce. W niektórych sprawach się ze mną zgadza, ale większości ważnych dla mnie powodów zwyczajnie nie rozumie.

W końcu dojeżdżamy do Portland. Mona zawozi mnie pod sam dom Wilsonów. Podajemy sobie ręce na pożegnanie. Ponieważ odmówiłem ugody, nasz pozew przeciwko firmie przewozowej Cuttera rozpatrzy sąd przysięgłych. Może później uda nam się postawić przed sądem także władze stanowe oraz Sweglera. To jedyna pociecha w tym wszystkim. Mona mówi, że proces zacznie się we wrześniu i że powinienem zjawić się tutaj tydzień lub dwa wcześniej.

Karen i Robert są na werandzie. Robert zapala światło przed domem. Schodzą do nas. Przedstawiam im Monę.

Karen całuje mnie na powitanie, z Robertem wymieniamy mocny uścisk dłoni. Jak dobrze znowu być w gronie życzliwych ludzi, którzy nie czyhają na każde moje potknięcie.

Idę do sypialni, gdzie czeka już na mnie posłane łóżko. Rzucam torbę na podłogę, wieszam ubranie i kładę się spać. Prowadzę życie zwyczajnego włóczęgi, a może raczej trampa? Z tą myślą zasypiam.

Rano, przed pójściem do kuchni, biorę prysznic, mimo to nie jestem jeszcze w pełni obudzony. Rob siedzi przy stole i czyta gazetę. Domyślam się, że Karen pojechała już do szkoły.

— A jednak zawarłeś ugodę.

Podaje mi gazetę. Na razie widzę tylko wielki tytuł: PRAWNICZA BITWA O KARAMBOL NA I-5 ZAKOŃCZONA. Zaczynam czytać i nie wierzę własnym oczom.

Po zawarciu ugody w sprawach związanych z ubiegłorocznym fatalnym wypadkiem samochodowym na I-5 wiele osób uwikłanych w tę prawniczą batalię odetchnęło z ulgą.

„To prawdziwa ulga — wyznała Claire Woodman z Falls City. — Trwało to już zbyt długo". W wypadku zginął syn Claire Woodman, Bert, oraz jego żona i ich dwie małe córeczki.

„Jestem zadowolony, że sprawa znalazła satysfakcjonujące wszystkich rozwiązanie" — powiedział Arthur Johnson, zastępca prokuratora generalnego stanu Oregon... [Nie do wiary! Ciągle jeszcze nie chcą się przyznać.] Sędzia federalny, Joseph Murphy, wraz ze sztabem prawników negocjował warunki ugo-

219

dy podczas trwającej od wtorku do piątku serii spotkań. Wszyscy uczestnicy posiedzenia pojednawczego zgodzili się nie ujawniać wysokości odszkodowań wypłaconych osiemnastu poszkodowanym lub ich rodzinom. [„Zgodzili się" nie jest tu właściwym określeniem.]

Tragiczny wypadek wydarzył się 3 sierpnia 1988 roku na południe od Albany, kiedy to dym znad wypalanych pól niespodziewanie przeniósł się nad autostradę. Siedem osób zginęło, a osiemdziesiąt siedem zostało rannych.

Spowodowało to ogłoszenie jedenastodniowego moratorium na wypalanie ściernisk, a głosy domagające się całkowitego zakazania czy też ograniczenia tych praktyk nie cichną do dziś. Hodowcy traw z doliny Willamette stosują wypalanie pól jako środek zapobiegawczy przeciwko szkodnikom i chorobom roślin. Większość pozwów dotyczyła władz stanowych i farmera z okolic Albany, Paula Sweglera.

Claire Woodman powiedziała, że jest „w zasadzie" zadowolona z warunków ugody. „Sędzia Murphy stanął na głowie, żeby doprowadzić do ugody" — powiedziała. Ponadto dodała, że sprawiedliwości stanie się zadość dopiero wówczas, kiedy wypalanie pól zostanie poddane surowszej kontroli... [Poczucie bezkarności na pewno nie skłoni farmerów do rezygnacji z wypalania ściernisk.] „Od dawna się tego domagamy — mówiła Claire Woodman — a teraz boimy się, że to się powtórzy". Stwierdziła, że natężenie ruchu na autostradzie I-5 bardzo wzrosło w ciągu ostatnich lat. Obawia się, że następny taki wypadek może okazać się jeszcze tragiczniejszy w skutkach... Claire Woodman oświadczyła też, że czynnie zaangażowała się w ruch na rzecz zorganizowania referendum w sprawie wypalania pól...

Arthur Johnson podkreślił, że sędzia federalny nie zmuszał nikogo do zawarcia ugody. Przeciwnie, była to wspólna inicjatywa zainteresowanych stron... [Tego już za wiele! Sędzia Murphy wyraźnie zapowiedział, że wszyscy mają pozostać do jego dyspozycji przez dwadzieścia cztery godziny na dobę, i że wezwana osoba ma pięć minut na stawienie się w jego gabinecie, w przeciwnym wypadku zostanie oskarżona o obrazę sądu. Jeśli to nie był przymus, to co nim jest?]

Johnson powiedział, że wypadek na I-5 to jedna z najbardziej skrupulatnie zbadanych i udokumentowanych spraw sądowych w tym stanie. Chociaż niezwykle złożona ze względu na liczbę zniszczonych pojazdów oraz osób, które odniosły obrażenia [nie wspominając o ofiarach śmiertelnych!], nie wymagała zastosowania jakichś nadzwyczajnych procedur prawnych. Orzeczenie w tej kwestii wydano w kwietniu br. Sędzia okręgowy hrabstwa Linn postanowił, że suma, jaką władze stanowe wypłacą ofiarom wypadku, łącznie nie powinna przekroczyć trzystu tysięcy dolarów. [Kiedy? W kwietniu, a więc na kilka dni przed posiedzeniem pojednawczym. Postanowienie sądu apelacyjnego niższego szczebla, uchylające orzeczenie sędziego federalnego, sędzia Murphy uznał za ostateczne! A apelację rozpatrywał sąd okręgowy hrabstwa, w którym wydarzył się wypadek!]

„Z chwilą, kiedy sąd wydał orzeczenie określające maksymalną wysokość odszkodowania, wszystko zaczęło się układać — mówił Johnson. — Wcześniej każdy liczył, że wyciągnie od władz stanowych co najmniej milion dolarów".

Johnson potwierdził, że chociaż zawarto ugodę we wszystkich sprawach przeciwko władzom stanowym, jedna sprawa pozostała nie rozstrzygnięta. [Myślę sobie: a jednak przyznali się.]

Jimmy Phillips z Kaymond, w stanie Waszyngton, powiedział w niedzielę wieczorem, że nie powiadomiono go o zawarciu ugody. Phillips przeprowadzał się razem z całą rodziną z Arizony do stanu Waszyngton, kiedy wydarzył się wypadek. Stracili samochód i większość dobytku. „Chciałbym, żeby to wreszcie się skończyło. Ciągle słyszę, że to już nie potrwa długo, ale na razie nie zapadła żadna wiążąca decyzja". Szwagierka Phillipsa, która również odniosła obrażenia w kraksie na I-5, odmówiła komentarza w tej sprawie.

Kiedy odkładam gazetę, napotykam spojrzenie Roberta. Przez długą chwilę nie mogę wydobyć z siebie głosu.

— To wszystko nieprawda, Rob. Nie zawarłem żadnej ugody i nigdy nie miałem takiego zamiaru. Nie mogę uwierzyć, że ci wszyscy prawnicy, łącznie z moimi, dali się tak wymanewrować.

— Jesteś pewny, Will? Associated Press zawsze jest bardzo dokładne w takich sprawach, tak samo „Oregonian".

— Mogę skorzystać z telefonu, Rob?

Z wściekłości aż mną trzęsie. Mam zamiar to sprostować.

Łapię za książkę telefoniczną i szukam Associated Press. Wykręcam numer. Odbiera jakaś kobieta. Przedstawiam się i tłumaczę, co mnie łączy z ofiarami wypadku na I-5. Mówię, że sprawozdanie agencji zamieszczone w „Oregonian" zawiera błąd.

Kobieta waha się przez moment.

— Chwileczkę, proszę się nie rozłączać.

Czuję na sobie wzrok Roberta. Staram się ułożyć sobie wszystko w myślach. W drżącej ręce trzymam gazetę. Po około pięciu minutach w słuchawce odzywa się inny głos, należący chyba do nieco starszej kobiety. Powtarzam wszystko od początku. Odnoszę wrażenie, że kobieta również ma przed sobą egzemplarz tej samej gazety.

— A konkretnie która informacja jest błędna?

— Ta, że we wszystkich sprawach zawarto ugodę. Nasza sprawa była jedną z kluczowych dla przebiegu tego posiedzenia. Straciliśmy córkę, dwie wnuczki i zięcia. Jednak ani ja, ani moja żona z nikim nie zawarliśmy ugody.

W słuchawce znowu zapada cisza. Chyba mi nie wierzy.

— Jeśli chce pani potwierdzenia moich słów, wszystko jest w aktach sądowych.

— Panie Wharton, czy jest pan pewny, że się pan nie myli?

— Absolutnie. Zamykając posiedzenie, sędzia chciał przeforsować komunikat, jakoby wszystkie sprawy zostały rozstrzygnięte na drodze ugody, ale nasi adwokaci to sprostowali. Wtedy sędzia, niechętnie, poprawił to zdanie na: „Niemal wszystkie sprawy zostały załatwione polubownie". Jak pani widzi, to słowo nie pojawia się ani w nagłówku, ani w samym artykule. Zakładam, że Associated Press zależy na w pełni wiarygodnej wersji wydarzeń. Moja żona i ja nie zamierzamy zawierać żadnej ugody.

W słuchawce znowu zapada cisza.

— Czy mógłby pan jeszcze raz podać mi swoje dane i przypomnieć, na czym polegał pański udział w tym posiedzeniu? I czy mógłby pan teraz już szczegółowo opowiedzieć, jak to się wszystko odbyło?

Opowiadam. Czekam na jakąś reakcję.

— Panie Wharton, porozmawiam z naszym reporterem i z sędzią Murphym, a jeśli będzie potrzeba, sprawdzę to z aktami sądowymi. Bardzo dziękuję za telefon i zwrócenie nam uwagi na ewentualną dezinformację.

— Proszę bardzo.

Odkładam słuchawkę. Obracam się do Roberta.

— Zrobiłem, co mogłem, ale nie sądzę, żeby to coś dało. Straciłem zaufanie do wszelkich dużych instytucji, a AP chyba jest jedną z nich.

— Jesteś pewny, że się nie pomyliłeś, Will? Po co by to robili? Przecież po czymś takim ludzie przestaliby im wierzyć.

— No właśnie.

Przez resztę dnia nagrywam swoje wrażenia z ostatnich dni. Prawdopodobnie żadne z moich dzieci ani nawet Rosemary nie będą mieli czasu, aby tego wysłuchać, ale dzięki tym taśmom może kiedyś napiszę książkę. Ta książka powoli się staje moją ostatnią deską ratunku: nie widzę już innej możliwości spełnienia prośby Berta. Jeśli ukaże się drukiem, być może uświadomi Oregończykom, ile stracili, i wciąż tracą, na tym mariażu wielkiej polityki i wielkiego biznesu. Poza tym kiedyś muszę to wreszcie z siebie wyrzucić. Tak więc grzebię to żywcem w małej, czarnej, zasilanej bateriami skrzynce. Zużywam siedem godzinnych kaset. Kiedy kończę, ledwo mogę mówić.

Nazajutrz Robert odwozi mnie na lotnisko. Z domu wyjeżdżamy o 6.30. O tej porze nie ma jeszcze wielkiego ruchu. Rob wysadza mnie przed halą odlotów. Zgłaszam się do odprawy biletowej; cały swój bagaż zabieram jako podręczny, żeby po przylocie nie tracić już czasu. W poczekalni prawie nie ma ludzi. Jeszcze nigdy nie widziałem takiego pustego lotniska. Rozglądam się wokoło.

Widzę, że w moją stronę biegnie Mona. W ręku ma gazetę. Jej twarz rozświetla promienny, całkiem nieprawniczy uśmiech. Całuje mnie serdecznie i podtyka mi pod nos rozłożoną gazetę. Nagłówek brzmi:

SPRAWA KATASTROFY NA I-5 POZOSTAJE NIE ROZSTRZYGNIĘTA

Associated Press

Wbrew wcześniej podawanym informacjom nie wszystkie sprawy o spowodowanie wypadku na I-5 zostały załatwione na drodze ugody.

Sędzia federalny, Joseph Murphy, powiedział w poniedziałek, że jego słowa zostały błędnie przytoczone, i że nigdy nie twierdził, iż we wszystkich sprawach zawarto ugodę.

W jednej ze spraw, Williama Whartona przeciw firmie przewozowej Cuttera, nie doszło do ugody. Proces zacznie się 25 września br.

W sierpniowym wypadku zginęli czterej członkowie rodziny Whartona.

„Nie chcę żadnej ugody... Przyjechałem tutaj, ponieważ mnie szantażowano" — powiedział Wharton.

Murphy przyznał, że wie, iż Wharton podważa legalność procedur, na mocy których wszystkie pozostałe sprawy rozstrzygnięto w drodze ugody.

„Pan Wharton jest bardzo przywiązany do swoich prywatnych wyobrażeń o prawie i sprawiedliwości" — stwierdził sędzia Murphy.

Wharton, który mieszka na stałe we Francji, powiedział, że w ciągu tych czterech dni nikomu nie wolno było opuszczać sali sądowej na dłużej niż pięć minut.

„Sędzia Murphy po prostu nas uwięził. Postanowił nas przeczekać — stwierdził Wharton. — Wszystko to było bardzo przygnębiające".

Murphy utrzymuje, że nikogo nie zmuszał do ugody. „Powiem tylko, że posiedzenie pojednawcze ma charakter czysto mediacyjny. Sąd nie może nakazać ugody. Jeśli strony się układają, to dlatego, że taka jest ich wolna i nieprzymuszona wola, a zadaniem sądu jest zagwarantowanie im prawa wyboru..." [Tylko że adwokaci bali się narazić sędziemu Murphy'emu. Nie chcieli ryzykować interesów swoich firm. Krótko mówiąc, trzymali język za zębami.]

Poza Whartonem wszyscy skarżący przystali na ugodę.

Adwokat Paula Sweglera, Henry Forcher, stwierdził, że to „jedna z najbardziej skomplikowanych spraw sądowych w dziejach Oregonu".

Prawie wszystkie pozwy były skierowane przeciwko władzom stanowym i Paulowi Sweglerowi, farmerowi z okolic Albany, których przeciwnicy wypalania ściernisk obwiniają o spowodowanie wypadku.

Nie wierzę własnym oczom. Z wrażenia odbiera mi mowę. Dziękuję Monie za tę wspaniałą wiadomość. Daje mi w prezencie egzemplarz gazety. Nie chce mi się tego czytać po raz drugi. Dopiąłem swego, ale zupełnie nie wiem, co powiedzieć. Padamy sobie w objęcia i całujemy się, zwyczajem francuskim, w oba policzki. Podnoszę z ziemi swoją torbę. Idąc do samolotu, oglądam się za siebie.

— Do zobaczenia we wrześniu! — krzyczy Mona.

Kiwam głową, uśmiecham się i ruszam do wyjścia.

Rozdział XVII

Lato spędzamy, jak zwykle, w New Jersey. Nie czuję się dobrze w miejscu, gdzie po raz ostatni widziałem Kate i jej rodzinę, ale podczas tego pobytu dużo czasu spędzam na plaży, słuchając taśm, które nagrałem bezpośrednio po posiedzeniu, i przygotowując się do zbliżającego się procesu. Robię notatki w moim własnym, żółtym, prawniczym skoroszycie. Mam mnóstwo wątpliwości. Nadal nie potrafię poskładać tego wszystkiego w jedną, logiczną całość.

Po kilku tygodniach dzwoni Charles Raven. Bez żadnego wstępu mówi, że wyłącza się z naszej sprawy. Nie będzie tłumaczył dlaczego. Proponuje, żebym znalazł sobie innego adwokata. Baker, Ford przekaże mu zgromadzone materiały.

Jestem ogłuszony tą wiadomością. Do rozpoczęcia procesu zostały już tylko dwa miesiące. Pytam, czy może mi kogoś polecić. Odpowiada, żebym porozmawiał o tym z Moną Flores. Pytam, czy to oznacza, że firma Baker, Ford zostawia naszą sprawę. Jak to się ma do naszej umowy? Zapada cisza.

— Ustalcie to jakoś z Moną Flores. Ja tylko cię informuję, że wyłączam się ze sprawy.

To mówiąc, odkłada słuchawkę. Przez kilka minut siedzę bez ruchu przy telefonie. Potem opowiadam o wszystkim Rosemary. Ona rozumie, co to dla mnie znaczy. Radzi, żebym zadzwonił do Buda. Bud to nasz zaprzyjaźniony prawnik.

— Może zna kogoś w Portland, kogo będzie mógł nam polecić. A przynajmniej powie, co robić.

Pokonawszy kolejne zapory w postaci sekretarek, dodzwaniam się w końcu do Buda. Wyjaśniam mu sytuację. Pyta, czy mógłbym przefaksować swoją korespondencję z firmą prawniczą Baker, Ford oraz własne notatki.

Jadę na pocztę i wysyłam, o co prosił. Daję mu trochę czasu na przefaksowanie odpowiedzi. Wracam do domu. Bud jednak nie faksuje, tylko dzwoni.

— Posłuchaj, Will. Wygląda na to, że z tych twoich adwokatów nie będzie już żadnego pożytku. Chyba masz rację, że im po prostu zależy na ugodzie. Co do tych nagrań, to dałeś im po prostu dobry pretekst.

— Co w takim razie mamy robić, Bud? Nie znam w Portland żadnych innych prawników.

— Ja też nie. Najlepiej nic nie róbcie. Nie ma pośpiechu. W takiej sytuacji każdy sędzia, niezależnie od twojej opinii o sędziach, z pewnością odroczy rozprawę. Popełniłeś błąd, zadając twoim adwokatom tyle kłopotliwych pytań. Mogli pomyśleć, że chcesz ich zaskarżyć. Na podstawie tych paru informacji nie mogę stwierdzić, czy miałbyś podstawy, ale jedno ci powiem: nigdy nie skarż swoich adwokatów. Zwłaszcza takiej dużej firmy. Zatrudniają masę ludzi, którzy przez cały boży dzień snują się po korytarzach, szukając czegoś do roboty. Nic ich to nie będzie kosztować, jeżeli użyją ich wszystkich przeciwko tobie. Samymi opłatami sądowymi zniszczą cię, zanim się obejrzysz. Tak więc, siedź cicho. Poczekaj, aż to oni się odezwą.

Cieszę się, że chociaż Bud jest po naszej stronie. Przeżywam prawdziwe męczarnie, ale idę za jego radą i nic nie robię.

Trzy dni później dzwoni telefon. To Mona i Clint. Mają specjalny telefon z zewnętrznym mikrofonem i głośnikiem, a ponieważ Rosemary podchodzi do drugiego aparatu, rozmowa toczy się na cztery głosy. Zaczyna Mona.

— Charles zgodził się, żebyśmy z tobą porozmawiali. On się już wycofał.

— Tak, wiem. A co ty masz zamiar zrobić, Mona?

— Charles powiedział, że jeśli nie będziesz miał nic przeciwko

227

temu, to możemy z Clintem przejąć tę sprawę. Wtedy to ja reprezentowałabym ciebie w sądzie.

— To znaczy, że byłabyś moim adwokatem na procesie?

— Oczywiście. Przecież właśnie tego chcesz: procesu.

— Ale myślałem, że poza mną nikt tego nie chce, nawet ty. Sędzia Murphy tego nie chciał i nie zauważyłem, żebyście mieli inne zdanie.

— Więc jak, mamy się tym zająć?

— Jasne, że tak. Szczerze mówiąc, cieszę się, że to będziecie wy, a nie Raven.

— W takim razie umowa stoi. Napiszę ci, co nowego wydarzyło się od naszej ostatniej rozmowy, i jakie mam dalsze plany. Podczas rozprawy będziemy.potrzebowali biegłych, a to kosztuje. Wszystko pójdzie na twoje konto, ale odciągniemy to z odszkodowania. Resztę wyjaśnię ci w liście.

Mona uważa, że tyle spraw wymaga omówienia jeszcze przed procesem, iż powinienem jak najszybciej zjawić się w Portland. Mówi, że ma bardzo duży dom i że mogę zatrzymać się u niej. Tym sposobem, 10 września, znowu wracam do Oregonu.

Dom Mony istotnie jest olbrzymi. Ma trzy piętra i sporą piwnicę. Zbudowany z cegieł, pochodzi prawdopodobnie gdzieś z początku wieku. Od frontu znajduje się duża weranda.

Mona prowadzi mnie na samą górę i pokazuje nie wykończony jeszcze pokój z wygodnym łóżkiem. Dawno temu ktoś zaczął go przemalowywać, starą farbę próbując usunąć za pomocą palnika gazowego, ale najwyraźniej szybko zrezygnował; zostawił tylko na ścianach wielkie, osmalone purchle. Pokój jest bardzo jasny. Wysokie, piękne okna wychodzą na wysadzaną drzewami alejkę.

Początek rozprawy wyznaczono na koniec miesiąca, kiedy to dołączy do nas także Rosemary. Chociaż mój wczesny przyjazd miał pomóc w przygotowaniach do procesu, większość roboty Mona i tak musi sama wykonać w biurze. Dochodzę do wniosku, że skoro już tu jestem, mogę w tym czasie wyremontować sypialnię.

Wyjawiam Monie swój plan. Bardzo jej się podoba. Mówi, że jeśli będę odwoził ją i odbierał z pracy, mogę korzystać z jej samochodu, by robić konieczne zakupy. Obiecuje zapłacić za farbę i całą resztę. Tak więc zawieramy umowę.

Okna, jak się okazuje, musiał malować niewidomy, bo więcej napaćkał farby na szyby niż na ramy. Godzinami zdrapuję zacieki ostrzem brzytwy.

Tom, mąż Mony, wielkie chłopisko, ma prawie dwa metry wzrostu i waży ponad sto kilogramów. Przez większą część dnia rozmawia przez telefon, układając spisy domów wystawianych na sprzedaż. Moja obecność chyba mu nie przeszkadza. Na nogach jest już o czwartej, piątej rano — siedzi wtedy sam w kuchni, pije kawę i czyta gazety. Mona, ubrana w dres do joggingu, pojawia się na dole między siódmą a ósmą. Z czasem zaczynam jej towarzyszyć w tych rannych biegach, tyle że ja na rowerze. Mona nieźle wyciąga nogi. Na piechotę nigdy nie dotrzymałbym jej kroku. Zwykle przebiega trzy kilometry. Wyobrażam sobie, na co byłoby ją stać, gdyby nie paliła.

Przez cały czas rozmawiamy o procesie. Mona zadaje mi mnóstwo pytań. Co odpowiem, jeśli Chuck Hurtz zacznie mi wytykać pisanie książki o śmierci moich bliskich? Czy książka nie narusza ich prawa do prywatności?

— Nie sądzę — odpowiadam. — Wiem, że zależałoby im na powstrzymaniu procederu wypalania ściernisk. Wiem, że oboje byliby zadowoleni z tego, co robię.

Mona, w roli Hurtza, ciągnie dalej:

— Ale to pan będzie czerpał zyski z tej książki. Czy nie czuje się pan jak jakiś wampir?

— Nie. Ta książka najprawdopodobniej nie przyniesie żadnych zysków. Piszę ją dla nas, dla mojej rodziny.

Wciąż nie mogę się powstrzymać od zadawania swoich pytań.

— Wiem, Mona, że chcesz mnie przygotować do rozprawy, ale co to wszystko ma wspólnego z odpowiedzialnością Cuttera za śmierć Kate, Berta i dziewczynek?

— Ciągle tego nie rozumiesz, prawda?

— Chyba nie.

— Jak sądzisz, dlaczego wtedy, na przesłuchaniu, Hurtz pytał, ile zarabiasz?

— Taki już z niego kawał wścibskiego sukinsyna.

— Coś ci powiem. Chuck Hurtz nigdy nie robi nic bez powodu, a już na pewno nie ze wścibstwa. Zapamiętaj to. Gdyby doszło do ugody, przy ustalaniu wysokości odszkodowania każdy sędzia wziąłby pod uwagę stan twojego konta.

Nazajutrz, kiedy odwożę ją do biura, Mona mówi, że chce, abym poznał ludzi, których ma zamiar powołać jako naszych biegłych na rozprawie. Są właścicielami firmy Hong's Forensic and Metallurgical Engineers. Jej siedzibą jest mały, jednopiętrowy budynek na przedmieściu Portland.

Nawet nie pytam, kim jest pan Hong. Jego dwaj synowie stoją przy nim wyprężeni na baczność. Przed nimi znajduje się rysownica pokryta jakimiś skomplikowanymi, niebiesko-czarnymi wzorami. Na widok Mony pan Hong zgina się wpół, po czym podają sobie ręce. Mona odwraca się do mnie.

— Pan Hong chce przeprowadzić eksperyment pozwalający ustalić, czy zderzenie, na skutek którego zginęła twoja rodzina, nastąpiło z przodu czy z tyłu.

— Co za różnica? Raport policji stwierdza, że oba zderzenia były skutkiem najechania na furgonetkę ciężarówki Cuttera.

— Możesz być pewny, że Chuck Hurtz się do tego przyczepi. Gdyby można było udowodnić, że Bert się zatrzymał i dopiero wtedy ciężarówka Cuttera popchnęła furgonetkę na samochód, który jechał przed nimi, zmieniłoby to obraz całej sprawy.

Nic nie mówię. Pan Hong zaczyna prezentację. Ma zamiar nakręcić film wideo, na którym, za pomocą modeli, zostanie odtworzony prawdopodobny przebieg wypadku.

Czegoś tu jednak nie rozumiem.

— Chce pan zrobić takie małe modele, próbować różnych kombinacji i nakręcić o nich film, jak o chłopcach bawiących się samochodzikami?

Pan Hong z kamienną twarzą przesuwa małe drewniane autka i ciężarówki po rysownicy i wyjaśnia, na czym będzie polegał jego eksperyment. Patrzę na Monę.

— To konieczne, Will. Chuck Hurtz będzie miał własny film ilustrujący inną kolejność zdarzeń, to znaczy, że Bert uderzył w pojazd jadący przed nim, zanim najechała na niego ciężarówka Cuttera. W sprawach o spowodowanie wypadku drogowego zawsze przedstawia się filmową rekonstrukcję wydarzeń. Sędziowie przysięgli lubią takie pokazy, łatwiej im wszystko zrozumieć.

— Mam wywalić kupę pieniędzy jako sponsor konkursu na najlepszy film o kraksach drewnianych samochodzików, w którym jury będzie ława przysięgłych? Chyba żartujesz. Żadna ława przysięgłych nie uwierzy w coś takiego. Sędziowie muszą mieć po dziurki w nosie tych waszych przedstawień. Wiedzą przecież, że to lipa.

Technokraci z Forensic and Metallurgical Engineers w milczeniu, bez uśmiechu, przysłuchują się naszej rozmowie. Mona zaciska usta.

— Pan Hong ma wspaniałe podejście do ławy przysięgłych. Ma w sobie dość powagi, żeby mu uwierzyli, i dość poczucia humoru, żeby go polubili.

— Aha, czyli opłacam również teatralne umiejętności pana Honga. Nie rozumiem cię, Mona. Chcę tylko zebrać informacje o przebiegu wypadku, nadać im jakąś sensowną formę i przedstawić je ławie przysięgłych, aby podjęła decyzję. Czy to tak trudno zrozumieć?

— W porządku, porozmawiamy o tym później. Pan Hong ma jeszcze inny pomysł. Jest przekonany, że prawdziwość naszej wersji można udowodnić na podstawie analizy ułożenia ciał i uszkodzeń samochodu. Chciałby kupić identyczną furgonetkę jak ta, którą prowadził Bert, ten sam model, ten sam rocznik, i poddać ją pewnym testom. Jeśli dobrze zrozumiałam, uważa, że przednie fotele zostały wyrwane z podłogi i poleciały do tyłu właśnie na skutek uderzenia w samochód ciężarówki Cuttera.

— Chryste, Mona, wystarczy spojrzeć na zdjęcia zrobione, kiedy jeszcze byli w furgonetce. Leżą na plecach. Czego więcej trzeba? Jeśli koniecznie chce robić tę szopkę z testami, niech kupi jakiegoś grata na złomowisku. Nie musi mieć zaraz nowego volkswagena.

Obracam się do pana Honga i jego pomocników.

— Przykro mi, panowie, ale to ja za wszystko płacę i nie sądzę, aby to było konieczne. Dziękuję panom za dobre chęci.

Idę do wyjścia. Mona przez chwilę jeszcze stoi przy nich, tłumacząc coś i gestykulując. Uświadamiam sobie, że nie podałem im ręki, ale już nie zawracam. Całe to miejsce przypomina mi laboratorium koronera.

W milczeniu podchodzimy do samochodu. Mona wyjmuje kluczyki z torebki. Czekam przy swoich drzwiczkach. Twarz Mony jest biała jak ściana. Widzę, że nie może wydobyć z siebie głosu. Nagle zaczyna krzyczeć ponad dachem hondy.

— Co cię znowu ugryzło?! Potrafisz być taki miły, a potem, w decydującym momencie, wychodzi z ciebie kawał drania.

— Mona, ja po prostu nie mogę się pogodzić z myślą, że o wyniku rozprawy zadecydują jakieś dziecinne wygłupy.

— Nie ufasz mojemu zawodowemu doświadczeniu?

— Sądzę, że brakuje ci poczucia rzeczywistości, Mona. Myślę, że nie wierzysz, że możemy wygrać tę sprawę. Boisz się Chucka Hurtza i nie masz zaufania do ławy przysięgłych. Brak zaufania do ławy przysięgłych to typowe dla adwokatów. Jeśli już, to masz zbyt wiele zawodowego doświadczenia.

— Czyli jednak nie ufasz mojemu zawodowemu doświadczeniu?

— Gdyby tak było, znalazłbym sobie innego adwokata. Myślę, że jesteś dobrym prawnikiem i że możemy współpracować. Ale jesteśmy też przyjaciółmi i, jako przyjaciele, powinniśmy mówić sobie, co naprawdę myślimy. W pewnym sensie jesteśmy za siebie odpowiedzialni.

— Tylko mi nie mów o odpowiedzialności.

Mona jest na mnie tak wściekła, że zaczyna płakać. Czuję się okropnie. Może to ona ma rację. Może problem polega na mojej wrodzonej niechęci do wszelkiej władzy i do urzędników.

— Przepraszam, Mona. Wiem, jak bardzo chcesz wygrać tę sprawę. Ale jeśli mam być szczery, obawiam się, że twoja chęć sprawdzenia się będzie raczej przeszkodą niż pomocą. Może powinienem zatrudnić prawnika amatora. Może to właśnie słowo „zawodowiec" otwiera mi w głowie jakieś niewłaściwe klapki. Zawodowiec to dla mnie ktoś, kto pracuje dla pieniędzy. Mam na myśli zawodowych baseballistów, zawodowych artystów i tak dalej. Amator, *amateur*, to po francusku miłośnik, czyli ktoś, kto kocha swoją pracę dla samej pracy, kto darzy swoją pracę prawdziwą, bezinteresowną miłością.

Zerkam na szybkościomierz. Jedziemy sto dwadzieścia. Łapię za uchwyt umieszczony nad oknem, drugą ręką przytrzymuję się fotela.

— Mona, wiem, że dobrze prowadzisz, może nawet jesteś miłośnikiem prowadzenia, ale nie jesteś zawodowcem. Zrób to dla mnie i zwolnij, bo ci ze strachu zmoczę siedzenie.

Rzuca mi szybkie spojrzenie. Oczy ma wciąż wilgotne, ale przynajmniej się uśmiecha. Ociera łzy wierzchem prawej dłoni.

— Kurczę, ależ z ciebie ciepłe kluchy.

— Jasne, zawodowe ciepłe kluchy, czy jak chcesz to nazwać. Kocham życie i jeszcze nie mam zamiaru się z nim rozstawać, a już szczególnie nie roztrzaskany na kawałki i rozsmarowany po całej drodze.

Mona zwalnia. Znowu się do mnie obraca. Ja też jej się przyglądam. Wolałbym, żeby patrzyła przed siebie, ale ta wzajemna obserwacja sprawia mi przyjemność. Nie można mieć wszystkiego naraz.

— Mona, mamy czas, żeby gdzieś wstąpić na piwo? Musimy porozmawiać, a ja nie mam ochoty wylądować na latarni.

W tej samej chwili Mona ostro zawraca i zatrzymuje się przy barze po przeciwnej stronie ulicy. Albo pomyślała o tym samym co ja, albo zna wszystkie bary w promieniu trzydziestu kilometrów od centrum Portland. No, chyba że jest zawodowym kierowcą.

Sądząc po tym manewrze, dałaby sobie radę nawet na torze w Le Mans.

W barze panuje chłodny półmrok. Zajmujemy stolik pod ścianą. Siedzimy w milczeniu. Wkrótce przynoszą nam piwo. Mam nadzieję, że nie wpakujemy się na żaden patrol.

— Okay, Mona, zamieniam się w słuch. Obiecuję nie przerywać, chyba że czegoś nie zrozumiem.

Nie od razu odpowiada. Przygląda mi się przez szkło swojej szklanki.

— Nie myśl, Will, że jestem pierwsza do mazania się. Nienawidzę się, kiedy płaczę. Pod tym względem jestem gorsza niż mężczyźni.

Robi pauzę.

— Wiesz, dlaczego płakałam?

— Bo zachowałem się jak kawał sukinsyna. I pewnie jeszcze z paru innych powodów. Przepraszam.

— Znowu pudło. Wiesz, Will, czasem tak bardzo się mylisz, że aż masz rację. Rozumiesz, o co mi chodzi?

— Nic a nic.

— Płakałam, ponieważ zdałam sobie sprawę, że właściwie wszystko, co powiedziałeś w biurze Honga, to prawda. Boję się Hurtza i nie ufam ławie przysięgłych. Włosy stają mi dęba na myśl o tym procesie. To będzie moja pierwsza sprawa w sądzie i od niej zależy moja dalsza kariera. A teraz tkwię w tym wszystkim po uszy i zupełnie nie wiem, jak z tego wybrnąć. Przykro mi, że muszę ci to powiedzieć, ale jeśli wygramy ten proces, Hongowi i tak będziesz musiał słono zapłacić. Zachowałam się jak typowy, arogancki adwokat, taki, których sama nie znoszę. Prawdę mówiąc, powoli zaczynam nienawidzić wszystkich prawników, zwłaszcza siebie.

Próbuję coś powiedzieć. Czuję, że zaraz się rozpłaczę, ale co ma być, to będzie. Płacz mi zawsze pomaga. Płaczę, nawet kiedy nie wiem, dlaczego płaczę. Potrafię płakać nad obrazkiem w gazecie lub kiedy dowiem się o czyimś dobrym uczynku, albo słuchając muzyki, czy też, jak już powiedziałem, w ogóle bez powodu. Zdaje się, że to symptom pewnej odmiany nerwicy o skomplikowanej, łacińskiej nazwie.

Zostawiam na stole pięć dolarów w nadziei, że to wystarczy na pokrycie rachunku za dwa piwa. Na wszelki wypadek nie śpieszę się z wychodzeniem. Tak czy owak, to mój najlepszy wydatek od bardzo długiego czasu.

Nazajutrz Mona mówi, że musimy jechać do sądu. Spotkaniu przewodniczyć będzie sędzia Marlowe.

Zakładam swój „prawniczy" garnitur. Samochód zostawiamy na parkingu przed sądem. Clint czeka już na nas na schodach. Przypomina mi się posiedzenie pojednawcze w Eugene. Tyle, że tutaj nikt nas nie obszukuje za pomocą wykrywacza metali.

Wchodzimy do małego pokoju. W środku jest Chuck Hurtz i jakiś nie znany mi, gruby facet. Witamy się ze wszystkimi. Po pięciu minutach do pokoju zagląda kobieta w średnim wieku i daje znak Hurtzowi i Monie, żeby poszli za nią. Czekamy w milczeniu.

Wracają po kilku minutach. Mona podchodzi do mnie.

— Sędzia Marlowe życzy sobie, żeby w dzisiejszym spotkaniu wzięli udział wyłącznie adwokaci. Strasznie mi przykro, że cię niepotrzebnie ciągnęłam taki kawał drogi.

— Nie ma sprawy.

— Rób, co chcesz, tylko pamiętaj, żeby nie rozmawiać z pozwanym. Prawdopodobnie każą wam czekać w tym samym pokoju. Nie ufaj temu facetowi, on zastępuje Cuttera. Będzie chciał coś z ciebie wyciągnąć.

Kobieta w średnim wieku znowu pojawia się w drzwiach. Przywołuje Monę, Clinta, Hurtza i jego tłustego pomocnika. Później mnie i człowieka od Cuttera prowadzi do sąsiedniego pomieszczenia, które okazuje się zwyczajną salą rozpraw, jaką znam z filmów. Obchodzę salę dookoła, wypróbowując różne fotele, najpierw te przeznaczone dla ławy przysięgłych, potem wygodny, obrotowy fotel sędziego. Żałuję, że nie mam nic do czytania; towarzyszący mi facet zaopatrzył się w spory plik gazet.

— Chce pan coś przejrzeć? Mam najnowsze numery „Newsweeka" i „Time'a".

Wyciąga do mnie oba tygodniki jak czarownica z *Królewny Śnieżki* zatrute jabłko. Biorę „Newsweeka". Może to taki test, żeby dowiedzieć się czegoś o moich politycznych preferencjach. Jednak nie, facet nie zwraca na mnie uwagi i sam zagłębia się w lekturze.

Po pięciu minutach zaczyna rozmowę o jednym z artykułów, który właśnie czyta. Myślę sobie, do diabła z tym. Po prostu będę uważał, co mówię — ani słowa o wypadku, moich adwokatach, procesie czy osobistych opiniach w tej sprawie.

Świetnie nam się rozmawia. Mam wrażenie, że nie zadaje mi żadnych podchwytliwych pytań. Plotkujemy o nartach, baseballu, wyścigach samochodowych i o swoich dzieciach. Całe szczęście, że jest o czym mówić, ponieważ spotkanie adwokatów trwa ponad dwie godziny. Na widok Mony odzywają się we mnie wyrzuty sumienia. Czy powinienem się przyznać, że spoufalałem się z wrogiem?

Mona i Clint są rozpromienieni. To samo jednak można powiedzieć o Hurtzu i tłuściochu. Znowu podajemy sobie ręce, jak bokserzy przed rozpoczęciem walki. Nie lubię tego uczucia.

Idziemy do baru za rogiem. Po drodze rozmawiamy o nieważnych drobnostkach. Zdaje się, że Mona i Clint są przekonani, iż wszystkie sporne kwestie zdołali rozstrzygnąć na naszą korzyść. Zastanawiam się, z czego w takim razie cieszył się Hurtz. Może uśmiechanie się i plotkowanie o nieistotnych rzeczach to taka prawnicza sztuczka, żeby ukryć prawdziwe uczucia? Staram się odpędzić takie myśli. Najpierw wysłucham, co oboje mają mi do powiedzenia.

Okazuje się, że w większości sporów o procedurę i dopuszczenie dowodów „my" zwyciężyliśmy. Teraz Mona przechodzi do sedna sprawy.

— Wiem, że będziesz zły, Will, ale sędzia Marlowe nie chce wpuścić na rozprawę dziennikarzy, a szczególnie telewizji. Uważa, że to zbyt kontrowersyjna sprawa, która może spowodować histerię w środkach masowego przekazu. Ciągle walił pięścią w stół i powtarzał, że sąd to nie cyrk.

Patrzę na nią, a potem na Clinta. To szatańska sztuczka i nawet nie mogę ich za to winić. Oboje wciąż nie rozumieją, czego ja naprawdę chcę, i dlaczego. Jedyną osobą, która dotąd mnie słuchała, okazuje się Chuck Hurtz. Teraz już wiem, dlaczego był taki zadowolony.

— Mam tego dosyć! Po co mi rozprawa, jeśli nikt się o niej nie dowie? Jeżeli środkom masowego przekazu nie wolno informować opinii publicznej, to cały ten proces zamienia się w zwykłą farsę. Co zrobiliście, żeby do tego nie dopuścić?

Pierwszy odzywa się Clint.

— Wygraliśmy wszystko, co było do wygrania, Will. Wygramy także proces i to wysoko. Pozostaje już tylko pytanie, o ile sędzia zetnie odszkodowanie ustalone przez ławę przysięgłych. Ale nie ma powodu do obaw.

Obracam się do Mony.

— A ty co masz mi do powiedzenia?

— Clint ma rację. Jeżeli chodzi o proces, wygraną właściwie mamy w kieszeni. Większość czasu kłóciliśmy się, czy odszkodowanie powinno się pomniejszyć o sumę, którą Murphy zasądził na rzecz Willsa, i co się stanie, jeśli Cutter złoży apelację.

— I to wszystko?

— A czego jeszcze byś chciał?

— Wygraliście bitwę, ale przegraliście wojnę! Wciąż nie możecie tego zrozumieć? Chuck Hurtz od razu zrozumiał. I jestem pewny, że hodowcy traw również zrozumieją, kiedy dowiedzą się, co się stało. Jeżeli o mnie chodzi, ta rozprawa może się już w ogóle nie odbyć. To będzie tylko parodia prawdziwego procesu, a dwa lata waszej i mojej pracy pójdą na marne. Stale powtarzałem: CHCĘ PUBLICZNEGO PROCESU PRZED SĄDEM PRZYSIĘGŁYCH. Chciałem procesu, ponieważ chciałem wszystkim, którzy mają coś wspólnego z wypalaniem pól, rzucić w twarz oskarżenie o to całe plugastwo, tę ścierń i popioły. Chciałem, żeby przeżyli, chwila po chwili, zagładę mojej rodziny. Musieliście wiedzieć o tym. Powtarzałem to wystarczająco często. Nie jestem mściwy, ale w ramach odszkodowania dla mojej córki, zięcia i wnuczek chcę, żeby te kmiotki uświadomiły sobie, w czym biorą udział, w czym znowu wezmą udział, kiedy wybuchnie następny pożar i gdy kolejne auta, a z nimi ich kierowcy, zostaną starci w proch. To, co nam zaproponowano, to taka prywatna czarna msza w bocznej kaplicy, gdzie będą się lały krokodyle łzy i obijał echem diaboliczny chichot odpowiedzialnych za tę tragedię; począwszy od waszego wspaniałego gubernatora, a skończywszy na zwykłych ludziach, którzy nie podpisali petycji w sprawie referendum. Jak mogliście, szczególnie ty, Mona, być tacy tępi? W ogóle was nie obchodziło, co mówię? Czy też byliście zbyt przejęci waszą rolą w tych niepoważnych gierkach, zwanych prawem, żeby słuchać i dostrzec, co się dzieje? To jasne, dlaczego nie wpuszczono mnie na to spotkanie. Założę się, że stał za tym Hurtz, tak samo jak za przebiegiem posiedzenia w Eugene stał adwokat farmera, który wzniecił pożar, pan Forcher, uśmiechnięty Budda w beżowym garniturze. Gdyby mnie tam dzisiaj wpuszczono, zdemaskowałbym tych łajdaków.

Wstaję, rzucam na stolik pieniądze i wychodzę. Nie mam pojęcia, jak w Portland kursują autobusy, ale mam numer telefonu Roberta i Karen.

Budka telefoniczna jest zaraz za rogiem. Przez szybę widzę Monę biegnącą jezdnią. Nie ukrywam się, ale też nie zdradzam, gdzie jestem. Niech zdecyduje przypadek. W butach na wysokich obcasach trudno się biega, pomimo to Mona porusza się dosyć szybko. Mija budkę, w ostatniej chwili dostrzega mnie kątem oka i zawraca. Kiedy wrzucam monety do automatu, stoi na zewnątrz i przygląda mi się. Ja też na nią patrzę czekając, aż Karen albo Robert odbiorą telefon. Po dziewiątym sygnale odkładam słuchawkę. Los tak chciał! Wychodzę. Mona płacze.

— Cześć, stary draniu. To tak się zachowują przyjaciele?

Ruszam przed siebie, sam nie wiem dokąd. Mona idzie ze mną, krok w krok, pomimo tych swoich idiotycznych butów.

— Proszę cię, Will, zaczekaj. Musisz mnie wysłuchać. Chcę

ci powiedzieć, że jest mi strasznie przykro. Próbowałeś mi to wszystko wytłumaczyć, ale ja ciebie nie słuchałam. Myślałam, że słucham, ale tak naprawdę nie słuchałam. Powinnam była się domyślić, widząc zadowoloną minę Chucka Hurtza. Jezu, prawo to czasem taki cholerny, pieprzony biznes.

— A przynajmniej sposób, w jaki się je praktykuje w Oregonie, w całej Ameryce i pewnie na całym świecie. Ale to już wina prawników, ludzi, którzy zostają adwokatami i sędziami, sposobu w jaki są kształceni, w oderwaniu od realnego życia i w przekonaniu, że są lepsi od innych. Pojęcie sprawiedliwości traci tu rację bytu. Pozostaje tylko kulawe prawo i jego ubodzy praktykanci. Rzygać mi się chce. Usiądźmy gdzieś, Mona.

Opadam na zieloną ławkę w małym parku. Ręce kładę na oparciu. Mona siada obok. Ze zdenerwowania jestem cały spocony. Śmierdzę pewnie jak stary, obleśny knur. Oboje ciężko oddychamy — ja, ponieważ rozsadza mnie wściekłość, ona przez te swoje buty i może jeszcze z paru innych powodów.

— Chcesz tego procesu czy mam zadzwonić do sędziego Marlowe'a i całej reszty, żeby wszystko odwołać? Jeżeli ich nie zawiadomimy i tak po prostu nie stawimy się na rozprawie, skażą nas za obrazę sądu, ciebie, Clinta i mnie.

— Wiesz, że moja opinia o sędziach starczyłaby na kilka takich wyroków. Nie zdecydowałem jeszcze, co zrobię. Cokolwiek jednak to będzie, nie sądzę, żebyś ze względu na mnie musiała brać udział w tej farsie. Jakoś to załatwię.

— Will, jesteśmy nadal przyjaciółmi?

Nie wiem, jak jej to powiedzieć. Czuję się zdradzony, ale wiem, że sytuacja przerosła tak samo ją, jak i mnie. Tylko takie pokręcone umysłowości jak Hurtz czy też sędzia Marlowe, wspomagany przez Hurtza, mogły przewidzieć rozwój wypadków.

— Nadal jestem twoim przyjacielem, Mona, i chciałbym, abyś ty była moim. Po prostu nie tańczymy do tej samej muzyki.

Czuję, że dławi mnie w gardle i zaraz się rozpłaczę. Nie chcę tego, nie teraz. Mona rozgląda się po parku, tej małej oazie na kamiennej pustyni. Siedzimy w milczeniu. Mona wie, że próbuję się jakoś pozbierać.

— Will, chciałabym, żebyś wrócił ze mną do domu. Możesz odsunąć mnie od sprawy, możesz się do mnie nie odzywać, ale wróć ze mną do domu.

Zagryza wargi. Oboje przeżywamy ciężkie chwile. Nie mogę wydobyć z siebie głosu. Nie potrafię nawet spojrzeć jej w oczy. Z tej gównianej sytuacji nie ma dobrego wyjścia. Podnoszę się. Nogi mam jak z waty.

— Jedźmy, Mona. Jak adwokat i klient, podróżujący w stronę słońca.

Rozdział XVIII

Po kolacji, w czasie której mówił głównie Jonah, a Mona i Tom, w stosownych momentach, wydawali z siebie jedynie dyplomatyczne chrząknięcia i pomruki, wstaję i sprzątam ze stołu. Mimo sprzeciwu Mony składam naczynia do zlewu i przygotowuję się do zmywania. Zawsze tak robię, kiedy jestem zdenerwowany. To mi pozwala spojrzeć na wszystko od innej, lepszej strony, zaprowadzić ład w nieładzie.

Dwukrotnie przychodzi Mona i dwukrotnie wyganiam ją z jej własnej kuchni. Na szczęście ona rozumie. Po naczyniach czyszczę wszystko, co mi się nawinie pod rękę, piekarnik, kuchenkę mikrofalową i blaty. Właśnie zabieram się do szorowania podłogi, kiedy znowu zjawia się Mona.

— Wszyscy już poszli spać, Will. Chciałabym teraz usiąść na werandzie. Tam mogę palić, nie dmuchając ci dymem prosto w nos, no i moglibyśmy wreszcie porozmawiać.

Wychodzę za nią na werandę. Mona czeka na mnie, po czym zamyka drzwi. Siada na szerokiej balustradzie i sprawdza palcem kierunek wiatru. Resztę załatwia w czterech szybkich ruchach: otwiera pudełko, wyciąga papierosa, wkłada go sobie do ust i zapala. Dym, podświetlony przez latarnię z ulicy, wygląda jak mgła. Przynoszę sobie krzesło z drugiego końca werandy i stawiam je pod ścianą. Mona patrzy na mnie zza sinego obłoku.

— Od czego zaczniemy?

— Myślałem, że mamy rozmawiać o tym, jak to zakończymy?

Mona powoli wydmuchuje nie kończącą się, jak się wydaje, strużkę dymu. Długo mógłbym tak siedzieć i patrzyć, jak szara wstążka wije się w świetle ulicznej latarni.

— Zastanawiałem się nad tym, tam, w kuchni. Jestem przekonany, że gdybym bardziej się postawił i przez cały czas trzymał rękę na pulsie, nie znalazłbym się w takiej sytuacji. Zaślepił mnie mój własny smutek i gniew. Miałem nie dość szeroko otwarte oczy i uszy. Wyręczałem się zawodowcami w sprawach, którymi sam powinienem się zająć. To była zwykła głupota. Za bardzo ufałem innym, z lenistwa. Teraz nie mam zbyt dużego wyboru. Boję się, jak to wszystko wytłumaczę Bertowi, kiedy znowu odwiedzi mnie we śnie. Posłuchaj, Mona. To, co ci powiem, musi pozostać między nami. Myślę o ugodzie. Nie mam ochoty brać udziału w tym sądowym cyrku. Mówię to tylko tobie — między nami, zawodowcami. Zgadzasz się?

— Chodzi o to, żebym grała dotychczasową rolę?

— Tak, musisz nadal udawać pogromczynię lwów.

— To nie takie łatwe. Co planujesz?

— Zwrot o sto osiemdziesiąt stopni, ale przy pełnej szybkości. Jak chcesz, możesz prowadzić albo ustąp mi miejsca. Będę potrzebował pilota.

— Tylko się za bardzo nie rozpędź, Will.

— Jaka była ostatnia propozycja Cuttera? Nie zwróciłem na nią uwagi, bo wtedy to nie miało dla mnie żadnego znaczenia.

— Sześćdziesiąt tysięcy. Od negocjacji jest ten grubas, nazywa się Kramer.

— Jasne, że jest gruby. Utuczył się ludzką krzywdą. Obrzydliwość. Za zabicie czterech osób to wychodzi po piętnaście tysięcy za głowę. Mamy sezon obniżek na rynku morderstw.

— To nie jest takie proste, sam o tym wiesz.

— Tak, wiem, ale i tak mi się to nie podoba. Posłuchaj, Mona. Nie ma takich pieniędzy, które mogłyby nam wynagrodzić to, co się stało. Ale nie zgodzę się na żadną propozycję poniżej dwukrotności tej sumy. Tak, wiem, że to pieniądze splamione krwią, czarne, spalone, splamione krwią pieniądze, ale tak właśnie postanowiłem.

— To co zamierzasz zrobić?

— Mam nadzieję, że to my będziemy robić.

— Ja też.

— Dzięki. Na razie udajemy, że nic się nie zmieniło; odrzucamy wszystkie oferty. Tylko koniec z zatrudnianiem tych pieprzonych biegłych. Sprawdźmy, czy da się chociaż trochę zmniejszyć nasze straty. Cutterowi, Hurtzowi i całej reszcie damy do zrozumienia, że jesteśmy pewni, że wygraną mamy w kieszeni i że nie interesuje nas nic oprócz werdyktu ławy przysięgłych. Będziemy udawać, że mamy zamiar przeciągać proces tak długo, jak to tylko będzie możliwe. Twojej firmie to się nie spodoba, sędziemu Marlowe'owi także nie. To może dać do myślenia nawet Hurtzowi. Nikt przecież nie chce tego procesu.

Mona wyciąga drugiego papierosa, ale go nie zapala.

— I co dalej? Nic nie zrobimy? Co z moimi przygotowaniami, moją mową na inaugurację i na zakończenie rozprawy, z dowodami, których zdobycie kosztowało tyle pieniędzy i wysiłku? Pracowałam nad tym od miesięcy, ba, już lat.

— Zachowaj je, jeszcze ci się mogą przydać. Przykro mi, Mona. To jeden z aspektów tego planu, który najbardziej mnie martwi. Napracowałaś się i wygrałabyś ten proces, to prawda. Prawdą jest także to, że byłabyś jedyną osobą, która by coś na tym zyskała. Twoja firma miała szansę wygrać co nieco, ale nie wygra. Moja wygrana, publiczny proces relacjonowany przez środki masowego przekazu, została skreślona z listy nagród. W dodatku, biorąc pod uwagę wszystkie wydatki i pule, te legalne i nielegalne, i tak zostanie niedużo do podziału. Tak czy owak, jeśli wygramy, oni założą apelację i wszystko będzie się ciągnąć rok albo dłużej, a pieniędzy z naszego psiego odszkodowania przez cały czas będzie ubywać. Jak widzisz, zapoznałem się z twoją biblioteką. Do tego dojdą rachunki z Bakera, Forda za rozprawę apelacyjną i będę miał szczęście, jeżeli uda mi się spłacić długi, które zaciągnę do tego czasu. Jak ci się podoba taka perspektywa, Mona? Powiedz, jeśli gdzieś się pomyliłem.

Mona dopiero teraz zapala papierosa. Opiera nogę o poręcz balustrady. Patrzy w głąb ulicy.

— Nie umiem powiedzieć, gdzie się pomyliłeś. Nie jestem pewna, czy we wszystkim masz rację, ale to się może tak odbyć. O mnie się nie martw. Dostaję pensję. Nie jestem wspólnikiem, tylko pracownikiem. Mam stałe miesięczne wynagrodzenie jak sekretarka. Ciągle jednak nie mogę zrozumieć, o co ci chodzi. Masz zamiar nie stawić się na rozprawie czy zawrzeć ugodę? A jeśli tak, to kiedy?

— Uzbrój się w cierpliwość, Mona. Oni pójdą tym tropem. Myślą, że jestem stuknięty. Na razie nie złożyli nam żadnej poważnej propozycji. Zatem, udawajmy, że nie mamy ochoty na jakiekolwiek pertraktacje. Są przekonani, że przygotowujemy się na proces.

— Raven będzie naciskał, żeby doprowadzić do ugody.

— Tak samo jak reszta. To nasz as w rękawie.

Mona prostuje się i rzuca papierosa. Mam nadzieję, że ją przekonałem. Podnoszę się i otwieram drzwi. Mijając mnie, rzuca mi szybkie spojrzenie.

— Mam nadzieję, że wiesz, co robisz.

— Ty, jako prawnik, możesz stracić tylko jedno: szansę na wygranie procesu. W ich pojęciu ja mam wszystko do stracenia. Nie wiedzą jednak, że wszystko już straciłem i że tak naprawdę nie mam już nic do stracenia. Przemyśl to, Mona. Jeżeli rano powiesz mi, że chcesz się wycofać, zrozumiem to i uszanuję twoją decyzję.

Mona wraca do mieszkania, ja jeszcze zostaję na werandzie. Szkoda, że nie ma tu mojej rodziny.

Rozdział XIX

Nazajutrz, w drodze do biura, Mona cały czas zerka na mnie, nie paląc i nic nie mówiąc. Odzywa się dopiero na moście Hawthorne.

— Will, podjęłam decyzję. Myślałam, że w ogóle nie zasnę. Uważam, że masz prawo rozegrać to na swój sposób, chociaż, według mnie, pomysł jest szalony. Najpierw jednak muszę się dowiedzieć, kiedy najpóźniej można się wycofać z cywilnego procesu, żeby nie zostać oskarżonym o obrazę sądu. Muszę to zrobić tak, żeby nie wzbudzić niczyich podejrzeń. Chyba mogę zaufać Pauli. Jest specjalistką od tych rzeczy. Poza tym jest moją najlepszą koleżanką z biura.

Spogląda na zegarek i rusza do wejścia.

— Jezu, ale się zacznie wyprawiać. Wszyscy będą robić w portki. Prawie warto stracić pracę, żeby to zobaczyć. Will, czekaj w domu. Za godzinę spróbuję zadzwonić. Do tego czasu powinnam mieć już jakieś wiadomości od Pauli i trzeba będzie zacząć działać.

Wracam do domu i jem śniadanie. Niedługo potem dzwoni telefon. Podnoszę słuchawkę dopiero po siódmym sygnale — na dobrą wróżbę.

— Paula twierdzi, że na wycofanie sprawy z sądu mamy czas do jutra do północy. To wszystko, co na ten temat mówi regulamin. Tutaj huczy jak w ulu. Kiedy powiedziałam Ravenowi, że chcemy tego procesu, wpadł w furię. Najpierw wyżywał się na mnie, potem dopadł Clinta. Ale tak naprawdę uważa, że to twoja wina. Zapytałam go, co w tym złego, że nie chcesz rezygnować z procesu po to, żeby wydusić z Cuttera maksymalne odszkodowanie. Odpowiedział, że wszystko. Wykrzykiwał, że zabawiasz się prawem i takie tam śmieszne rzeczy. To było wspaniałe. A teraz zła wiadomość. Wszyscy naciskają, żebyś spotkał się z sędzią LeGrandem. To sędzia federalny specjalizujący się w ugodach. Hurtz też ma tam być.

— Powiedziałaś komuś, że mam zamiar zawrzeć ugodę?

— Nie, nikomu.

— Okay, kiedy to spotkanie?

— Pierwsza tura o dziesiątej. Poczekam na ciebie na dole. Włóż garnitur. Dzisiaj faktycznie będziesz musiał jednocześnie grać adwokata, powoda i pozwanego.

Godzinę później jesteśmy już razem w sądzie. Clint, Mona i ja siedzimy po jednej stronie niewielkiego pokoju, Hurtz i Kramer po drugiej. Tym razem ceremonia powitalna ogranicza się do ukłonów. Wszystkim bardzo się spieszy. To mi się podoba; to dobry znak. Pojawia się sekretarka i prosi Hurtza i Kramera, żeby poszli za nią. Mona przysuwa się do mnie.

— Zdaje się, że to wstęp do rozmów o ugodzie, inaczej nie byłoby tu Kramera. Komuś zaczynają puszczać nerwy.

Clint nachyla się do nas.

— Chyba masz rację, Mona. Nie mogą dłużej czekać.

— Uwierzyli, że nie zrezygnujemy z procesu mimo zamknięcia rozprawy dla środków masowego przekazu.

Hurtz i Kramer wracają z gabinetu sędziego po godzinie. Unikają naszego wzroku. Kilka minut potem my zostajemy zaproszeni do środka.

Sędzia LeGrand jest wysoki i ma bladą cerę. Prosi, żebyśmy usiedli. Nadmienia krótko o sprawie, składa mi kondolencje. Mówi powoli, trzymając ręce na blacie wielkiego stołu.

— O ile mi wiadomo, nie chce pan ugody — zwraca się do mnie. — Czy to prawda, panie Wharton?

Kiwam głową, po czym przypominam sobie o protokole.

— Prawda, panie sędzio.

— W takim razie, w jakim celu przyjechał pan do Portland?

— Na proces, panie sędzio.

— Cóż, rozmawiałem o tym z panami Hurtzem i Kramerem, którzy reprezentują firmę przewozową Cutter National Carriers. Przedstawili mi propozycję ugody, której nie waham się określić jako niezwykle szczodrą.

Siadam. Bomba poszła w górę. Sędzia LeGrand patrzy mi prosto w oczy. Wyczuwam w nim starego wyjadacza. Nachyla się w moją stronę.

— Proponują dziewięćdziesiąt tysięcy odszkodowania. Co pan na to?

— Sądziłem, że jasno przedstawiłem swoje stanowisko, panie sędzio: nie zamierzam zawierać ugody. Mimo restrykcji nałożonych przez sędziego Marlowe'a wybieram proces. Wierzę w amerykański system prawny, a ugoda, w moim przekonaniu, jest zaprzeczeniem tego systemu.

Sędzia unosi brwi, prostuje się i zaczyna przyglądać się swoim dłoniom, najpierw lewej, potem prawej.

— Ten proces będzie wszystkich kosztował mnóstwo czasu i pieniędzy. Sale sądowe są przepełnione, głównie ze względu na dużą liczbę spraw o narkotyki. Taka cywilna sprawa jak ta nie uzyska pierwszeństwa. Pan to chyba rozumie, prawda?

— Sędzia Marlowe wyznaczył rozprawę na jutro.

— Wolałby pan, żeby została odroczona?

— Nie, panie sędzio. I tak już zbyt długo jestem z dala od swojej rodziny i pracy.

— Rozumiem. Czy jest taka kwota, którą uznałby pan za odpowiednie odszkodowanie i która skłoniłaby pana do ugody?

— Wolałbym nie zawierać ugody, panie sędzio. Ugoda, o której tu mowa, byłaby obrazą dla mojej zmarłej córki, jej męża i ich dzieci. To niemożliwe.

— Tak pan uważa?

— Tak, panie sędzio.

LeGrand obraca się do Mony i Clinta.

— Czy mógłbym prosić państwa o powrót do poczekalni? Niech panna Gaitskill przyśle tu panów Hurtza i Kramera.

Podnosimy się z krzeseł. W drzwiach mijamy się z Hurtzem i Kramerem. Nie patrzę na nich, ale też specjalnie nie unikam ich wzroku. Przypomina mi to targowanie ceny dywanu na rynku w Algierii. Siadamy w poczekalni. Mona uśmiecha się nerwowo.

Po kwadransie sędzia LeGrand znowu prosi nas do siebie. Kiedy wchodzimy, siedzi na tym samym miejscu co przedtem. Hurtz i Kramer wychodzą. To idiotyczne. Skoro to negocjacje, to dlaczego nie usiądziemy wszyscy razem dookoła tego dużego stołu i nie porozmawiamy?

Sędzia jest uśmiechnięty — to pierwszy uśmiech na jego twarzy, która z zasady chyba niezbyt często się uśmiecha.

— Pan Hurtz pragnąc zapobiec opóźnieniom w sądzie oraz chcąc zaoszczędzić swojemu i państwa klientowi znaczących wydatków, zaproponował sto tysięcy dolarów odszkodowania. Jeśli mam być szczery, to więcej niż warta jest ta sprawa.

Znowu patrzy na mnie. Ręce zwinięte w pięść trzyma teraz przy ustach. Przypomina mi się sędzia Murphy i jego ręce, zawsze złożone jak do modlitwy.

— Proszę wybaczyć, panie sędzio, ale wychodzę z założenia, że ani wysoki sąd, ani panowie Hurtz i Kramer nie zdają sobie sprawy z wartości, jaką dla mojej żony i dla mnie była nasza córka. Jestem pewny, że gdyby panowie mieli własne dzieci, zrozumieliby moje uczucia. Zupełnie nie odpowiada mi dyskutowanie tej sprawy w kategoriach „ile jest warta". To obraźliwe.

Słyszę, że Clint niespokojnie poprawia się na krześle. Mona jest jak głaz. Sędzia opuszcza dłonie i kładzie je z powrotem na blacie, lekko odsuwając krzesło. Jest niezły. Obraca się do Mony i Clinta.

— Czy byliby państwo tak uprzejmi i na parę minut zostawili nas samych? Chciałbym prywatnie pomówić z państwa klientem.

Wychodzą. Silę się na spokój. Obaj czekamy, aż zacznie ten drugi. To już prawdziwy poker i to o wysoką stawkę; tak czy owak, pewien postęp w stosunku do algierskiego targowiska.

— Panie Wharton, czy jest pan szczery mówiąc, że, pańskim zdaniem, ugoda jest pogwałceniem legalnych procedur sądowych?

— Tak, panie sędzio.

— I to pomimo ogromnych zaległości w pracy sądów niemal we wszystkich stanach?

— Zgadza się, panie sędzio. Te zaległości to skandal. Jednym z praw zagwarantowanych nam w Karcie Praw z 1689 roku, a zapisanym w siódmej poprawce do Konstytucji, jest prawo do uczciwego procesu. Jeśli nasze społeczeństwo nie stwarza warunków do respektowania tego prawa poprzez zwiększenie wydatków na ten cel, jeśli nie powiększa liczby sądów i nie dba o to, co niezbędne do należytego funkcjonowania wymiaru sprawiedliwości, opartego na uczciwej i w porę przeprowadzonej rozprawie przed sądem przysięgłych, wówczas cały ten system jest chory. Sądzę, że suma będąca równowartością kosztów budowy dwóch lotniskowców w znacznym stopniu uzdrowiłaby tę sytuację. Tak czy owak, nikt mnie nie może zmusić do udziału w tych pozorowanych zabiegach reanimacyjnych, które są w istocie kpiną z sądu, sędziów i ławy przysięgłych. Niezależnie od wszelkich trudności czuję się zobowiązany do obstawania przy swoich konstytucyjnych uprawnieniach.

LeGrand odsuwa krzesło i wstaje. Ja też się podnoszę. Sędzia macha ręką, żebym z powrotem usiadł.

— Chcę tylko, żeby pan przemyślał to, co pan powiedział, a także zastanowił się, co by się stało z naszym sądownictwem, przy wszystkich jego wadach i zaletach, gdyby każdy stawiał sprawę tak jak pan. Przepraszam, zaraz wracam.

Przez kilka minut nie ruszam się z miejsca. Ten sędzia jest sympatyczniejszy niż Marlowe i o wiele skuteczniejszy. Zastanawiam się, co jeszcze wymyśli. Z pewnością zamknął się gdzieś z Hurtzem i Kramerem i usiłuje nakłonić ich do podbicia stawki. Wstaję i podchodzę do okna. Jest pora obiadowa, więc na ulicach są korki. Zaczynam już myśleć, że LeGrand wyszedł po prostu na obiad, kiedy drzwi się otwierają. Tym razem LeGrandowi towarzyszą Mona i Clint. Wszyscy siadają. Sędzia unosi do ust dłonie zwinięte w pięść. Świdruje mnie wzrokiem. Patrzę mu prosto w oczy. Zaczyna mówić zza tak złożonych rąk.

— Jak pan się domyśla, nie zgadzam się z pańską analizą instytucji ugody jako etapu w postępowaniu sądowym. Uważam, że to dość cywilizowany sposób rozwiązywania tego rodzaju sporów. Proces przed sądem przysięgłych jest w istocie klęską procedur sądowych. To o wiele bardziej prymitywny sposób rozstrzygania konfliktów.

— Jeśli tak, to dlaczego prawo do procesu przed sądem przysięgłych jest tak precyzyjnie zdefiniowane w Karcie Praw? Cały ten cyrk z ugodą zdominował prawo cywilne, podobnie jak zwyczaj obniżania wyroku w zamian za przyznanie się do winy zdominował prawo karne, tylko że jakoś nie przypominam sobie, żebym kiedykolwiek czytał o tych instytucjach w pismach ojców założycieli. Jak mówiłem sędziemu Murphy'emu, przyznanie pieniądzom rozstrzygającej roli w wymiarze sprawiedliwości już samo w sobie jest powrotem do najprymitywniejszych metod, które tylko krok dzieli od zasady „oko za oko, ząb za ząb". To barbarzyństwo. Panie sędzio, przykro mi, że zajmujemy aż tak rozbieżne stanowiska, i wiem, że to pański punkt widzenia jest dziś powszechnie akceptowany przez prawników i ludzi biznesu. Ma on nawet już swoją nazwę: „mowa pieniądza". Mnie jednak nie odpowiada i nie widzę powodu, żebym musiał go podzielać.

Zastanawiam się, czy nie dorzucić na koniec kolejnego „panie sędzio", ale dochodzę do wniosku, że w tym momencie zabrzmiałoby to nie najlepiej.

Sędzia LeGrand prostuje się i z uniesionymi brwiami i szeroko otwartymi oczami obraca się do Mony i Clinta.

— Zwolniłem już panów Hurtza i Kramera. Wyjaśniłem im pańskie stanowisko, panie Wharton, najlepiej jak potrafiłem. Sądzę, że obaj, tak samo jak ja, są przekonani o uczciwości pańskich intencji.

Gadka-szmatka. Ciekawe, co z tego wyniknie.

— Ostatecznie postanowili, a zapewniam pana, że uczynili to wbrew moim radom, zaproponować panu sto dwadzieścia tysięcy dolarów. To dwadzieścia tysięcy więcej niż wynosiła poprzednia oferta. To duża suma, wolna od podatku. Odpowiednio ulokowana, dałaby panu i pańskiej żonie godziwe zabezpieczenie na resztę życia. Musi pan się zgodzić, że to szczodra propozycja.

— To prawda, gdybym zamierzał zawrzeć ugodę, uważałbym, podobnie jak pan, panie sędzio, że to hojna propozycja. Jednak raz jeszcze oświadczam, że nie chcę ugody, ale wezmę pod uwagę opinię pana sędziego, dotyczącą instytucji ugody w dzisiejszym prawie oraz konieczności rezerwowania sal sądowych dla spraw kryminalnych. Zadzwonię do żony i spytam ją o zdanie. To wszystko, co mogę obiecać.

Sędzia wytrzeszcza na mnie oczy. Potem spogląda na zegarek.

— Dobrze. Przyjmuję to do wiadomości. Myślę, że jest pan uparty i nierozsądny pomimo, a może właśnie z powodu pańskiej uczciwości. Proszę, żeby pan przemyślał tę ostatnią propozycję. Do jedenastej wieczorem może pan dzwonić do mnie do domu. Panna Gaitskill da panu wizytówkę z domowym numerem. A teraz już dziękuję państwu.

Wstaje, wymieniamy ukłony i wychodzimy. Hurtza i Kramera nie ma w poczekalni, ale być może siedzą w jakimś innym pokoju.

Clint proponuje, żebyśmy razem zjedli obiad. Idziemy do włoskiej restauracji.

— Mój Boże, Will, sto dwadzieścia tysięcy! Chyba nie odmówisz? Mówiłem Monie, że nie możemy liczyć na więcej niż sto tysięcy, i to zakładając, że sędzia i ława przysięgłych byliby po naszej stronie.

Kroję swoją lasagnę.

— Powinni dorzucić jeszcze pięć tysięcy. Jeśli nie, jutro zacznie się proces, więc niech wszyscy się przygotują.

Monie wypada z ręki widelec z sałatką. Obaj zrywamy się i pomagamy sczyścić majonez z jej nowego, wartego trzysta dolarów, czarnego kostiumu. Kupiła go na proces.

Tego wieczoru, po kolacji, Mona i ja znowu wychodzimy na werandę. Oboje staramy się nie patrzeć na zegarki. Jest po dziesiątej.

— Mona, chciałbym ci podziękować, że nas nie zostawiłaś. Wiem, że ryzykowałaś pracą, ale jeżeli wszystko się uda, tak jak zaplanowaliśmy, firma z pewnością ci wybaczy. Jak już mówiłem, pieniądze przemawiają, zwłaszcza do Bakera, Forda. W ciągu ostatnich dwóch dni zarobiłem dla nich około piętnastu tysięcy dolarów. Dręczy mnie tylko ilość pracy, jaką ty włożyłaś w przygotowanie się do procesu. Nie znam nikogo, kto zrobiłby to lepiej. Nie mówmy już o posiedzeniu pojednawczym w Eugene. To była pułapka i nie tylko ty dałaś się w nią złapać. Powiedziałem ci, że jestem niezadowolony z wydatków na biegłych sądowych, ale to był mój błąd. Powinienem był bardziej uważać. Po prostu robiłaś to, czego cię nauczono.

Mona przygląda mi się i powoli pali papierosa.

— Wiesz, że piszę książkę o tym wszystkim, co spotkało moją rodzinę od początku aż do tej chwili. Najpierw dałem jej tytuł *Długo i szczęśliwie*, ponieważ czasami, kiedy Kate miała już dosyć historyjek o Frankim Furbo i moim dzieciństwie, prosiła o bajki. Bardzo lubię wymyślać opowiastki o zaczarowanych krainach i wróżkach. Kiedy Kate prosiła o „długo i szczęśliwie", znaczyło to, że chodzi o bajkę, która kończy się słowami „a potem żyli długo i szczęśliwie". Rok temu dowiedziałem się, że ukazała się czyjaś powieść pod identycznym tytułem *Długo i szczęśliwie*. Zastanawiałem się nad nowym tytułem i, wierz albo nie, wymyśliłem, że będzie to *Biegły sądowy*. To ja miałem być tym biegłym i opowiedzieć, jak było naprawdę. A było tak, że chociaż z powodu wypalania ściernisk zginęli ludzie, nikt nie potrafił skutecznie się temu przeciwstawić. Nawet ci, którzy poświęcili na to cały swój czas, którzy nie mieli w życiu innego celu, nie byli w stanie tego dokonać. Rozkolportowaliśmy petycje, ale nie zdołaliśmy zebrać dość podpisów, żeby przeprowadzić referendum. Próbowaliśmy dochodzić swoich racji na drodze prawnej. Jak wiesz, Mona, tak naprawdę nigdy nie chciałem tego procesu. Gdyby w którymkolwiek momencie oficjalnie zakazano wypalania ściernisk, w tej samej chwili wycofałbym sprawę i zawarłbym ugodę. Jednak wszystko potoczyło się tak, że nie miałem żadnego ruchu. Znalazłem się w pułapce. Potem, na posiedzeniu pojednawczym, zrozumiałem, że prawo jest bezsilne. Że nie ma sposobu, aby problem wypalania pól poddać publicznej debacie, aby ukarać odpowiedzialnych za ten horror. Że nie ma sposobu, żeby w ogóle wzbudzić w nich poczucie winy. Od przyjazdu do Eugene wciąż słyszałem to jedno słowo: „ugoda". Ile pieniędzy? Ile to warte? Sama wiesz, jak to się odbywało. Nie umiem wyrazić, jak ciężko to przeżyłem, zresztą sama wiesz.

Spoglądam na zegarek. Jest za dwadzieścia jedenasta. Jeżeli nie będę uważał, jutro, czy tego chcę czy nie, będę musiał stawić się w sądzie, sam, bez moich biegłych, a może nawet bez adwokata.

Uśmiecham się do Mony w ciemności. Nie patrzy na mnie, zwrócona twarzą ku wysadzanej drzewami alei, typowej dla willowych dzielnic Portland. Jest przystojna, kobieca, ale bardzo silna — twarda, ale wrażliwa. Do tej pory właściwie nie zwróciłem na to uwagi. Chyba się starzeję.

— Jeszcze tylko kilka pytań, Mona. Obiecuję, że potem skończę z tymi morałami i zadzwonię do LeGranda. Proszę, powiedz: jeśli zawrzemy ugodę i weźmiemy od Cuttera pieniądze, czy to będzie równoznaczne z ich przyznaniem się do winy? Z przyjęciem odpowiedzialności za to, co się stało? A choćby z powiedzeniem „przepraszam"? Czy też wypłacenie mi tych pieniędzy uwolni ich od wszelkiej winy? Czytałem wszystkie te dokumenty i ciągle powtarzało się w nich pewne wyrażenie. Zawsze, kiedy po nie sięgałem, cierpła mi skóra. Mówi się tam o „niezawinionej śmierci" mojej rodziny. Skoro jednak nikt nie został pociągnięty do odpowiedzialności, skoro nikt nie został uznany winnym ich śmierci, czy to oznacza, że sami byli sobie winni, że zasłużyli na śmierć?

Mona kręci głową.

— Nie, na pewno nie.

— Każdy ma prawo do śmierci, ale kiedy śmierć jest zasłużona? Czy samobójstwo można uznać za zasłużoną śmierć, ponieważ jest to śmierć pożądana i upragniona? Śmierć mojej rodziny była przeciwieństwem samobójstwa: nie było w niej rozpaczy ani chęci skończenia ze sobą. Wszyscy byli w swoich najpiękniejszych latach, począwszy od Mii, która dopiero odkrywała otaczający ją świat, przez Dayiel, która zaczynała odkrywać samą siebie, po Kate i Berta, zakochanych w sobie, mających przed sobą całe życie u boku ukochanej osoby. Naturalnie, z czasem mogło się to zmienić, tak jak większość rzeczy się zmienia. Nazwijmy to inercją, entropią, starzeniem. Za tymi wszystkim nazwami kryje się zawsze jedno i to samo: wyczerpanie, zużycie, powolne ześlizgiwanie się w fizyczny niebyt. Oni nie będą musieli tego doświadczać. Może to ich nagroda? Może więc zasłużyli na tę śmierć, która uwolniła ich, oszczędziła im tego wszystkiego? Myślę, że właśnie tak się stało. A ty?

Mona obraca się do mnie i kiwa głową. W oczach ma łzy. Próbuje coś powiedzieć, ale nie może. Tylko wciąż kiwa głową. Patrzymy na siebie przez chwilę, a potem jednocześnie padamy sobie w ramiona. Mona zanosi się szlochem, z trudem chwytając powietrze do swoich przesyconych nikotyną płuc. Ja trzęsę się jak osika, a potem sam zaczynam ryczeć. Kołyszę się w tył i w przód jak wtedy, kiedy po raz pierwszy dowiedziałem się, że zginęli. Teraz jednak potrafię już zaakceptować ich śmierć i czuję, że była im przeznaczona, z przyczyn, których nie znam i nigdy nie poznam. To właśnie usiłował powiedzieć mi Bert, ale wtedy tego nie zrozumiałem. To po prostu musiało się stać.

Mona pierwsza odzyskuje głos.

— Przepraszam, Will. Starałam się. To, co powinno być proste, stało się takie skomplikowane. Odpowiedź na twoje pytanie brzmi: nie. Zawierając z nami ugodę, nie przyjmują żadnej odpowiedzialności, nie przyznają się do żadnej winy. Nawet nie musi być im przykro.

— Tak właśnie myślałem. W tej sprawie nie ma zwycięzców. Kate, Bert i dziewczynki odeszli i nic się na to nie poradzi. Niepotrzebnie łudziłem się, że mogę powstrzymać wypalanie pól. Ludzie, z którymi walczyłem, są jedynie trybami w tej całej machinie i nie są zainteresowani żadnymi zmianami. Mieszkańcy Oregonu, z nie znanych mi powodów, nie przejmują się tą sprawą tak jak ja. Może niektórzy, ale widać za mało. To chyba telewizja przekonała ich, że nie ma nic nienormalnego w tym, że ludzie giną w wypadkach drogowych albo umierają powoli, na choroby układu oddechowego. Sam nie wiem; nigdy tego nie zrozumiem. Cutter wybuli sporą sumkę, bo zatrudnił nieodpowiedniego kierowcę. Baker, Ford nie zarobi tyle, ile miał nadzieję zarobić. Alex Chronsik znowu będzie prowadził ciężarówki, być może nawet te osiemnastokołowe. Paul Swegler dalej będzie wypalał ścierniska, uprawiał trawę oraz inkasował setki tysięcy dolarów i wszystko w glorii prawa. Władze stanu Oregon nadal będą robić co w ich mocy, żeby się nie narazić wyborcom. Wszystko zostanie tak, jak gdybyśmy nie kiwnęli palcem w bucie. Członkowie Zgromadzenia Stanowego w przyszłym roku znowu nic nie uczynią w tej sprawie, dzięki czemu wzrosną ich szanse na ponowny wybór. Nic się nie zmieni. Ważne jest jednak to, że ty, ja i może Clint wiemy, że próbowaliśmy coś zrobić. Przegraliśmy wojnę, ale wygraliśmy kilka bitew. Możemy śmiało patrzeć w lustro. Przynajmniej mnie się wydaje, że mogę, i mam nadzieję, że ty też. Chodźmy teraz do domu, muszę wreszcie załatwić ten telefon.

Wypuszczamy się z objęć i wchodzimy do środka. Ciągle jeszcze trzęsą mi się ręce, więc Mona wykręca numer, po czym idzie do drugiego aparatu i podnosi słuchawkę.

— Sędzia LeGrand? Mówi William Wharton.

Robię pauzę. Patrzę na Monę. Kiwa głową i uśmiecha się.

— Panie sędzio, zdecydowałem się na ugodę, ale pod warunkiem, że Cutter zapłaci sto dwadzieścia pięć tysięcy.

Pauza.

— Wiem, że zaproponowali tylko sto dwadzieścia, ale to jako odszkodowanie za śmierć mojej córki i jej rodziny. Natomiast ja wydałem ponad pięć tysięcy dolarów, fruwając w tę i z powrotem, zresztą wbrew swojej woli, z Francji do Portland i z Portland do Francji. Straciłem także wiele cennego czasu. Te pięć tysięcy pokryje zaledwie część tych wydatków.

Pauza. Mona i ja uśmiechamy się do siebie.

— Rozumiem, panie sędzio. Wobec tego jutro o dziewiątej

rano, tak jak to zostało ustalone, stawię się na rozprawie... Ależ nie, całkowicie pana rozumiem, panie sędzio, pan zrobił wszystko, co w pańskiej mocy... Gdyby Cutter zmienił zdanie, do północy może dzwonić do domu mojego adwokata. Jak pan wie, sprawa może być wycofana nie później niż w przeddzień procesu. Dziękuję, panie sędzio. Życzę dobrej nocy.

Odkładam słuchawkę, Mona odkłada swoją.

— Ty stary lisie. Jesteś najgorszym i zarazem najlepszym klientem, jakiego kiedykolwiek miałam. Cutter będzie musiał wysupłać te pieniądze. Hurtza szlag trafi, ale Cutter nie zaryzykuje procesu dla marnych pięciu tysięcy. Dlaczego mi nie powiedziałeś, że chcesz ich jeszcze przydusić?

— Ponieważ decyzję podjąłem dopiero tam, na werandzie, kiedy staliśmy razem i płakaliśmy. Po pierwsze, stwierdziłem, że chociaż pieniądze pewnie już nigdy nie będą miały dla mnie żadnego znaczenia, w tym wypadku będę tak samo zachłanny jak oni wszyscy. Podszedłem więc do sprawy jak stary komornik: zdecydowałem, że nie podaruję im ani centa. Po drugie, postanowiłem zmienić tytuł tej książki na *Niezawinione śmierci*. Na przekór obowiązującemu prawu, bezczynności mieszkańców Oregonu i tchórzostwu władz stanowych, na przekór oszustwom i uzurpacjom polityków, wciąż wierzę, że ci, których kochaliśmy, Kate, Bert, Dayiel i Mia, dołączyli do legii bohaterów, czyli tych, którzy zginęli śmiercią zasłużonych, poczynając od strażaków, którzy próbowali wynieść kogoś z płomieni, przez męczenników, którzy oddali życie za swoją wiarę, żołnierzy zabitych na wojnach, których powodów nigdy nie rozumieli, niemowlęta, które zmarły nagłą śmiercią w swoich łóżeczkach, po tych wszystkich, którzy umarli młodo na raka, białaczkę, a także na te choroby, które obecnie pochłaniają wiele niewinnych ofiar: narkomanię i AIDS. Kate, Bert, Dayiel i Mia zginęli śmiercią zasłużonych. Prawda?

— Prawda.

Epilog

Od opisanych w tej książce wydarzeń minęło ponad pięć lat. Smutek ustąpił pod naporem codziennych spraw, ale wspomnienia, w jakiś niezrozumiały sposób, zyskały tylko na wyrazistości. Wszyscy — żyjący — członkowie naszej rodziny nie są już tymi samymi ludźmi, którymi byli przed tym straszliwym wypadkiem, który wydarzył się na autostradzie I-5, o czwartej, w pewne gorące, sierpniowe popołudnie 1988 roku.

Nasza druga córka, Camille, uczy dzieci w szkole objętej patronatem UNESCO w Hanoi w Wietnamie. Czterokrotnie próbowała zajść w ciążę za pomocą metody *in vitro*, ale bez powodzenia. Teraz jest w trakcie załatwiania adopcji dwójki wietnamskich dzieci.

Nasz starszy syn, Matt, jest nauczycielem w Ankarze, w Turcji. Ze swoją żoną, Juliette, ma dwójkę dzieci: pięcioletnią Emilię i prawie dwuletnią Clarę. To prawie tak, jakby próbowali zapełnić puste miejsca w naszym życiu.

Nasz młodszy syn, Will — w tej książce to Robert — zdaje egzaminy nauczycielskie i robi dyplom na uniwersytecie w New Jersey. Zmieniłem mu imię, ponieważ taka liczba postaci o imieniu Will lub Wills wprowadziłaby tylko zamieszanie.

Rosemary, moja żona, nadal udaje, że to, co się stało, tak naprawdę nigdy się nie zdarzyło, i zaszyła się w świecie książek. Przestała uczyć, przeszła na emeryturę i chyba jest szczęśliwa. Często rozmawiamy o Kate, Bercie i ich dziewczynkach.

Nagrobek zamówiony w Capitol Monuments nie został jeszcze wykończony. Mamy za to dwa prywatne pomniki: dwa zegary słoneczne zrobione z kamieni młyńskich, które zabraliśmy z naszego młyna wodnego we Francji. Jeden ustawiliśmy nad brzegiem stawu. Kiedy tam pływamy, ręczniki wieszamy na gnomonie zegara. To tak, jakby Kate i jej rodzina bawili się z nami. Łatwiej wtedy uwierzyć, że nadal są tutaj, w naszym starym młynie.

W środku kamienia złożyliśmy prochy naszych zmarłych. Ponad urną zbudowaliśmy niewielką piramidę, w której osadzony jest gnomon. W poszczególnych ćwiartkach koła umieściliśmy ich imiona i cztery litery składające się na słowo L-O-V-E. Na obwodzie kamienia wyryłem krótki wierszyk, który napisałem w przeddzień pogrzebu w Oregonie.

Drugi pomnik znajduje się na kawałku ziemi, który Kate dostała jako prezent ślubny. Zrobiony jest z identycznego kamienia młyńskiego i stoi na płaskim, morvańskim głazie. Kiedy tu przyjeżdżamy, dbamy, żeby zawsze były tam kwiaty.

Od mojego spotkania z Bertem (który naprawdę miał na imię Bill), snu czy nawiedzenia — cokolwiek to było — stałem się o wiele bardziej wrażliwy na rzeczywistość duchową, moją własną i tę, którą dostrzegam w innych. Nabrałem pewności, że życie, które wiedziemy w materialnym świecie, to tylko fragment większej całości. To mnie uspokoiło i dostarczyło przeżyć duchowych, których nigdy wcześniej nie doświadczałem.

Oto jeden przykład.

Na wiosnę, kilka miesięcy po wypadku, pojechałem sam do naszego młyna w Burgundii, żeby malować. O tej porze roku jest tam przepięknie: wśród owiec pasących się na łąkach biegają już młode, brykają i ssą swoje mamy. To czas, kiedy ziemię z wolna okrywa zielonozłota mgiełka, kiedy wylęgają się kurczęta i kaczęta. Okoliczne wzgórza ożywiają kwitnące drzewa i głogi. Naszło mnie niepohamowane pragnienie namalowania tego widomego dowodu ciągłości i trwania.

Następnego wieczoru, po całym dniu spędzonym przy sztalugach, kiedy to usiłowałem zakląć w obrazie czar polnych kwiatów rosnących w cieniu nisko zwieszających się gałęzi drzew, położyłem się do łóżka, gdy było jeszcze jasno — o tej porze roku słońce zachodzi dopiero koło dziesiątej. Już zasypiałem, kiedy usłyszałem głośne pukanie. Z początku myślałem, że ktoś dobija się do drzwi. Wstałem, żeby sprawdzić, któż to odwiedza mnie o tak późnej godzinie, ale za drzwiami nikogo nie było. Wróciłem do łóżka, a wtedy znowu rozległo się to stukanie. Miałem wrażenie, że dobiega gdzieś znad mojej głowy, ale uważałem, że to niemożliwe, ponieważ strop jest bardzo wysoko, a u szczytu dachu znajduje się tylko mały lufcik. Po jakimś czasie stukanie ustało, a ja zasnąłem.

Trzy dni później, zgodnie ze swoją zapowiedzią, przyjechał do mnie mój bliski przyjaciel, też artysta, Jo Lancaster. To ten, który zadzwonił do nas o szóstej rano, dzień po wypadku, i tylko płakał do słuchawki. Później się dowiedziałem, że był pierwszą osobą, do której zatelefonowała Camille; Jo to stary przyjaciel całej naszej rodziny, ma piątkę dzieci, niektóre w tym samym wieku co nasze. W Paryżu wynajmujemy na spółkę pracownię. Teraz przyjechał tutaj, żeby malować i dotrzymywać mi towarzystwa.

Spędziliśmy cudowny dzień. Obaj uprawiamy malarstwo figuralne. Odkryliśmy drewnianą stodołę, w której spomiędzy murszejących desek wystawały pęki żółknącego siana. Uznaliśmy, że to inspirujący obiekt. Malarstwo jest sztuką samotności, ale dobrze jest móc uczestniczyć w doświadczeniu, w procesie tworzenia, wspólnie z kimś, kto został malarzem z tych samych powodów co ja.

Zjedliśmy wczesną kolację i także tym razem położyliśmy się, zanim jeszcze zgasły światła dnia. Planowaliśmy wstać o świcie, by kontynuować malowanie.

Jo ułożył się na poddaszu, w miejscu zazwyczaj rezerwowanym dla Willa, który spędza w młynie więcej czasu niż reszta rodziny. Rano obudziło mnie wołanie Joego.

— Hej, Will! Jakiś zwariowany ptak harcuje za moim oknem. Jest piękny, żółty, smukły, z długim ogonem. Zachowuje się tak, jak gdyby chciał się dostać do środka.

Wygrzebałem się z łóżka i wszedłem do połowy schodów prowadzących na poddasze. Faktycznie, tak jak mówił Jo, po zewnętrznym parapecie skakał jakiś ptak. Stukał dziobkiem w szybę i podskakiwał w jakimś szalonym tańcu.

Nie miałem pojęcia, co to za gatunek, chociaż od dawna interesowałem się ornitologią. Moja pierwsza książka, *Ptasiek*, opowiada o intymnym związku małego chłopca z jego kanarkiem. Sam przez całe życie hodowałem jakieś ptaki i zawsze dużo dla mnie znaczyły. Ich lot, śpiew i perspektywa, z jakiej oglądają świat, wprawiają mnie w ekstatyczny zachwyt. Ptaki to dla mnie rodzaj aniołów.

— To bardzo dziwne, Jo, ale masz rację, naprawdę wygląda, jakby próbował dostać się do środka. Sądząc po ostrym dziobie, to jakiś owadożerny gatunek. Może wydziobuje robaki ze szczelin w oknie.

Obserwowaliśmy go zafascynowani jego niezwykłym tańcem. Do otwierania lufcika mam specjalną długą tyczkę zakończoną haczykiem. Przyniosłem ją ze spichlerza; ptak wciąż skakał po parapecie. Otworzyłem okienko. Natychmiast wleciał do środka i usiadł na poręczy schodów. W ogóle nie był przestraszony. Obrzucił mnie typowym badawczym, ptasim spojrzeniem, przekrzywiając główkę i patrząc na mnie to jednym, to drugim okiem. Był wyjątkowo piękny, o pełnych gracji, tanecznych ruchach. Przy każdym podskoku długi, ciemny ogon kiwał się w górę i w dół.

Kiedy zasiedliśmy do śniadania, ptak sfrunął na jedno z wolnych krzeseł przy stole. Jedliśmy jajka smażone na boczku. Gdy próbowałem nakarmić go boczkiem, uciekł. Wkrótce wrócił, ale nie przestawał kręcić łebkiem, jak gdyby mówiąc: „Nie, dziękuję".

Potem wskoczył na stół. Spojrzeliśmy po sobie zdumieni.

— Musi być oswojony — powiedział cicho Jo. — Pewnie uciekł z klatki. W ogóle się nas nie boi.

— Nie sądzę, Jo. Takich ptaków nie trzyma się w klatkach. Nie wiem, dlaczego tak dziwnie się zachowuje, ale na pewno nie jest oswojona. Może jest ciekawska, a może po prostu nas lubi?

— Po czym poznałeś, że to „ona"?

Sam byłem zaskoczony. Nie miałem żadnych podstaw, aby sądzić, że to „ona". Po prostu tak mi się powiedziało. Nie odpowiedziałem na pytanie Jo.

Po śniadaniu wyszliśmy na dwór. Światło było w sam raz do malowania. Niskie, poranne słońce tworzy barwy i cienie, o jakich nie śniło się zwykłym śmiertelnikom. Wychodząc z młyna, otworzyłem lufcik pod sufitem i nie zamknąłem drzwi. Ptak zamknięty w domu mógłby wpaść w panikę. Miałem dziwną pewność, że kiedy wrócimy na obiad, jej już tu nie będzie. I rzeczywiście nie było. Przynajmniej wiedziałem, kto wtedy obudził mnie stukaniem.

Co dziwniejsze, od tego dnia ptak przylatywał każdego ranka, punktualnie o siódmej, i uderzał dzióbkiem w okno. Zupełnie jakby urządzał nam pobudkę. Wkrótce przyzwyczaiłem się do tych codziennych odwiedzin.

Jo miał w tej sprawie własne zdanie.

— Nie mogłaby przylatywać o wpół do ósmej albo o ósmej? To jak z małym dzieckiem, które budzi cały dom, kiedy tylko pokaże się słońce.

W jakiś dziwny sposób nabierałem pewności, że to właśnie dziecko budzi mnie każdego dnia — moje dziecko.

Malowaliśmy obaj przez cały tydzień i każdy z nas skończył trzy obrazy, jedne lepsze, inne gorsze, ale wszystkie powyżej naszych normalnych możliwości. Ptak towarzyszył nam wszędzie, gdziekolwiek rozstawiliśmy sztalugi, szybując nad naszymi głowami i nagle pikując jak polujący na owady jerzyk albo jaskółka. Któregoś dnia przysiadł na krawędzi obrazu.

Zacząłem ją nazywać Kasia-Ptasia. Czułem się lepiej, wierząc, że przylatuje do mnie, żeby mnie pocieszyć w trudnych chwilach. To było mniej więcej wtedy, kiedy okazało się, że musimy pojechać do Portland, żeby złożyć zeznania.

W czerwcu, po zakończeniu roku szkolnego, wróciłem do młyna z Rosemary i Willem. Przywiozłem ze sobą cały rulon płótna, spory zestaw farb, terpentynę i werniks. Zabrałem też swój komputer. W Portland zaczynało być już gorąco, ale tu panowały cisza i spokój.

Przyleciała od razu pierwszej nocy, kiedy tylko położyliśmy się do łóżka. Usłyszałem pukanie w lufcik pod sufitem. Rosemary już zasypiała i chyba nic nie słyszała. Odczekałem chwilę. Czy możliwe, że to wszystko to jedynie mój wymysł? Nie, Jo też ją słyszał. Widział ją. Obróciłem się do Rosemary.

— Kochanie, słyszysz stukanie?

— Co to takiego? Szczury czy koszatki harcują po strychu?

— Nie, posłuchaj. To tak, jakby ktoś pukał.

Rosemary zerwała się z łóżka.

— Kto to może być? O tej porze? Może coś się stało z Camille albo z Mattem?

— Nie, uspokój się. To tylko ptak stuka dziobem w szybę. To moja Kasia-Ptasia.

— Co za Kasia-Ptasia? O czym ty mówisz?

Opowiedziałem jej więc o ptaku, o tym, że Jo też ją widział i słyszał, o wszystkim, co się potem zdarzyło.

Rosemary słuchała mnie, bacznie mi się przyglądając. Czułem, że się o mnie martwi. Zawsze, kiedy człowiek dzieli się z innymi takimi przeżyciami — w rodzaju odwiedzin Billa w Oregonie w dniu pogrzebu — wszyscy myślą, że albo zaczyna wariować, albo już zwariował, albo po prostu kłamie. Nie ma sposobu, żeby ich przekonać. Rosemary chcę powiedzieć prawdę: po pierwsze, z uwagi na znaczenie tego doświadczenia, po drugie, dlatego że chodzi o kobietę, którą kocham, z którą zdecydowałem się spędzić swoje życie. Rosemary wróciła do łóżka.

— Śpij, kochanie. A jeżeli masz jakiś wpływ na tę Kasię-Ptasię, proszę, powiedz jej, żeby przestała stukać, bo nie mogę zasnąć.

Pocałowała mnie i oboje ułożyliśmy się do snu. Po jakimś czasie stukanie ucichło. Nie powinienem mówić Rosemary takich rzeczy. Zamiast ją uspokoić, tylko ją przestraszyłem. Widocznie w dzieciństwie słuchamy za dużo opowieści o duchach.

Kiedy już byłem pewny, że Rosemary śpi, wyślizgnąłem się z pościeli, wyciągnąłem z narożnika długą tyczkę z haczykiem i otworzyłem okno. Nie chciałem, żeby przeraziło ją poranne stukanie.

Zamiast niej to ja się przeraziłem. Mam zwyczaj spania na wznak, z rękami skrzyżowanymi na piersi. Zazwyczaj też, kiedy się obudzę, przez dłuższy czas nie otwieram oczu, napawając się cichą ciemnością, zanim w mojej głowie zacznie się codzienna galopada myśli. Tego ranka poczułem coś na ręce. Powoli otworzyłem oczy i zobaczyłem Kasię-Ptasię, mniej niż trzydzieści centymetrów od mojej twarzy. Rosemary jeszcze spała. Chciałem, żeby też to zobaczyła. W jakiś sposób wiedziałem, że powinna. To było tak jak z Billem.

Trąciłem ją lekko łokciem. Rosemary jęknęła cicho i zaczęła się budzić.

— Nie ruszaj się, kochanie. Po prostu otwórz oczy; jest tu coś, co powinnaś zobaczyć.

Rosemary otworzyła oczy i wolno obróciła głowę. Przez moment nic nie mówiła i tylko wpatrywała się w ptaka. Kasia-Ptasia też się jej przyglądała.

— To jakaś sztuczka, Will? Wytresowałeś tego ptaka? Czyż nie jest śliczny?

— To nie żadna sztuczka, to dziki ptak, i wcale go nie wytresowałem. Jak ci już mówiłem, ma na imię Kasia-Ptasia i jest naprawdę prześliczna.

Powoli wyciągnąłem do Kasi-Ptasi drugą rękę — bez wahania wskoczyła mi na palec. To była czarodziejska chwila. Pierwsza odzyskała głos Rosemary.

— To „nawiedzenie", Will. Nie wierzę w to, nie potrafię, ale nie znajduję innego wytłumaczenia.

— To wszystko tłumaczy. To nawiedzenie. Jestem pewny, że Kate martwi się o te moje wyjazdy do Oregonu i chce mnie pocieszyć, i ciebie też. Nie musisz w to wierzyć. Odpręż się i ciesz się, że możemy to zobaczyć.

Wstałem z łóżka z Kasią-Ptasią na palcu. Posadziłem ją na krześle przy stole. Zaczęła śpiewać — miała piękny głos, chociaż znała tylko dwie melodyjne nuty.

Asystowała nam przy myciu. Towarzyszyła przy śniadaniu. Nie chciałem zostawiać jej w zamkniętym młynie, więc wyciągnąłem rękę, żeby wynieść ją na dwór. Wskoczyła na palec, jak poprzednio, bez wahania. Wyszedłem na zewnątrz i podrzuciłem ją ku niebu. Odśpiewała swoją prostą piosenkę, dwukrotnie okrążyła młyn i odleciała w stronę stawu.

Odtąd, za każdym razem, kiedy przyjeżdżaliśmy do młyna, ona już na nas czekała. Maurice, nasz sąsiad, powiedział, że zawsze wiedział, kiedy przyjedziemy, ponieważ krótko przedtem zjawiał się ten żółty ptak. Czuliśmy się wtedy, jakbyśmy się przenosili do jakiejś zaczarowanej krainy. Trwało to całe trzy lata. Każdego ranka, kiedy mój zegarek „piszczał" na siódmą, Kasia-Ptasia była już na posterunku. Była tam wiosną, latem, jesienią i zimą. Wiosną drugiego roku na niewielkim występie w murze, tuż pod oknem, założyła gniazdo. Odkryłem je przez przypadek, myjąc szyby. W gnieździe było pięć jajek. Will zastanawiał się, dlaczego pięć, skoro ich było tylko czworo. Coś mi podszeptywało, że wyklują się tylko cztery.

Tak też się stało. Kasia-Ptasia nie broniła nam dostępu do gniazda. Z jednego jajka nic się nie wykluło. Na Willu zrobiło to niesamowite wrażenie, a na nim mało co robi wrażenie. Któregoś dnia ptasie dzieci odleciały i zostało puste gniazdo. Wychyliłem się z okna, zdjąłem je i położyłem na obramowaniu kominka, na wypadek, gdyby Kasia-Ptasia kiedyś jeszcze go potrzebowała. Potem zrozumiałem, że przekazała nam już to, co miała do powiedzenia.

Od zawarcia ugody nigdy już nie widziałem Kasi-Ptasi. Wcześniej przylatywała tylko po to, żeby nam dodać otuchy w naszych zmartwieniach, a to już mieliśmy za sobą. Wiedziałem, że prowadzi gdzieś jakieś własne życie czy jakkolwiek nazwać to, co robi dusza bez ciała, i nawet nie byłem rozczarowany, kiedy przyszła wiosna, a ona się nie pojawiła. Wiem, że to, co się nam przydarzyło, można logicznie wytłumaczyć na wiele sposobów, ale dla mnie jedyne racjonalne wyjaśnienie to takie, że nawiedziła nas Kate. To był podarek dla nas.

Mój wydawca z Granty, Bill Buford, jest przekonany, że napisałem tę książkę w ramach autoterapii, chcąc ulżyć swoim cierpieniom. Sądzę, że się myli, ale jestem ostatnim, który może się wypowiadać w tej sprawie.

— Czy patrząc na to z dystansu — pytał Bill — można powiedzieć, że, w pewnym sensie, to użeranie się z prawnikami było ci potrzebne, że był to sposób na uniknięcie zbyt silnych emocji? Jednym ze skutków skierowania sprawy do sądu było to, że twoja córka przestała być twoją córką, a stała się jedynie postacią z akt sądowych. Możliwe, że zadziałało to jak środek znieczulający.

Nie sądzę, żeby to był akurat ten mechanizm. Najważniejszym celem moich wyjazdów do Oregonu było, jak to często powtarzałem w książce, spowodowanie wydania zakazu wypalania ściernisk. Dlatego zacząłem ją pisać. Nie chciałem, żeby ktoś jeszcze musiał wycierpieć to co my. Teraz to już nieaktualne. Jeśli Oregończycy, z jakichś powodów, chcą spalić swoje domostwa, to ich sprawa. Tak jak powiedziałem w zakończeniu książki, śmierć naszych bliskich ma czasem głęboki sens. Może to nauczka dla żywych, żeby się nie trzymali życia aż tak kurczowo i za wszelką cenę. Dla mnie to była właśnie taka lekcja.

W przyszłym roku skończę siedemdziesiąt lat. Pewnie już niedługo dowiem się, czy uda mi się spotkać Billa, Kate, Mię i Dayiel. Żeby to wiedzieć na pewno, najpierw muszę umrzeć.

Jeśli chodzi o losy innych postaci występujących w tej książce, to Mona Flores (to nie jest jej prawdziwe nazwisko) została wspólnikiem w swojej firmie, rozwiodła się z mężem, sprzedała swój wielki dom, otworzyła z przyjacielem kancelarię adwokacką i znalazła sobie nowego męża. Cieszę się jej szczęściem.

Tego lata chcemy odwiedzić naszych starych przyjaciół, Wilsonów. Nadal mieszkają w Portland.

Tak więc życie toczy się dalej. Toczy się dalej i trwa dłużej niż większość z nas gotowa jest uwierzyć.

9 maja 1994 roku, Port Marly

TAKA NIEPOTRZEBNA ŚMIERĆ

Znany pisarz, William Wharton, stracił córkę, zięcia i dwie wnuczki w wypadku, który jego zdaniem nigdy nie powinien był się wydarzyć. Z Adriaane Pielou rozmawia o swoim smutku i o książce *Niezawinione śmierci*, którą napisał, aby zapobiec dalszym tragicznym śmierciom.

Wydarzyło się to sześć lat temu, 3 sierpnia 1988 roku. Pewien farmer wypalał ściernisko na pobliskich polach, kiedy wiatr zmienił kierunek i gęsty dym zasnuł autostradę międzystanową nr 5 w Oregonie, w Stanach Zjednoczonych.

Z powodu robót drogowych na autostradzie panował wyjątkowy tłok. Kiedy dym wdarł się pomiędzy pędzące pojazdy, kierowcy nie widzieli nawet maski własnego samochodu. Jedno z aut, furgonetka VW, jechała wciśnięta między dwie olbrzymie, osiemnastokołowe ciężarówki. Ciężarówka z tyłu staranowała furgonetkę. Wybuchnął zbiornik paliwa i cała rodzina uwięziona w aucie — matka, ojciec i dwie małe dziewczynki, zapięte w swoich dziecięcych fotelikach — spalili się żywcem.

„To najstraszniejszy wypadek, jaki kiedykolwiek widziałem. Ciała pasażerów furgonetki były tak zwęglone, że nie można ich było rozpoznać" — powiedział dziennikarzom wstrząśnięty policjant.

Spalonymi żywcem członkami rodziny Williama Whartona byli: jego trzydziestopięcioletnia córka, Kate, zięć, Bert Woodman, oraz dwie wnuczki Dayiel i Mia, pierwsza miała dwa lata, druga zaledwie osiem miesięcy. Książka Whartona, opowiadająca o ich śmierci i walce pisarza o ukaranie winnych, ukazała się 31 października 1994 roku.

Na werandzie swojego letniego domu w Ocean Grove, w stanie New Jersey, Wharton wspomina tę tragedię. Ten krzepki, energiczny mężczyzna (w przyszłym roku kończy siedemdziesiąt lat) oraz, od wydania znakomitego *Ptaśka* w 1978 roku, ceniony pisarz ociera łzy, kiedy zaczyna opowiadać. Kate to najstarsze z czwórki dzieci, które ma ze swoją żoną,

Rosemary. Podczas naszej rozmowy Wharton — niezwykle przywiązany do swojej rodziny — wielokrotnie wspomina wszystkich czworo. Mówienie o Kate nie sprawia mu trudności, póki nie zaczyna opowiadać o okolicznościach jej śmierci. Wówczas dopiero widać, jakie to dla niego bolesne.

„Wciąż mnie to boli i wciąż jestem wściekły, bo to były takie niepotrzebne śmierci — mówi po prostu. — Chcę, żeby ta książka pomogła ukrócić wypalanie ściernisk w Oregonie, tak żeby już nikt więcej nie musiał z tego powodu umierać".

W karambolu, w którym zginęła córka Whartona i jej rodzina, ogółem śmierć poniosło siedem osób, a trzydzieści siedem zostało rannych. Ten makabryczny wypadek — a także wcześniejsze podobne — spowodowały przyrost liczby członków organizacji ekologicznych walczących o zakaz wypalania ściernisk w Oregonie, jednak w opinii władz ważniejsze są ogromne zyski, jakie z uprawy traw czerpią zarówno farmerzy, jak i budżet stanowy.

„Jak oni mogą z tym żyć?" — pyta Wharton, a w jego niebieskich oczach szklą się nie skrywane łzy. W *Niezawinionych śmierciach* są rozdziały, których istotnie nie da się czytać inaczej jak przez łzy.

Narratorem pierwszej części książki jest Kate. Opisuje swoje szczęśliwe dzieciństwo, dorastanie na barce na Sekwanie w Paryżu, na której Wharton i jego żona Rosemary — mając dość życia w Stanach Zjednoczonych — zamieszkali trzydzieści lat temu. Opisuje święta Bożego Narodzenia w starym młynie wodnym w Burgundii, który jest w posiadaniu Whartonów, potem wyjazd do Stanów Zjednoczonych, studia na uniwersytecie w Kalifornii i swój ślub. Małżeństwo kończy się rozwodem, po którym ona i jej mały synek, Wills, przenoszą się do Niemiec. Kate dostaje pracę w szkole międzynarodowej w pobliżu Monachium i zakochuje się w poznanym tam nauczycielu, wielkim, pogodnym Bercie Woodmanie, którego poślubia. Wkrótce na świat przychodzi ich pierwsza córka Dayiel. W następnym roku rodzi się druga — Mia. W piątkę wyjeżdżają do rodzinnego stanu Berta, Oregonu. Kate i Bert zapisują się na uniwersytet w Eugene. Póki nie kupią własnego domu, mieszkają z matką Berta.

Pewnego słonecznego popołudnia, w sierpniu 1988 roku, wracają z wyprawy w poszukiwaniu mieszkania. Syn Kate, Wills, w ostatniej chwili zdecydował, że zostanie w domu, tak więc z Bertem i Kate jedzie tylko dwuletnia Dayiel i ośmiomiesięczna Mia. Na ostatnich stronach pierwszej części książki opisana jest ich podróż autostradą międzystanową nr 5. W pewnym momencie Kate spostrzega dym kłębiący się nad drogą. „Najpierw powietrze robi się żółte, potem bursztynowe, a w końcu ciemnobure. Oglądam się do tyłu, żeby zobaczyć, co z dziećmi, ale widzę tylko tę olbrzymią, osiemnastokołową ciężarówkę, przylepioną do naszego zderzaka; właśnie zapaliła światła. Odwracam się — przez przednią szybę teraz już nic nie widać. Jest ciemno jak w tunelu. Bert dusi kilka razy na hamulec, chcąc dać znak ciężarówce za nami, żeby zwolniła. W tym momencie uderzamy, niezbyt mocno, w samochód jadący przed nami, po czym Bertowi udaje się zatrzymać furgonetkę. Ułamek sekundy później słyszę straszliwy chrzęst, niewiarygodny hałas, po którym następuje potężny wstrząs od uderzenia w tył furgonetki. Obracam się do dzieci i słyszę ich krzyk.

Nic już nie możemy zrobić".

W dwóch kolejnych częściach książki funkcję narratora przejmuje sam Wharton. Razem z żoną i ich najmłodszym synem Robertem spędzają lato w Ocean Grove i o tragedii dowiadują się dopiero wieczorem następnego dnia; identyfikacja zwłok zajęła prawie całą dobę. Ogłuszeni tą wiadomością dzwonią do pozostałych swoich dzieci, bliskich przyjaciół, krewnych i do ciotki, która w tych dniach organizuje wielki zjazd rodzinny. W dniu pogrzebu w Oregonie, wczesnym rankiem, Whartonowi przydarza się coś niezwykłego. Budzi się z uczuciem niewytłumaczalnego spokoju, a kiedy wstaje z łóżka, jakaś niewidoczna siła powala go na ziemię; w tym samym momencie uświadamia sobie, co go tak uspokoiło. Tej nocy Kate, Bert i dzieci odwiedzili go we śnie. Siedząc na podłodze, opowiada o wszystkim Rosemary.

Jest na plaży w Ocean Grove. Obok Whartona przechodzi Kate z Dayiel; chwilę później na piasku przy nim siada Bert — na ręku trzyma Mię, która bacznie mu się przygląda — i bardzo przekonująco opowiada o ich własnej śmierci: „Will, bycie nieżywym to coś zupełnie, ale to zupełnie innego niż sobie wyobrażasz. Wciąż nie jestem pewny, co się właściwie z nami dzieje, za to wiem, że nie powinienem z tobą rozmawiać [...] Chcę jednak, żebyś wiedział, że czujemy się dobrze i że wciąż jesteśmy razem".

Bert ma pewną prośbę: chce, żeby sfotografował ich zwęglone ciała. To bardzo ważne, mówi, być może to powstrzyma wypalanie ściernisk, co było przyczyną ich śmierci.

Wharton nachyla się do mnie: „Ludzie pewnie w to nie uwierzą albo powiedzą, że to tylko sen. Ale opisałem to tak, jak było naprawdę".

To właśnie owo „nawiedzenie" dało mu siłę do walki o ustalenie odpowiedzialnych za śmierć najbliższych. Opis prawniczej batalii o doprowadzenie do rozprawy przed ławą przysięgłych — tak aby mógł stanąć przed sądem i zmusić mieszkańców Oregonu do wysłuchania szczegółowego świadectwa o tym, jak wypalanie ściernisk zabiło jego rodzinę, zajmuje drugą połowę książki.

Najpierw, jednakże, Wharton udał się do kostnicy i, razem z bratem Berta, Steve'em, przekonał właściciela zakładu pogrzebowego, żeby pozwolił im sfotografować zwłoki. To było wstrząsające doświadczenie. Z całej czwórki Kate najtrudniej rozpoznać. „Kiedy patrzę na jej twarz, zamknięte usta, puste oczodoły w poczerniałej kości, gdzie niegdyś były intensywnie zielone oczy, czuję, że dłużej tego nie wytrzymam".

Po tej ciężkiej próbie właściciel zakładu pogrzebowego częstuje obu whisky. „Ta czwórka — mówi — to nie są pierwsze ofiary wypalania pól, które trafiły do tego budynku. To hańba".

Wyrok w tej sprawie miał nigdy nie zapaść.

„Wszyscy sędziowie traktowali mnie tak, jakby chcieli powiedzieć: Zamknij się i spadaj" — mówi Wharton. Ostatecznie musiał zaakceptować ugodę, skutkiem czego w świetle prawa nikt nie został uznany winnym tej tragedii.

To właśnie owa niemożność doprowadzenia do procesu skłoniła go do wybrania innej drogi nagłośnienia całej sprawy.

„Pisanie tej książki to była droga przez mękę — wyznaje Wharton, patrząc na cichą uliczkę, na którą rozciąga się widok z werandy. — Mój londyński wydawca, Bill Buford, uważa, że opisanie tego wszystkiego to rodzaj terapii. Powiedziałem mu, że to nie miało nic wspólnego z terapią. To był tylko przykry obowiązek".

Śmierć najbliższych osób stała się zaczątkiem duchowej przemiany. Ta nowa duchowość sprawia, że w swych ostatecznych konsekwencjach jest to książka niesłychanie budująca. Wharton przywiązuje teraz wielką wagę do snów.

„Wydaje mi się, że lekceważąc sny, większość z nas cenzuruje niejako znaczną część swojego życia. To samo dzieje się wówczas, kiedy na siłę próbujemy je interpretować, odzierając je z tego, co rzeczywiste. Przez osiem godzin na dobę żyjemy życiem, które jest tylko luźno powiązane z tym, czym zajmujemy się na jawie".

„To wszystko zmieniło mnie tak bardzo, że śmierć mojej córki wydaje mi się teraz niemal usprawiedliwiona. Przeżycia związane z tą tragedią upewniły mnie, że istnieje jakieś ważniejsze życie, jakiś ważniejszy wymiar egzystencji niż ten, który znamy. Wierzę teraz w istnienie duszy równie mocno jak w to, że muszę jeść, aby żyć. Wiem, jestem tego całkowicie pewny, że życie nie kończy się wraz ze śmiercią ciała. Myślę, że życie ma sens i że tym sensem jest samo życie, dawanie i doznawanie tyle szczęścia, ile to tylko możliwe".

„Czy Bóg istnieje? Powiedziałbym, że Bóg to całość rzeczywistości duchowej, której wszyscy jesteśmy małą cząstką".

„Niemniej jednak — kończy Wharton z cierpką ironią — wcale nie jestem pewny, czy Boga to wszystko obchodzi".

Wydaje się nietaktem powiedzieć, że na podstawie tej książki można by nakręcić wspaniały film, ale Wharton sam o tym wspomina. Przyznaje, że pisał tę książkę z myślą o filmie. Miał już nawet, jak się wyraża, pewne oznaki „brania" ze strony rekinów z Hollywood.

„Chciałbym, żeby powstał taki film. Film zmusi ludzi do myślenia: to teraz najbardziej popularne medium. Będzie w tym wystarczająco dużo seksu, namiętności i przemocy — a właśnie to się teraz sprzedaje. Dobry reżyser mógłby zrobić z tego gorzki, przejmujący film".

Kilka powieści Whartona już przeniesiono na ekran: *Ptaśka* — powieść o chłopcu i jego kanarkach, *Tatę* — opowieść o śmierci ojca pisarza, oraz *W księżycową jasną noc* — książkę poświęconą doświadczeniu wojny. A zatem, również w przypadku tej książki jest to prawdopodobne. Gdyby tak się stało, być może spełniłoby się marzenie Whartona i zakazano by wypalania ściernisk.

„Chociaż nie lubię tej całej współczesnej, zaangażowanej literatury, nigdy nie pisałem wyłącznie po to żeby «bawić», zawsze chciałem także «uczyć» — mówi Wharton i śmieje się. — Musiałem tylko uważać, żeby nie popaść w moralizatorstwo".

Wharton jest pisarzem, ale i malarzem — swój czas dzieli pomiędzy te dwie dziedziny sztuki. Wychował się w Filadelfii, w rodzinie robotniczej, z pochodzenia jest Irlandczykiem. Pracę zawodową rozpoczął od posady nauczyciela rysunku. Kiedy w połowie lat sześćdziesiątych wraz z rodziną przeniósł się do Francji, rzucił uczenie dla malowania. Z tego się utrzymywał aż do czasu, kiedy w latach osiemdziesiątych jego konto zaczęły zasilać honoraria za książki.

Zarówno dla niego, jak i dla Rosemary — która zawsze pracowała jako nauczycielka w przedszkolu — najważniejsze były dzieci. Nie przypadkiem cała czwórka również została nauczycielami. Kate miała zamiar uczyć w Oregonie. Ich druga córka, Camille, jest nauczycielką w Hanoi. Starszy syn, Matt, uczy w Ankarze, a najmłodszy, Robert, zacznie pracować jako nauczyciel, kiedy tylko zrobi dyplom.

O tej pasji i oddaniu Whartonów najlepiej świadczy fakt, że dziesiątki dawnych uczniów wciąż utrzymują z nimi kontakt, po latach odwiedzając ich już z własnymi dziećmi.

Zbliża się pora obiadu. Przechodzimy z werandy do jadalni. Rosemary napełnia filiżanki ziołową herbatą i kroi najprawdziwszy francuski *quiche*. Rozmawiamy o Urugwaju, gdzie ostatnio Whartonowie spędzają każdą zimę. Śmieją się, że na nic nie wydają tyle co na telefon, ponieważ gdziekolwiek są, Rosemary co niedzielę „obdzwania" wszystkie dzieci.

Żegnamy się i Wharton odprowadza mnie na przystanek autobusu, który zawiezie mnie z powrotem na Manhattan. Opowiada o swojej drugiej córce, Camille, i swoim wnuku, Willsie, najstarszym dziecku Kate, tym, który cudem uniknął śmierci i teraz mieszka ze swoim ojcem w Kalifornii. Pyta, czy sama mam dziecko. Kiedy mówię mu, ile ma lat, kiwa głową i szepce: „Dwa lata i osiem miesięcy. To tyle co Dayiel i Mia".